何建明

红色三部曲

何建明 著

革命者

1921年到1949年的浴血洗礼

中央党校出版集团 大有书局

祖国是人民最坚实的依靠，英雄是民族最闪亮的坐标。

崇尚英雄才会产生英雄，争做英雄才能英雄辈出。

让初心薪火相传，把使命永担在肩，切实在实现“两个一百年”奋斗目标、实现中华民族伟大复兴的中国梦进程中奋勇争先、走在前列。

要教育引导全党大力发扬红色传统、传承红色基因，赓续共产党人精神血脉，始终保持革命者的大无畏奋斗精神，鼓起迈进新征程、奋进新时代的精气神。

——习近平

序

“十一”的歌者

是的，在离新中国成立还有几个月时间、离上海解放仅有十天时，你的儿子，就这样牺牲了——成为为新中国诞生而洒下鲜血、牺牲生命的最后一批烈士之一……

你的儿子牺牲得壮烈：作为国民党政府中央银行的一名稽核专员，当听说蒋介石连续五次用手谕催促上海的汤恩伯将国库内的最后一批黄金偷运到台湾时，便一边以最快的速度通知上海地下党组织，一边挺身而出带领央行的员工联合起来制止反动派最后的疯狂……

“他们已经运走了400万两黄金，现在国库都快空了，所以绝不能让他们把最后的一点存底再偷运走了……”

“对，誓死也要保护好上海全市几百万人民的救命钱哪！”

解放上海的战役已经进入第六天。夜晚，正当你儿子和行里的员工们紧张地策划集体起义时，几十名全副武装的特务突然冲了进来：“不许动！统统抓起来！”

发了疯的特务在地下室用各种酷刑拷打他：“说，你把多少情报给了共党？”

你儿子皮开肉绽，睁着愤怒的双眼回答道：“你们偷运国库里的黄金和银元，难道还是什么秘密吗？”

“你一个堂堂哈佛大学毕业的高材生，父亲又是我们党国的元老，蒋总裁希望你跟我们一起到台湾，何必非要跟着共产党过苦日子嘛！”国民党高官亲自出面来做软化工作。

你儿冷笑一声：“我能跟一个垂死的政权去小岛吗？”随后又抬起满是血的头，冲着特务说：“希望你们能在这最后时刻，弃暗投明……”

“快把他的嘴给我封死！封死——！”大特务气急败坏地叫嚷起来，于是众特务手忙脚乱地向你儿子扑去。

“既然他不愿跟着我们，那就成全他，让他留在上海吧！”汤恩伯对前来报告的大特务毛森说。

“司令是说……留着他？”毛森一想到你儿的名字，心里就有些发怵。“你是见过蒋总裁‘私运国库财物者，格杀勿论’的手谕的。”汤恩伯冷笑一声，说，“身子可以留着，命就不能留了……”

“明白！”

郊外的枪炮声已经越来越接近外德。就在这个深夜，营救行动也在进行……

“快！快起来！”而几乎就在同一时间，国民党特务们七手八脚地将你儿从血泊中拖起来，不由分说地将他往地下室外拉。

“你们想干什么？”从昏迷中醒来的你儿奋力反抗，以腿抵力想跟特务们抗争。

“好嘛，你还有腿啊！打！打断他的腿！”一阵乱棍声中，你儿的腿当即被折断。随后，昏迷中的他被拖出地下室，拖至一块乱草丛，被重重地扔进一个事先挖好的坑中……

敌人将你儿子如此残忍地活埋。

敌人活埋你儿子的时候，你已经在北京，在同毛泽东、朱德、周恩来等讨论即将成立的人民共和国中央人民政府的组建。

就在上海解放后第六天的《大公报》上，你赫然看到一则关于守护银行的烈士被害的报道：

匪党杀人惨绝人寰 爱国志士被活埋

南市匪特机关内昨掘出十三具尸体

【本报讯】南市车站路一九〇号，是国民政府国防部的特务机构保密局，在人民解放军未解放上海前，每天将所逮捕的爱国志士，送到那里，实行秘密杀害。上海解放了，人民解放军去接管这所杀人的魔窟，里面的特工早已逃走，只留了一个年老的门房看门。昨天因该处后园空地有阵阵冲入欲呕的臭气发散出来，解放军便动手在西南角的墙边挖掘，掘出一具被害者的尸体……

你看到了这儿，心便悬在半空。报道后面这样说：在昨天上午，你儿媳听到解放军掘出尸体的消息后——

立即赶到该处，看见那具尸体，死者被害的情形，可谓惨绝人寰，双手被用麻绳反绑，头上蒙布，身上手上发红，好似在生前受过酷刑。据说匪军特工是把他活埋的，埋葬的泥窟底层还铺有石灰。因靠西北面墙边与北面正中的两处泥土均很松动，泥里一定也有被害尸体，乃由工役先掘西北面的泥土，果然不到三尺，接连发现三具死尸，死者被害的情形与第一具一样，都是被蒙头扎手，生生活埋的。再掘北面正中的泥土，掘至四尺后，地下累累的全是尸体，一具具由工役用绳从泥土中吊起来，一共是九具，连前四具，总共是十三具……

你的心剧烈地疼痛……痛得以至于不能再看下面的文字，因为你儿和另十二位烈士被特务残害得太惨！太悲——

“尸体很多下身赤裸裸的，有的脑袋破了，有的脚断了……”而且报道非常清晰地说，“那个断了右脚的尸体”经儿媳辨认，就是你引为自豪的二儿子！

儿啊！你死得好惨、好惨啊……儿啊，你死得悲壮又伟大啊！

你捧着《大公报》，老泪浸湿了那张挖掘现场儿子模糊不清的赤身尸体的照片……

是悲！是恸！是愤！是怒！

然而此时，你不得不将这份悲愤与悲恸深藏在心底，全身心地投入到辅助毛泽东等中国共产党人建立新中国的大业之中……

你是一个典型的旧知识分子，但你又首先是一个激情澎湃的革命者！建立一个人民翻身做主的人民共和国，是你一生的追求和愿望。作为土生土长的上海人，你在年轻时就追随孙中山，举着“教育救国”的旗帜，创办了浦东小学、浦东中学，以及后来名扬四方的“中华职业学校”。而此时的你，是作为民主建国会的领袖在参与组建以中国共产党为首的各党派联合的中央人民政府……

1949年10月1日，这是一个伟大的日子。

在这之前，你参加了第一届中国人民政治协商会议，新中国成立的各项事宜都在此次会议上决定，而你又是参与这一历史性伟业决策的重要成员。面对中国共产党人领导下的新天地，你兴奋不已——

“是的，我们兴奋了，我们这一群人，今天在共产党和毛主席的领导之下，要从地球几万万年一部大历史上边，写出一篇意义最伟大、最光荣的记录，它的题目，就是中国人民政治协商会议开幕……”

“我们要在这中国人民政治协商会议中间，在东半个地球大陆上边，建造起一座新的大厦来。这座新的大厦，已经提名了，是中华人民共和国……”

这是一位渴望民族振兴、追求国家独立自由和幸福并为之奋斗了一生的革命者的肺腑之言。你在全国政协会议上的发言，抑扬顿挫，又洋洋洒洒，加之洪亮且高昂的声音，以及诗一般的语言，让整个会场都为之激荡，连毛泽东、朱德、周恩来等中国共产党的领导人都聚精会神地聆听着从你口中说出的每一个字——

“是的，这所新的大厦的环境，多么美丽，多么伟大！有很高的高山，很大的大水，统统趋向着一个很大的大洋，就是太平洋……”

“是的，这所新的大厦，有五个大门，每个门上有两个大字，让我读起来：独立、民主、和平、统一、富强……”

“是的，这所新的大厦，周围有很辉煌灿烂的墙壁，墙壁上写着一行一行顶大的大字，就是中国人民政治协商会议共同纲领……”

10月1日这一天终于来临，这是中国人民盼望和奋斗了数百年才有的一个伟大的崭新的国家诞生日。这一天对四万万劳苦大众是一个盛大的节日，而对你同样是一个具有特殊意义的节日，因为“十一”也是你的生日——七十一年前的1878年10月1日，你出生在上海川沙的一个破落的秀才家。

因为接生婆告诉你的父亲，说你是个“胖男囡”，于是你父亲开怀大笑着给你起了一个响亮的名字：“炎培”——意在告诉你，将来无论到天之涯、海之角，永远不要忘记自己是炎黄的子孙。

在新中国诞生的盛大庆典上，你与毛泽东等站在天安门城楼上，看着广场上欢呼沸腾、红旗招展的人山人海，你激动不已，全身的热血在燃烧……

“中华人民共和国中央人民政府，今天成立了！”随着毛泽东的一声庄严宣告，你的感情顿时无比激荡，难以抑制。

历史就是一部教科书，我们就是一个个受益的学生。一个又一个新的时代就是在这样的教科书的引领下慢慢形成、发展与推进的……你的心如此想着，便如此咏叹。

开国大典的游行开始了。在雄壮的乐曲声中，一队队从硝烟中走过的人民解放军官兵和打扮得格外鲜艳的工、农、商、学队伍齐步行进，欢呼着通过天安门城楼，接受毛泽东等开国元勋们的检阅……欢呼声、口号声，伴着如海一般的红旗猎猎飘扬声，响彻云霄，震荡山河。

“毛主席万岁！”

“人民万岁——！”

“共产党万岁！”

“祖国万岁——！”

突然，广场和城楼上也回应着高呼起来。一边是代表着四万万人民的声音，一边是代表中国共产党人的领袖的声音，那情形、那情景，令大典现场的所有人感动无比……而你则彻底地陶醉了——

“生日！我的生日！新中国的生日——”开始，你是在心底默默地呼喊着，后来竟然在口中一个劲地高喊起来……

毛泽东朝你笑了。朱德朝你笑了。

周恩来向你伸过手来。宋庆龄更是微笑着向你张开双臂……“生日快乐！”

“生日快乐。”

“恭贺先生。”

“先生共贺。”

这场面，既是“古来稀”的黄炎培所没有想到的，更是开国大典上的一个富有人情味的“特殊插曲”，这让黄炎培满脸通红地连声用上海话致谢各位新朋故友：“阿拉开心！阿拉开心！”

末后，你拉着一位老友，一边拭泪，一边不停地说：“老朽自追随孙中山先生几十年来到处奔走呼号，刻刻追寻的不正是这样的一天吗？”

“言之有理！言之极是也！”友人不停感叹。

“十一”国庆大典，一直到当晚近十点才结束。回到家的你，久久不能自已，于是你抬头朝窗外的东方望去，澎湃的诗意喷涌而出——

归队五星旗下，
齐声义勇军歌。
新的国名定了，

“中华人民共和国”。
……
是自己的政府，
是人民的武装。
昼旗夜灯一色，
天安门外“红场”。
“红场”三十万众，
赤旗象征赤心。
赤心保卫祖国，
赤心爱护人民。
……
为了革命牺牲，
是“人民英雄”们。
英雄永垂不朽，
立碑中华之门。

笔刚落，朝霞已满天……

“你怎么哭啦？”夫人轻轻地给你披上呢大衣时，惊愕道。

“走！我们去看看竞儿吧！”你穿上大衣，便要往外走。

“你要回上海？”夫人问。

“不，上天安门广场……”

你去了。你到广场后远远地看到了成百上千的人围在人民英雄纪念碑奠基石的四周，或在献花，或在敬礼，或在深情凝望……

你又一次心潮澎湃，后来，你将这种心情化作一首短诗——

我们每一回走过北京天安门，
……

想起千千万万为国家和人民的利益
而牺牲生命者中间有一个是你……

竞儿啊，这是写给你的，也是写给与你一样为新中国而牺牲的千千万万的“竞儿”……

黄炎培的“十一”歌者的故事和他那位牺牲在上海解放前十天的儿子黄竞武烈士的事迹，是我在上海龙华革命烈士纪念馆内所看到的。在第一次看到这样的故事和烈士的事迹后，我的心就再也没有平静过……就是这样一位中国共产党的友人为儿子所写下的这句话，如滚烫的铁水一直烙在我的心坎而无法冷却，因此我开始追寻那些先烈们的英雄史诗。

于是在这过程中，我震惊地发现：在中国革命历史中，上海作为中国共产党的诞生地和早期中共中央机关的所在地，从1921年至上海解放和新中国成立之日的岁月里，这座城市中，革命者为了争取民族解放和建立新中国，前仆后继，浴血奋斗，可谓血流成河……

我还震惊地发现：上海不仅是中国共产党的诞生地和早期中共中央机关的所在地，还是与国民党南京政府进行最严酷斗争的中共江苏省委所在地。也正是以上两个特殊原因，白色恐怖下在上海牺牲的中国共产党人特别多，尤其是党内职务高的牺牲者多，甚至牺牲在南京雨花台的烈士中有一半以上都是当年在上海工作的地下党人……

于是，从2014年那个清明节至今，我就不停地在上海、南京等地追寻当年烈士们的足迹，并且誓言要完成这样一部闪耀着《共产党宣言》光芒和共产党人品格的作品：

革——命——者

目录

革命中心大上海犹如一块吸力无限的磁石，吸引了无数热血青年奔向这里，有对大都市的向往，更有对理想的追求。于是年岁轻轻的他们，来时悄然，转眼，干得惊天动地！

枪杀他的前一刻，敌人问：才十七八岁，不后悔吗？他昂首挺胸地回答：杀一千次都不后悔！可转眼间，他羞涩地对同志们说：现在死了有点可惜，我还没谈过恋爱呢！

当年还有一批年轻的党务“巡视员”，长年奔忙在上海与外埠之间，许多人无声地牺牲在战斗途中，壮行可泣！

喜欢“自由高飞”的文艺女青年，一封给“爱人”的信，刺痛了所有女人的心；

那片从上海滩飘出的丁香，散发了近一个世纪的芬芳；

那“飞”来“飞”去的情书，催落了无数人的热泪；更有一群视革命爱情胜似喋血之花的兄长与大姐，他们在年轻时都曾立此誓言：为了革命事业，无论你活着，还是牺牲了，我都将永远、永远地守护在你身边……

对行将牺牲的革命者而言，只有今天，没有明天。告别人世时，他们的精神就是一面闪光的镜子，灵魂在此刻，得以最彻底地袒露，崇高与伟大、无私与爱，都在那一刻得以淋漓尽致地释放和激荡。

面对死亡，那一张张刚毅的脸庞，是信仰熔炼的雕塑；那一次次唱响的高亢激昂的《国际歌》，是慷慨悲壮的“最后的斗争”；那一道道眷恋与炽热的目光里，是对亲人、同志以及你我的全部爱意……

第一章
城市街头的第一滴血

是谁挥洒了千顷鲜红的血涛，把这世界的腥脏涤净？是谁燃烧了万丈炳灼的心火，把人类的罪恶毁烬！

我为正义而牺牲的朋友哟，我祝你光荣的死，成为猛烈的导火线，使革命的炸弹早日在赤日光中飞进！

上面这首诗的作者叫郭伯和，他的名字我们非常陌生，即使在上海龙华革命烈士纪念馆里，也只有非常仔细地找才可能找到他的一些简单的介绍。而我知道，像这样的革命烈士，如果不是无意间发现了他的一首诗，也许谁也不会记得他的名字。

上海的龙华和南京的雨花台两座革命烈士纪念馆里展示了约3000位先烈的事迹，然而我们熟知的可能只有几十人而已……而这部《革命者》的书中，也仅仅能唤出百多人的名字啊！

郭伯和的这首激愤的诗是为他的一个叫“黄仁”的同学而作。黄仁是我在烈士纪念馆所看到的第一位牺牲在上海的年轻共产党员。黄仁牺牲时仅20岁。1924年10月，上海商界、学界等团体为纪念辛亥革命13周年举行集会，他被一群国民党右派事先雇用的流氓从七尺高的台上推下并暴打……在被送往医院之后，瞿秋白等闻讯也赶到医院，然而医生也没能留住这位年轻革命者的生命。

黄仁的追悼大会由陈望道先生主持，恽代英、瞿秋白、何秉彝等纷纷上台发表演说，痛斥反动派的罪恶行径。与这几位人们非常熟悉的共产党早期革命青年领袖相比，现在几乎无人知道郭伯和的名字。但在1924年前后，郭伯和也是赫赫有名的革命者，是全国学生联合会代表大会的主席。郭伯和比他的同学、好友黄仁大4岁，四川南溪人，其父是前清秀才，家庭也算富贵。郭伯和从小同情苦难民众，看不惯旧社会的黑暗势力。16岁时，他就在悼念蔡锷将军的大会上慷慨激昂地痛斥帝国主义和封建主义对中国的压迫。1922年，郭伯和怀着救国之心，到上海求学、求真理，这时常听陈独秀、瞿秋白、恽代英等人的课，并与进步的同学黄仁、刘华、李硕勋等成为好友，发起组织了平民世界学社，创办了进步杂志《平民世界》。由于郭伯和的进步思想和对学生工作的全身心投入，不久他就被推选为学校的学生会主席。黄仁被暴打致死的集会，郭伯和就是召集人和主持人。当特务袭击时，他也是挨打并受伤的15人中的一个，并且被野蛮地关进了囚室。当郭伯和被释放后，得知同学、好友黄仁牺牲的噩耗，立即发动学生起来斗争，并亲自起草通电全国学联的文稿。郭伯和对着黄仁的遗体，悲恸并愤怒地发誓——

> 我将为你高呼而狂号，
> 我将为你哀则悲啼，
> 我将为你完成你未完成的革命工作，
> 我们从此更热烈更奋勉，
> 我们要大家站在革命的前线，
> 先我们而死的黄仁同志啊，
> 请你给我们些刺戟，
> 我们踏着你的血迹上前！

这就是革命者的声音！这就是那个时代革命者前仆后继的革命精神。不到三年，1927年6月26日，担任中共江苏省委组织部部长的郭伯和，与陈独秀的儿子陈延年及黄竞西等人在上海虹口区山阴路恒丰里104号楼上被反动派逮捕，数日后被敌人枪杀于上海，时年27岁。

郭伯和的牺牲，时值“大革命”失败之后的1927年，那一年像他这样牺牲的共产党人和革命者多达几万人！

我们来说黄仁的牺牲，他是第一位在上海街头被打死的中国共产党早期的青年党员。在当时广大青年和民众中具有广泛影响力的五四运动旗手陈独秀，立即站出来发表文章，抨击反革命暴行。上海的各种进步报刊也随即就黄仁之死发表文章，谴责反动派流氓分子的罪行。全国学联和上海高校还向全国通电。一时间，“黄仁惨案”震动全社会。正如《民国日报》副刊“觉悟”所说：“对于黄仁烈士的死，在青年中间唤起了极大悲愤。这一波浪现在正扩大他的圈子，要把革命的呼声，直传到广大青年和全社会最落后的每个角落去……”

“黄仁惨案”发生两个多月后，1925年1月11日至22日，中国共产党第四次全国代表大会在上海举行。从1921年第一次全国代表大会以来的三年多时间里，党员人数由最初的50多人到此时的994人，这中间，正如“觉悟”所言，青年学生黄仁的牺牲，唤醒了无数进步的青年和知识分子们投身到中国共产党及其领导的革命洪流之中。而上海作为中国第一大城市，作为工人与学生最聚集的地方，参加中国共产党和革命队伍的人数自然也比任何一个地方要多。到了党的四大召开之时，上海已经成为全国革命的中心。

革命的暴风骤雨正在这座东方最大的城市里孕育……

这与当时国内外的历史潮流不无关系，当然更与中国共产党在这座城市里的诞生和崛起有着直接关联。

在这里有必要将几个重要的历史镜头拉到我们面前——

第一个“镜头”是在中国共产党诞生的前夜：

……

19世纪末，一群“广学会”的知识分子凑在一起，饶有兴趣地在议论由英国传教士李提摩太委托翻译的一本《社会主义史》(中译书名《泰西民法志》)。那书主要介绍正在欧洲兴起的“社会主义学说”和“共产主义学说”的鼻祖马克思，并称：“马克思是社会主义史中最著名和最具权威的人物，他及他的同心朋友恩格斯都被大家认为是‘科学的和革命的’社会主义派的首领。这一派在文明各国中都有代表，而大家对于这一派为社会主义中最可怕的新派。”

“吾中华泱泱大国，昔日鼎盛全球。而今连倭寇都欺之首顶，是可忍，孰不可忍！该当以‘最可怕的新派’来冲一冲腐朽之躯呀！”1894年由英国传教士创办的“广学会”，旨在“以西国之新学广中国之旧学”，实则通过宣扬殖民主义奴化思想来影响中国未来。而这中间，“广学会”也不乏挟带些如“社会主义”和“共产主义”的“新派”学说。这样，“马克思”和他的“社会主义”“共产主义”概念第一次在中国的上海出现。1899年2月至4月，由上海“广学会”主办的《万国公报》连载了一篇题为《大同学》的文章，将马克思称为“百工领袖著名者”。

20世纪的大幕拉开之后，“马克思”和他的“社会主义”“共产主义”学说，渐渐成为上海码头上所探索的众多“救国之道”中一道特别的光芒。甚至当时上海的一些进步报刊称“社会主义”和“共产主义”是“光明奇伟之主义”——“方如春花之含苞，嫣然欲吐”，必将“千红万紫团簇全球”。也正是这个时候，一批追求国家独立解放的青年知识分子带着对“马克思”和“社会主义”及“共产主义”学说的最初印象，有的搭上东渡日本的轮船，有的则远赴欧洲及美国等地，踏上了救国和追求真理的求学之路……这中间，有陈独秀、李达、李汉俊、陈望道等中国共产主义运动的先驱者，当然还有像鲁迅这样与共产党并肩作战的革命者，甚至有后来成为“国民党理论家”的戴季陶这样的人。

1917年11月，俄国十月革命的一声炮响，给中国送来马克思列宁主义。追求救国和真理的革命者，从此被激发出前所未有的革命豪情和战斗激情。北方的李大钊最先举起马克思主义的大旗，高声疾呼十月革命是“世界的新文明之曙光”，并公开宣扬和主张，工人阶级的革命将是世界潮流，一切剥削阶级、军阀与买办、外国侵略势力，都将“遇见这种不可当的潮流，都像枯黄的树叶遇见凛冽的秋风一般，一个一个地飞落在地”，而且所有的劳工和农民们行动起来，去共同创建一个“有工大家做，有饭大家吃”的崭新世界。

1918年的岁末，寒风凛冽之中的黄浦江码头上，一位离“家”多年的青年，怀揣日本东京帝国大学土木工程系的毕业证书和两只大布包，磨上了外滩的石子街头。这个青年叫李书诗，号汉俊，后来我们在中共一大代表的名单上所看到的“李汉俊”就是他。

与能说一口流利的日语相比，李汉俊的“国语”反而比较差，这也难怪，他少年就随哥哥到日本留学。多年的日语训练和学校读书，使他表面上像个“日本小伙子”了。但如此一位深受日本教育影响的中国青年，对父亲要他从事的土木工程专业没有多少兴趣，却在大学里对马克思主义学说格外“上心”，竟然慢慢地成了一位马克思主义和共产主义学说的传播者，所以他从日本带回的两只布包中没有一本是土木工程专业的书，尽是英、德、日文版的马克思主义书刊。

那个时候，中国的知识界有两个重要人物在上海，一是蔡元培，一是戴季陶：蔡元培代表的是“教育救国”的革命派，戴季陶则是宣传社会主义的新主张派。戴季陶就住在渔阳里，许多倾向马克思主义和共产主义的革命知识分子都悄然向渔阳里会聚……八个月后，陈独秀也来此，开始了他和战友们筹建中国共产党的实践，这里也成为中共创建早期的办公地和中国共产主义青年团的筹备地。

“汉俊，来，给你介绍一位湖北老乡认识！”一日，时任国民党中央候补委员、国民政府驻沪代表的詹大悲在自己的家中给李汉俊介绍一个看上去很憨厚的男子："他叫董必武。"

"幸会！幸会！"李汉俊与董必武的这一握手，从此这两位老乡成了知己和同志。两年后的中共一大，他们都是代表。

差不多从认识的那一天开始，李汉俊天天向董必武和詹大悲介绍俄国十月革命和马克思主义学说，并且把他从日本带回的进步杂志《黎明》《改造》《新潮》等给他们看。董必武和詹大悲原本都是追随孙中山的，如今在李汉俊的影响下，开始崇拜马克思学说，信仰共产主义了！若干年后，董必武向美国著名记者斯诺的夫人说，他之所以走上共产主义的革命道路，就是因为受李汉俊的影响，并称李汉俊是"我的马克思主义老师"。

大李汉俊三岁的詹大悲，在认识李汉俊之前，就已经是湖北乃至全国"反袁世凯"的先锋人物。国共合作时，詹大悲参与起草了《中国国民党改组宣言》。在这份宣言中，其实融入了许多共产党的理念。1926年，他随北伐军到武汉，出任湖北省政务委员会委员、代理财政厅厅长。1927年12月16日，他正在家中与李汉俊等谈事之际，一队国民党特务冲了进来，随即将詹大悲和李汉俊一起押到武汉国民政府的公安局。反动派的特务们未经审讯，便将他俩一同推至中山大道的黄孝河边，以"私通共产党"的"罪名"就地杀害，两位湖北籍革命者就这样牺牲在敌人的屠刀下……而就在詹大悲被捕前半小时，他还对妻子陈希慧说："现在时局紧张，董必武先生避居在日租界的南小路一位朋友家也十分危险，尽快去通知他离开那儿。"正是詹大悲生前给家人留下的这句话，在他牺牲的两天后，他妻子冒险找到了日租界的那个地方，及时向董必武的"房东"转告了险情。董必武便化装成伙夫，搭上轮船，去往上海……

现在我们需要把"镜头"闪回到李汉俊与董必武在詹大悲家里认

识之后的那些岁月：

早些时候原来在上海的一位重要人物应蔡元培之邀到北京大学任教，他便是陈独秀。

也是应蔡元培的请求，陈独秀前去北京时，带走了当时已经在上海宣传马克思主义和共产主义学说方面具有很大影响的《新青年》。刚回国的李汉俊抱定充当"马克思主义学说中国宣传员"，便开始与戴季陶、沈玄庐一起创办《星期评论》，加入了当时中国进步势力的洪流大潮中。

与李汉俊合作的戴季陶和沈玄庐，是当年上海滩激进知识分子中的风云人物。早年的戴季陶曾追随孙中山，也是同盟会成员，理论功底很深，一开始对马克思主义学说非常有兴趣，在宣传马克思主义方面做过不少事，所以也有了他偏离正宗马克思主义的"戴季陶主义"。戴后来全身心投入了蒋介石的怀抱，出任过黄埔军校政治部主任，被称为"蒋介石的笔杆子"和"国民党理论家"。1949年2月，眼看他曾经并肩战斗过的中国共产党人彻底打垮蒋介石国民党时，这位"大理论家"自知无颜见江东父老乡亲，便自杀了。另一位沈玄庐曾经也是一位了不起的人物，不仅与陈独秀一起编辑出版过《新青年》，他还是上海马克思主义研究会成员，并参与组建中国共产党。沈玄庐早在1916年就是浙江省的议长，在北伐中担任浙江学生军总司令。后来在上海与陈独秀等先进知识分子结识后，他开始信仰共产主义，除参与组建中共外，还参与了《中国共产党党纲》的起草工作。沈后来信仰发生变化，脱离了中共组织，投到了国民党的怀抱。在担任国民党浙江省党部"清党"主任期间，他逮捕了浙江籍革命者1800多人，大批共产党员被枪杀。沈玄庐成了革命的大罪人。1928年，他被不明身份者刺杀，落得不明不白的下场。

这是后来的事。

李汉俊回到上海时，陈独秀在北京，他在蔡元培庇护下，与同志李大钊携手，身边又有邓中夏、张国焘，包括后来从湖南来的年轻的毛泽东等一批才华横溢、激情澎湃的热血青年，此时的陈独秀在北京的声誉和影响力，与日俱增。

恰逢此时，第一次世界大战结束，这对中国和世界都是件大事。中国作为胜利的协约国，国人都在等待将德国在战前占领的青岛归还中国。陈独秀自然也在不停地呼吁“公理战胜强权”的洪流大潮之中。

1919年1月18日，巴黎和会召开，相关国家商议对德和约问题。然而由于巴黎和会始终是被英、法、美、意、日五强所把持着，这些列强完全不顾中国代表的严正抗议和要求，悍然决定将德国占领的青岛及在山东的特权全部转让给日本，使得中国蒙受耻辱。于是，当巴黎和会的消息传到国内，5月2日，北京大学在学生领袖邓中夏等领导下，2000余人集会抗议。随之，北京各界纷纷响应集会，到卖国当局和外国驻华使馆及机构进行抗议。陈独秀等也在报刊上发表文章，呼吁全国人民“醒悟”，与卖国政府和帝国主义势力做坚决斗争。5月4日，北京十几所学校的3000多名学生上街示威游行，他们高举大旗，从四面八方向天安门会合，高喊着“外争主权，内除国贼！”“还我青岛！”“废除二十一条！”“拒绝在巴黎和会上签字！”……

这就是伟大的震惊中外的五四运动！

随即，北京的学生运动波及全国，声势越来越大，其革命的内容也超出了反帝、反买办政府的范畴，直至反对封建和旧文化的广阔领域。而走在这场运动最前头的是青年学生和知识分子。毫无疑问，身处五四运动中心的陈独秀和李大钊，在当时便成了广大青年学生和知识分子心目中的英雄和旗手。

陈独秀的影响力还在于他“好动的天性”和辛辣的笔。6月11日夜晚，身穿白帽西服的他，口袋里揣着“膨满的东西”——是他自己写的中英文对照的《北京市民宣言》油印传单。他的这一打扮和形象，已被暗探牢牢盯住。就在陈独秀散发传单时，便立即被捕入狱。

五四运动的旗手入狱，自然再度震惊全国，连孙中山都出面向北洋政府施压放人。在社会各界的帮助下，被关押了98天的陈独秀，终于在1919年9月16日出狱。为了迎接陈独秀的出狱，《新青年》上发表了刘半农、胡适、李大钊和沈尹默等知识界领袖们的白话诗。李大钊的诗这样写道："你今出狱了，我们很欢喜！……什么监狱什么死，都不能屈服了你……你今出狱了，我们很欢喜！有许多的好青年，已经实行了你那句言语：'出了研究室便入监狱，出了监狱便入研究室。'"

经历过一场疾风暴雨的伟大运动和几十天的牢狱斗争之后，陈独秀在中国革命的进步势力中威望大增。

他也因此从一名民主主义者转变为马克思主义者。他对革命和领导革命阶级队伍的认识也有了更清晰的态度。他在秘密离开北京时，发表了一份《告北京劳动者》的宣言，其中说："我现在所说的劳动界，是指绝对没有财产全靠劳动吃饭的人而言"，他们"合成的一个无产的劳动阶级"。而且高呼："到了那个可以革命的时机，我们就非要与那恶魔奋斗不可！"

1920年初的上海格外寒冷，雪花覆盖了黄浦江两岸，法租界的渔阳里一片银装素裹。

"但我感觉到了你们身边，如同靠在熊熊燃烧着的燃炉边一样，格外温暖！"陈独秀踏着雪水，来到环龙路渔阳里2号，见了李汉俊、陈望道等后，把身上的大衣一脱，一边与他们一一拥抱握手，一边激情道。陈独秀是个情绪始终激昂的人，他坐下来就开始与李汉俊、陈望道等商量一件大事：

"俄国革命已经胜利了。我们现在要做的一件事，就是要建立自己的政党。这次在离开北平时，我与李大钊先生就讨论过这事。此行到上海来，就是想与诸君一起完成此大业！"

陈独秀屁股一着凳子，就明确地亮出了自己的任务与观点。

“成立政党，必须先有思想上的准备啊！现在关于社会主义和马克思主义的说法和传播非常混乱，应当有个权威的阵地将真正的马克思主义传播出去。”陈望道说。

李汉俊说：“我同意望道的意见。建党必须先得把马克思主义学说研究透、研究好，我们才不会迷失方向。所以我建议：一是可以仿效日本政党的做法，先成立一个马克思主义研究会，并且尽快把马克思、恩格斯的代表作《共产党宣言》翻译出来……”

陈独秀频频点头，说：“你们的意见极是。组建政党必须理论开道才是！”他边说边在屋子里走动着，突然停下道：“这样，我们第一件事，是尽快把《共产党宣言》翻译出来，然后想法在汉俊你们的《星期评论》上发表。第二件事是：马上成立马克思主义研究会，为建立自己的无产阶级政党做准备！还有，我也尽快把《新青年》从北京再搬回上海，要让它成为新的政党的机关报……”

“完全同意仲甫先生的意见，我们马上分头行动！”李汉俊和陈望道异口同声表示赞同。“仲甫”是陈独秀的字，早期党内的同志都这样称呼他。

后来，李汉俊把自己从日本带回的一本英文版《共产党宣言》和一本日文版《共产党宣言》交给了陈望道。这既是陈独秀的意见，也是李汉俊的意见，他俩一致认为陈望道的日语水平好，英语又比他俩精通。

“马克思的经典著作必须字字翻译准确，此事非望道莫属！”陈独秀紧握陈望道的双手，深情地道，“拜托了！”末后又说：“现在是越快越好！望道，你最好别在上海，躲到哪个世外桃源去把它突击翻译出来吧！”

陈望道苦笑道：“那只能回我老家义乌了！那儿就是你们想找我也一时不容易找得到了！”

“太好了！”李汉俊一听也兴奋了，说，“我随时把《星期评论》

的版面给你腾出来。”

陈独秀马上摆摆手：“可不是仅仅在你的《星期评论》上发，还应该出单行本！让所有中国革命者和进步的青年们人手一册！”

李汉俊和陈望道相视一笑，这也让他们更加坚定了同路者的信仰。

第三个“镜头”本来并不打算写，但因为我几次去过浙江义乌，对“真理的味道是甜的”这句话印象太深，故专门到陈望道翻译《共产党宣言》的老家走了一趟。他的故事也深深地烙在我脑海——

从上海到浙江的小县城义乌，现在只需要一个多小时的高铁。然而在一百年前，仅从杭州到义乌，就需要一天时间。再从义乌到陈望道的老家分水塘，则需要两天时间，因为那里根本没有路，需要翻山越岭。

陈望道的父亲是当地一户小财主，但陈父非常有远见，一定要把自己的两个儿子送出去，且要送到日本去“留洋”。这才有了后来的革命家和教育家陈望道，他在上海将大半生献给了复旦大学等高校的教育事业……

1920年的早春，陈望道带着两本外文版《共产党宣言》，冒着寒风、踩着雪花，回到了自己的故乡。与革命烈焰熊熊燃烧的大都市上海相比，这里既寒冷，又寂静。

为了安静，陈望道就在自己家的一间放柴的屋子里搁了一张桌子，开始了他的翻译。

“融儿，这里太冷，搬到堂屋的阁楼去写吧！”母亲趁着送饭的时候，一边给他的双腿披上一件厚棉裤，一边唤着陈望道的乳名，这样唠叨着。

“不妨。这里安静，我需要安静！”陈望道埋头继续翻着那本母亲看不懂的“洋文书”……

“你做的甜粽子就是好吃！我在日本一吃那酸菜，就马上想起你包的粽子，没法比！”陈望道抓起母亲端来的红豆粽子，一边吃，一边道。

“你爱吃，就天天给你包喽！”母亲收起儿子扔下的粽叶，轻轻地退出柴屋，又悄无声息地关上门。

翻译对有些人来说，可能是枯燥乏味的，但陈望道不一样。德国人卡尔·马克思和弗里德里希·恩格斯的《共产党宣言》，如同黑夜笼罩着的大山之中燃起的一把火焰，照得陈望道眼里一片光明，心头升腾起一股汹涌的巨浪：原来，世界上早已有了拯救人类和中华民族的“良方”呀！

你听，其声如擂鼓，振聋发聩——

> 有一个怪物在欧洲徘徊着，这怪物就是共产主义。旧欧洲有权力的人都因为要驱除这怪物，加入了神圣同盟。罗马法王，俄国皇亲梅特涅基佐，法国急近党，德国侦探都在这里面。
>
> 那些在野的政党，有不被在朝的政敌诬作共产主义的吗？那些在野的政党，对于其他更急进的在野党，对于保守的政党，不都是用共产主义这名词作回骂的套语吗？

你听，其声如擂鼓，让人清晰明了——

> 由这种事实可以看出两件事：
>
> 一、共产主义已经被全欧洲有权力的人认作一种有权力的东西。
>
> 二、共产党员已经有了时机可以公然在全世界的面前，用自己党底宣言发表自己的意见、目的、趋向，并对抗关于共产主义这怪物的无稽之谈。

是的，全世界“无产阶级所失的不过是他们的锁链，得到的是全世界”！

这就是世界的未来！中国的未来！

陈望道一次又一次激动了！激动的时候，他便高声地用英语或用日语诵读《共产党宣言》……他的声音蹿出柴房，在故乡的那片山谷间回荡，尽管他的母亲和乡亲们听不明白那“叽里咕噜”是些什么内容，但知道吃了“洋墨水”的陈望道一定是在做“正经事”，于是他们时不时悄悄地跑到陈家的那间柴房门外，瞅几眼，然后抿嘴笑笑，再悄悄地走开，“人家在做学问，别打扰他”！

古朴的山民，让陈望道得以静心安神、全神贯注地进行自己的翻译，神驰于马克思、恩格斯在文字中所呈现的世界风云。年轻的陈望道仿佛看到了发生在1870年法兰西国的那场血腥战斗——

欧洲争霸之战的普法战争中，法军惨败。9月，巴黎革命推翻第二帝国，第三共和国宣告成立。10万普军直逼巴黎，法兰西首都的工人们奋起抗战。然而，第三共和政府害怕工人武装甚于害怕普鲁士军队，在血腥镇压了巴黎人民的两次武装起义后，竟然同普鲁士签订了停战协定。

1871年2月，法兰西卖国贼梯也尔组织新政府，继续执行出卖民族利益和反对无产阶级的政策。3月18日凌晨，梯也尔政府派兵偷袭蒙马特尔高地的停炮场，企图解除工人武装。巴黎工人在国民自卫军中央委员会领导下击溃了政府军，举行武装起义，占领了巴黎市政府。3月28日，新当选的公社委员朗维埃庄严宣布：“我以人民的名义，宣告公社成立！”人类历史上第一个无产阶级政权由此诞生。

但巴黎公社犯了一个致命的错误——没有乘胜追击梯也尔政府残余。结果，梯也尔重新纠集武装力量，并勾结普鲁士军队于5月21日攻入巴黎市区。一周激战，5月28日凌晨，巴黎公社战士弹尽粮绝，最后的147名社员在拉雪兹神甫公墓东北角的墙下全部被政府军队屠杀……血染巴黎街头，其景惨不可睹！

起来，饥寒交迫的奴隶！
起来，全世界受苦的人！
满腔的热血已经沸腾，
要为真理而斗争！
旧世界打个落花流水，
奴隶们起来，起来！
不要说我们一无所有，
我们要做天下的主人！
这是最后的斗争，
团结起来到明天，
英特纳雄耐尔就一定要实现！

这是巴黎公社委员、公社领导人之一的欧仁·鲍狄埃所写的诗，后被谱曲而成国际无产阶级革命歌曲——《国际歌》。

而此刻，我们的中国义乌青年，则用他那娴熟的英语和流利的日语交替着诵读这位法兰西革命诗人的诗。年轻的陈望道完全沉浸在悲愤与激昂之中。

“工人的巴黎及其公社将永远作为新社会的光辉先驱受人敬仰。它的英烈们已永远铭记在工人阶级的伟大心坎里。”这是卡尔·马克思的话。

陈望道一边翻译，一边细细地领会着马克思、恩格斯所著的《共产党宣言》，并且更加坚信它就是人类和中国摆脱旧世界枷锁的真理之光！于是，这位义乌青年忘掉了身边所有的一切，唯有笔头在纸张上“沙沙”作响……

这时，母亲拎着饭碗和几只粽子，以及一碟甜甜的红糖进了屋，见儿子埋头在纸上写字，不敢打扰，便悄悄地退了出去，把门轻轻掩上。“唉，这书呆子！”出门的陈母轻轻地叹了一声，回到距柴屋五六十米的宅院，忙着做家务去了。

江南的早春，时有阴雨。柴屋两边是邻家的大房，雨水从屋檐滴下，恰好落在柴房的小半边屋顶，“滴答滴答”的水声并不小，然而完全沉浸在波澜壮阔的革命激情与文献译著之中的陈望道，似乎根本没有意识到屋外的雨天，只是偶感饥肠辘辘时，下意识地伸手抓住桌上的粽子，也不看一眼，用左手手指扒拉着解开粽叶，然后习惯性地在碟子里蘸点红糖，再塞进嘴里，咀嚼着那母亲专门为他包的香喷喷的粽子。他觉得很润、很甜，就这样边吃边译……

“融儿，红糖够不够呀？”这是母亲的声音，她怕打扰儿子，就站在门外问道。

“够了够了……蛮甜的了！”儿子在里边传出话来。

母亲再也没有多问，又回到庭院忙活去了。快到傍晚时分，母亲轻手轻脚地推开柴门，去给儿子收拾碗筷。嗯？碟子里的红糖咋没动？母亲觉得奇怪，便看看仍在埋头写字的儿子，越看越不对劲：“你的嘴上咋弄得这么黑呀？”

“啥？”陈望道这时才抬起头来。

“哎呀！尽是墨哪……”母亲叫了起来，“你咋把墨弄到嘴里去了嘛！”

陈望道顺手往嘴边一抹，再一看，便哈哈大笑起来：“是我刚才把墨汁当成红糖蘸着吃了……”

“看你！”母亲心疼地看了一眼儿子，嘀咕道，“你啊，一有书看，有字写，就啥都不在乎了！那墨跟糖能一样吗？我看哪，都是这书把你搞糊涂了。”

儿子笑了，说：“我没糊涂，你的粽子和红糖很甜，我这书也很甜呢！”

陈家母子的这段对话和陈望道翻译《共产党宣言》时将墨汁当糖吃的故事，后来流传开来，于是我们都知道了“真理的味道是甜的”这句话。

陈望道完成翻译之后，立即返回上海，将中文译稿交给了李汉俊和陈独秀，这两人便进行逐一校正。陈独秀对陈望道所翻译的《共产党宣言》大加赞赏，但是说到出版，囊中羞涩的陈大教授就有些为难了。

李汉俊刚回国就投身宣传马克思主义，所办的《星期评论》杂志本来就是自己和朋友掏钱的赔本买卖，已经入不敷出。陈望道苦干了几个月的“义务劳动”，因为没有印刷费，一下陷入无法出版的境况。

已经几个月没薪水的大教授陈独秀无奈地双手一摊，耸耸肩，自嘲道：秀才想打仗，没钱买枪炮……实在是愁煞人啊！

就在这个时候，列宁领导的俄国布尔什维克派来一位帮助中国组建共产党的代表维经斯基。

维经斯基第一站到的是北京。他首先找到了正在北大图书馆任职的李大钊，向他介绍俄国十月革命和他们的社会主义制度。李大钊则向维经斯基介绍中国的革命形势和五四运动的过程与性质，同时李大钊又把邓中夏、张国焘、刘仁静、罗章龙等进步学生介绍给维经斯基。之后的日子里，维经斯基和李大钊等多次相约在刚刚建成的北大“红楼”的图书馆见面和座谈，共同酝酿组建中国共产党。

随后维经斯基在李大钊的介绍下，来到上海，迫不及待地去见当时进步知识界极有影响的代表性人物陈独秀。

“我们现在是要啥没啥，除了一张嘴和一支笔外……”陈独秀对维经斯基的到来，十分高兴，见了客人，他的直性子就上来了，因为此时他正愁没钱出版《共产党宣言》的事。

“这个我们支持！”维经斯基说。

“哈哈……看来革命不能光是呼口号，还得有经济实力支撑！”陈独秀大喜。他随即交代李汉俊："找个可靠的书局，抓紧印！"

很快，第一部中文版《共产党宣言》在上海诞生了！它如一束迷雾中透出的阳光，迅速驱散了那些在黑暗中寻找光明者头上笼罩的阴霾……很有意思的是，可能因为时间仓促，第一版印刷出来的《共产党宣言》的封面，竟然把著作名错印成"共党产宣言"。如今我们在历史档案馆和上海图书馆可以看到这个版本，它也让我们知道了当时的革命者渴求真理的急切心态及工作状况，因为出书的整个流程可能就是一个人完成的，而且是在秘密又缺钱的状态下进行的。

错版的《共产党宣言》很快被纠正。一部一般中国人能读懂的马克思经典著作的出现，给上海乃至全国的马克思主义追随者以极大的鼓舞。大家从导师的《宣言》中知道了什么是真正的无产阶级革命，什么是真正的社会主义，什么是崇高的共产主义理想。

之后，以陈独秀、李大钊为代表的马克思主义者开辟了许多中国革命的伟大事件，比如在上海建立了第一个"马克思主义研究会"，成员有陈独秀、李达、李汉俊、陈望道、沈雁冰（即文学家茅盾）、邵力子等；比如建立了第一个共产党早期组织，陈独秀为书记，后他到广州赴任广东省教育厅厅长，指定李汉俊负责，骨干有李达和陈望道等。

之后，李汉俊等根据陈独秀的指示，便以上海共产主义小组的名义，与北京、长沙、武汉、山东等地的马克思主义研究小组通信联络，积极筹建中国共产党早期组织。

"到底叫'社会党'呢还是……"陈独秀在党的名称上有些拿不准，便与北京的李大钊商量。

"蔡和森来信建议叫'共产党'！"李大钊道。

下面的许多事我们都知道了：1921年7月23日，中国共产党第一次全国代表大会在上海秘密举行。地址是望志路106号（现兴业路76号），该房子是李汉俊和他哥哥李书城的寓所，人称"李公馆"。

中国的伟大历史就从这里掀开了新的一页。出席大会的各地代表，有上海的李达、李汉俊，北京的张国焘、刘仁静，长沙的毛泽东、何叔衡，武汉的董必武、陈潭秋，济南的王尽美、邓恩铭，广州的陈公博和旅日的周佛海；包惠僧受陈独秀派遣，出席了会议。他们代表着全国50多名党员。陈独秀和李大钊因事务繁忙未出席会议。北京小组的代表邓中夏，因为要出席少年中国学会年会而临时换成了只有19岁的刘仁静参加。

出席一大的代表中，李汉俊、何叔衡、陈潭秋、王尽美、邓恩铭后来都是英勇牺牲的革命烈士。

从中共的一大到二大、三大和四大，只有四年时间。这四年里中国和世界正处剧烈动荡的时期，中国共产党在这过程中也经历着不断探索与认识的阶段，特别是中共“一大”召开不久后的1922年1月，在莫斯科召开的远东各国共产党及民族革命团体第一次代表大会，对建党初期的中国共产党的革命方向影响很大。该会议号召东方各被压迫民族起来进行反对帝国主义和封建主义的民族民主革命。列宁亲自接见了中国共产党代表张国焘、中国国民党代表张秋白和铁路工人代表邓培等人，不仅提出了这方面的要求，并询问中国共产党与中国国民党合作的可能性。

张国焘回国后立即向陈独秀和党中央作了汇报，因此列宁有关民族和殖民地及联合战线的理论对之后中共制定自己的革命纲领起着直接作用。1922年5月初，由中共领导在广州召开的第一次全国劳动大会及中国社会主义青年团第一次全国代表大会，都非常鲜明地提出了“我们前面的敌人很多，帝国主义和本国军阀则是我们的主要敌人”，“我们认定这些敌人一日不除掉，我们一日不能得到些微的自由”，甚至公开提出了“打倒帝国主义”“打倒军阀”的政治行动口号。

事实上，在维经斯基的指导下，中共“一大”召开之后没几天，就成立了第一个工人阶级的革命组织——中国劳动组合书记部。这是中国共产党领导下成立的工人运动和工会组织，张国焘任主任，到1922

年就换成了邓中夏任书记部主任，副手是李立三、刘少奇等。由于马克思和列宁都认为共产主义运动必须由无产阶级领导，而工人阶级就是无产阶级的“先锋队”，所以中国共产党从建党开始就对革命的主要力量——工人阶级十分重视。

中共二大于1922年7月16日召开，直至23日结束。二大在陈独秀主持下完成了建党之后的三件大事。一是确定了党的最高纲领和最低纲领，指出：党在当时阶段反帝反封建的民主革命纲领，是党的最低纲领；“组织无产阶级，用阶级斗争的手段，建立劳农专政的政治，铲除私有财产制度，渐次达到一个共产主义的社会”，是党的最高纲领。党的奋斗目标也非常明确：消除内乱，打倒军阀，建立国内和平；推翻国际帝国主义的压迫，达到中华民族完全独立；统一中国为真正的民主共和国。第二件事是，提出了建立民主的联合战线政策。其主要是同孙中山先生领导的国民党建立联合战线。中共建党初期，共产国际要求中共参加改造国民党的工作也成为中共“三大”的一项很主要的决议，加之孙中山的“联俄联共、扶助农工”口号的提出，及主动邀请中共人士帮助改组国民党的要求，包括毛泽东在内的许多中共著名领袖人物纷纷以个人身份加入了国民党队伍中。这是三大之后的事。中共二大所做的第三件大事，即制定了《中国共产党章程》。这个意义十分重大。

20岁的青年学生黄仁牺牲之后，上海的社会情况更代表了全中国当时的时局形势。

内：军阀混战。外：洋人欺压中国……皆到了忍无可忍之地步！

在上海图书馆，我看到了整一百年前出版的一本跟手掌一样大小的书，这让我特别吃惊，除了是第一次见如此小的书外，更意外的是看到了一部名为《上海市民的出路》的书，于是把前面部分的内容抄录了下来：

上海的市民真困苦呵！自从米价高涨以来，我们平民的生活愈更难以度日。看起来这般繁华富丽的上海，其实只是我们百余万商民、工人、苦力、穷人的活地狱。

何以上海是这般现象呢？何以我们大多数的人如此困苦，我们的生活朝不保夕。而江浙尚号称富庶之区，上海犹名为全国第一繁华社会呢？我等商人终日劳碌，芸芸一生，近年来却弄得百业衰落，债项累积，营业亏损，濒于破产，这是什么原由呢？我等工人以劳力买生活，用血汗换工资，近年来百物腾贵、生活艰难，还要受厂主和东家的百般虐待、任意打骂与开除，一有要求，便被停止生意，弄得近日罢工迭起，失业者日多。这又是什么原由呢？我等苦力与穷人的生活更是朝不保夕，卖得劳力来换不得一饱，偌大的锦绣的上海竟无谋生之地，街旁檐下便是我们栖身之所，冬日里冷冻无衣添，夏日里燥热无地躲避，不饿死，就病死；在上海一百余万的居民，穷苦的占去大多数，都是这同一的境遇，这又是什么原由呢？这又有何种办法呢？

贫苦的市民诸君！

这种现象的唯一原因，就是中国人尚未独立，就是中国人尚受外国人和外国人相帮的军阀官僚买办所统治、所践踏、所剥削、所压迫！一百多万上海的市民，受的是几千个外国人和几百个中国军阀官僚与大买办的管理！他们雇用了一些巡捕包探警兵把我们层层包围起来。他们兴办各样的捐和税，捐了一遍又一遍，抽了一次又一次。租界里帝国主义者的工部局，每年要收入一百二十四万零五百余两的捐银；上海县南北市中国的军阀和官厅各样税捐名目多至几百种，如今还时有增加，逼我们要钱、要钱！可我们除了命，还能有什么呢？

…………

一百年前的上海是何情形，我们借助这些文字的记录，便可以清楚地看到当时中国共产党的革命方向是非常正确的，即反对帝国主义、反对军阀的斗争。百姓的日子苦不堪言，民族矛盾和民族斗争成为当时动荡的中国最迫切需要解决的问题。

20岁的黄仁是在城市革命斗争中献出生命的年轻战士。他的牺牲给同样年轻的中国共产党和进步的知识分子们以极大的震撼——革命是场不可妥协的残酷斗争，生命是这种斗争的必然的牺牲品，然而为了建立一个新中国，这种牺牲是崇高而壮丽的！

中共“四大”前后，中国的局势极其动荡，孙中山应冯玉祥等邀请北上共商国是，不幸病逝于北京。他的逝世让军阀势力更加猖獗，帝国主义列强借此对我中华民族的压迫变本加厉。城市劳苦大众的生活到了无法喘息的地步，即使那些曾经靠自己双手劳作和经营的小商小贩和小业主们，也无法维系基本的生产与生存，此时的中国，尤其是上海，已到了“黑云阵阵，暴雷欲响”之时，革命风暴正在酝酿之中……

“帝国主义如同一头野兽，已经闯入了庶民百姓的家门，奋起反抗是我们唯一的出路！”《觉悟》杂志、《劳动者》杂志等进步报刊纷纷发表文章抨击时局形势，斗争的导火线正被悄然点燃，被压迫的工人和市民们到了无法再忍的地步！

一位当时在日本纱厂工作的青年工人这样描述道：

当时，我住在闸北宝山路宝兴里，亲眼看到横浜桥里面一家丝厂的一些女工面黄肌瘦，肚子饿得实在受不住，偷偷跑到桥对过的小摊上买点烧饼或山芋充饥，被工头发现了，立刻遭到鞭抽和脚踢。

还有一家日本人开设在西宝兴路的玻璃厂，四面全用竹篱笆围着，盖几块铁皮作屋顶，十几个中国工人，光着身子，围在炉子周围，手里拿着玻璃管子，口对着管子吹灯泡和瓶子。盛夏酷暑，加上千度左右的高温，非但没有一点降温设施，还要受手中拿着鞭子的日本人监督。有一天我与两个工友走到青云路，看到那里有个“六三花园”，门前张灯结彩，我们想进去看看，但像外滩公园一样，门口挂着一块“华人与狗不准入内”的牌子，气得我们直咬牙。

又有一次，我和我的叔父从中华书局做完夜工后回家，已快十二点了，走到北火车站，看到虬江路附近，火光冲天，我们继续沿着淞沪铁路向前走，沿途碰到一堆又一堆的人。坐在地上号啕大哭。一了解说是自己的子女在厂里被烧死了。第二天清早，我和一位工友在上班之前到昨晚火灾的地方去看个究竟。啊！那真是惨不忍睹。原来是虬江路一家五层楼的祥泾丝织厂，一、二、三层楼是厂房车间和仓库，四、五层楼是女工宿舍。失火后四周墙壁和铁窗铁门都完好。而墙内车间、宿舍全已烧成灰烬，而两扇铁门依然关着，门内楼梯脚旁到处是烧焦的尸体。据当时报纸上透露，有一百多女工被活活烧死。为什么这些女工没有一个能逃出来呢？原来是工厂资产由保险公司保险，并规定如受火灾了将门窗打开的话，保险公司就认为你的资产早已搬出，不予赔偿损失。因此，老板宁可关门烧死工人，不使自己受损失。这事虽社会舆论哗然，资本家受到人们愤怒的谴责，但那又有什么用呢？

这只是一位工人所看到的几个点滴片段。资料提供的数据表明：那时仅日本资本家在沪开办的各类纱厂就有上百家，工人总数超过10万人。这10万工人背后就是10万个家庭，如果按每个家庭四五口人计算，就是四五十万人的生存处于极度悲惨的境地。然而这仅是日本一个列强的在沪势力，如果加上英、法、德、美等国的企业资本家，那么整个上海工人阶级的生存状态就是现实中的“地狱”。

在“地狱”里活着的人，靠什么继续生存？

只有一条路：反抗与斗争！

如今世界不太平，重重压迫我劳工。
一生一世作牛马，思想起来好苦情！

北方吹来十月风，惊醒我们的苦弟兄。
无产阶级起来了，拿起铁锤去进攻。
红旗一举千里明，铁锤一砸山河动。
只要我们团结紧，冲破乌云满天红。

（工运领袖邓中夏烈士诗）

“打碎地狱的唯一办法，是我们拿起手中的铁锤和棍棒……”马克思、恩格斯的《共产党宣言》给了中国共产党人明确的斗争纲领，“砸碎旧世界”的武器，就是动员广大工人起来革命。

中共二大之后，为了加强中国劳动组合书记部，专门从北京调来五四运动的急先锋、优秀的工人运动领袖邓中夏到上海出任这个组织的书记部主任（不久又由李启汉担任此职），并在沪西小沙渡槟榔路北锦绣里3号成立了第一所工人补习班，开始对工人进行革命教育和文化补习，其间大批优秀的工人参加了中共组织。

三大后，中共又加强了全国工人运动的领导，配备了最有经验和忠诚于革命事业的杰出工运指挥者组织指挥全国的工人运动。而上海作为工运的最重要阵地，中共派出了邓中夏、项英、何孟雄、刘华、何秉彝等坚定的革命领导者，这些同志后来无一例外地悲壮牺牲了……

让我们暂且收起这份悲切，回到黄仁烈士流血的十字街头。这是因为，每一场疾风骤雨的伟大革命和斗争，常常是因一个小小的事件触发的。

与黄仁同在20岁时牺牲的另一位，是顾正红，工人，牺牲前三个月才加入中国共产党。后来死在了帝国主义的屠刀下。

我们来看整个事件的起因与发展：

在日本人开的内外棉厂工作的顾正红，是位贫苦家庭出身的工人。

在他不到10岁那年，因为苏北老家旱涝虫灾频发，其父不得不抛下妻儿老小，只身到了上海做工，住在苏州河边的闸北贫民窟。顾正红16岁那年，老家又发一场洪水，一家八口人便搭乘一只小船，一路行乞，逃荒来到上海与父亲团聚度日。然而“十里洋场”绝非穷人的天堂。顾正红的父亲无法靠一个人的微薄工资养活全家人，顾正红的二弟到上海没多久就活活饿死，全家人也只能饥一顿饱一顿。1922年，17岁的顾正红在乡亲的帮助和托情下，进了日商内外棉七厂当扫地工。

那时日本人在上海开的厂，对中国雇工的压榨到了极致，是“吃了我们的血，还要剥我们的皮”，环境条件极其恶劣，工人们每天劳动时间长，还动不动被扣钱挨打骂。顾正红老实本分，但也受不了“工头”的无理欺压，因为厂里有“规矩”：凡新进厂的人，大半年拿到的工资，必须交给“工头”作为“酬谢”。家贫的顾正红受不了这气，有一次发工钱时他便问“工头”：“凭什么你总拿走我的工钱？”那“工头”狠狠地盯着他，没有说话，却挥手上前，重重地给了顾正红一巴掌。

血气方刚的顾正红怎能忍受如此欺凌？数日后，他约了几位小老乡，跑到“工头”家，狠狠地把对方揍了一顿。这还了得！厂方的日本资本家就此将顾正红开除出厂。

后经穷工友们帮忙，顾正红到了日本人开的内外棉九厂上班。可顾正红看到的九厂情况与七厂无异，甚至这里的日本人对中国工人更加残忍。难道天下的乌鸦真的一般黑？

顾正红开始思考。也就在此时，由地下共产党组织开办的“工人补习班”开到了附近。顾正红在这里知道了帝国主义压榨工人的原因和奋起抗争的诸多道理。也在这里，他还知道了穷人的救星——共产党组织。经过一段时间的考验和组织罢工的实践，顾正红秘密加入了中国共产党。从此，20岁的他明白了什么叫“革命”……引路人是比他大6岁的上海工运领导人之一刘华。

“天下穷人是一家。一根筷子很容易折断，一把筷子就不那么容易折断了。这说明我们工人只要团结起来，战胜帝国主义资本家和狗腿子们是完全可能的！”“补习班”的夜校里，刘华的话深深地打动了顾正红。

“对呀，我们工人的人数比资本家和狗腿子多多少？只要联合起来，还怕他们欺压吗？”顾正红虽然没有什么文化，但他把这个道理跟其他工友们一说，大伙纷纷认同。于是从1924年秋至1925年初的几个月时间里，顾正红在邓中夏、项英、刘华等地下共产党员的指导下，动员他原来工作过的内外棉七厂和现在的九厂工友，积极加入沪西工人俱乐部。参加的工友数量像滚雪球似的增加，短短三个多月中，周边的19个日商纱厂全都建立了工友俱乐部内的秘密组织，参加工人达千人。

顾正红此时渐渐成为这些工友中活跃的骨干分子。

1925年2月2日，内外棉八厂日本厂主制造事端，凶狠殴打女工，同时开除大批男工，并指使租界的巡捕房逮捕工人代表。此时中共“四大”在上海也刚刚召开，党中央审时度势，决定组织和领导一场大罢工。邓中夏、李立三、项英、王荷波、恽代英、刘华等迅速来到工人中间，于当月9日，9家日商纱厂、6个日商纺织会社的34000多名中国工人一起举行大罢工。当罢工的工人队伍高举“反对东洋人虐待！”“反对东洋人打人！”等标语，高喊着“从前做牛马，以后要做人！”等口号，浩浩荡荡向浜北华界行进时，一路上又受到上海市民和其他工厂工人们的欢呼与伴行……

但罢工的工人们没有想到的是，租界巡捕房勾结上海淞沪警察厅派出大批武装人员，对罢工工人和领导者进行大逮捕，包括邓中夏在内的56名共产党人和工会干部被捕。然而由于共产党组织有力，再度进行更大规模的罢工，迫使日商资本家坐下来谈判，最后以释放被捕人员和四项协议（一、今后如有虐待工人，准告厂主办理；二、工人回厂照旧工作；三、储蓄金满5年发还；四、工资准两星期发一次等）签署为条件而取得罢工全面胜利。

次日下午3点，工会代表到警察厅迎接被捕的邓中夏和其他工人出狱，沿途数以万计的工人和市民夹道欢呼，场面空前。

“二月大罢工，不仅在中国工人运动史上开辟了一个新纪元，便在中国民族解放史上也添了一层新意义。”邓中夏发表文章称。

参加和领导过京汉铁路二七大罢工的项英也发表文章，并且对纱厂工会内部也提出了非常有创意又能增进工友感情的“十六字”工人俱乐部宗旨：“联络感情、交换知识、相互扶助、共谋幸福。”

顾正红入党就是在这个当口。当时上海原本只有8个党小组，因为“二月大罢工”和它的胜利，尤其是在邓中夏、项英的力主下，在中共中央内部提出了要多发展工人党员的意见。至1925年4月底，上海党支部已发展到15个，党员人数也从109人上升到220人，革命的火种增加了一倍!

然而，与帝国主义在华势力的斗争才刚刚开始，革命的严酷也才露出冰山一角……

1925年注定是中国的一个格外悲惨和动荡的年份。到了四五月份，以棉纱为主要产业的上海工业界面临一场因世界形势变化而造成的商业惨局：由过去的棉贱纱贵，一下成了棉贵纱贱。这就意味着给产业工人带来更加不利的局面。针对这一形势，共产党领导下的工会和工人俱乐部改变斗争方式：各厂工友轮流怠工，此起彼伏，相互配合，斗得日本资本家难以招架。

但帝国主义在华势力没那么轻易被中国工人的斗争所打退，5月14日，在上海的日本纺织同业会宣布“断然处置，关闭工厂”来应对中国工人的斗争，有的日本厂借机大批开除工人。

形势发生急剧变化。

顾正红接到工友报告，直奔浜北潭子湾三德里的工会驻地，听取刘华代表党组织所作出的斗争指示。“我们不能接受日商资本家的这一招，尽快通知各厂工友，即使厂方借机会开除工人，也要让工友们照常上班，绝不能上他们的当！”

果不其然，顾正红原来工作过的内外棉七厂厂主第一个开始出面开除工人和关闭工厂。顾正红得知后，立即布置几位积极分子分头到七厂工人家中报信，以一传十、十传百的速度迅速向全厂工友通报，并通知原来夜班的工友去工厂照常上班。

可是待上夜班的工友来到厂门口时，发现大门已紧锁，门口却站着武装的巡捕和手持铁棍、木棒的打手，他们个个凶神恶煞地站在那里。

“我们要上工！”厂门口渐渐集结了数百名前来上夜班的工人，大家喊着口号，要求进厂。

“工厂不开了！”“上班也不给工钱！”打手和巡捕这样回答工人。

于是工人们边呼口号，边奋力地朝厂内冲去。

武装巡捕和日本打手开始露出凶相，对准工人恣意毒打，现场顿时乱成一片，许多工人被打得头破血流。刚刚赶过来的顾正红，目睹眼前如此血腥的情形，愤怒地高喊：“东洋人打伤工人啦！”“不许东洋人动粗——！”他的高喊，激发了工人们的斗志与愤怒，一些率先冲进厂子内的工友飞步冲进物料间，拿出一些打梭棒，充作自卫武器，与巡捕和日本打手厮杀起来。

就在这时，日本内外棉副总大班元木和七厂大班川村带着一帮打手，持枪舞刀来到厮杀的现场，见工人就打。

“不许打人！不许压迫！”顾正红立即站在工友最前头，愤怒地对着大班川村等打手高喊。哪知大班川村像醉汉似的猩红了双眼，端起手枪，朝顾正红的腿上就是一枪。

“东洋人开火啦！”“东洋人打伤人啦！”现场的中国工人一片惊愕。

受伤流血的顾正红咬紧牙关，挺直身板，高声对身后的工友们说：“不要怕强盗们！我们要团结起来跟东洋人斗争到底！”

“砰！”一颗罪恶的子弹又从川村的枪膛射出，打在了顾正红的腹部……

现场所有的工人都惊骇了。而倒在血泊中的顾正红强忍剧痛，双手紧抓住身旁的一棵小树，颤颤巍巍地站立了起来。

“你们这些强盗……”顾正红尚未说完最后一个字，川村手中的枪再次响起。这一次子弹射向了顾正红的头颅……

一个20岁的生命做了最后的一个挣扎的抽动……那个罪大恶极的日本凶手见顾正红仍未气绝，竟然又上前对准其胸膛补了一枪，随即又以铁棍猛击其头部……

顾正红——这位还未在上海滩上吃过一顿饱饭的青年工人，一位才入党三个月的年轻党员，就这样被帝国主义的凶手残忍地杀害了！

一个年轻的生命，在自己的国家，被帝国主义凶手如此残忍地杀害，顾正红的死引发了中国现代史上一场震惊世界的伟大革命运动——五卅运动。

城市革命和武装暴动的大幕，是以这场运动为开端的。

未来的日子，对革命者来说，是腥风血雨相伴的严酷岁月。他们的鲜血也是以这场斗争为起点，染红了百里黄浦江、万里扬子江……

第二章
南京路上的街头烽火

或许敌我双方谁也不曾料想，一个普通中国工人的倒下会引发震惊世界的一场大革命。这场革命甚至动摇了当时的一个半封建、半殖民地国家的政权，同时也唤醒了整个民族。

这就是发生在1925年上海的五卅惨案（与之相联的一场反帝运动，亦因此称五卅运动）。

事件是由5月15日顾正红之死引发的。顾正红被杀当时，负责这一带工运工作的中共地下党员刘华就已经知道了，他迅速向中共上海地委领导作了汇报。中共中央也很快获得消息，深知这一事件特别恶劣，立即派时任工运领导李立三到小沙渡了解情况，指导斗争。刘华等一线工会负责人当晚则在内外棉纱厂的工会会议上介绍了顾正红被害过程。工会代表们听后义愤填膺，纷纷表示要举行大罢工，向厂方资本家提出惩办凶手等八项要求。

次日，8000余名工人开始罢工，抗议日本资本家屠杀中国工人的罪行。工人们振臂高呼的口号声，响彻黄浦江两岸……

"我们必须紧紧抓住这个时机，给帝国主义者以最沉重的一拳！"中共中央总书记陈独秀激动地对瞿秋白、李立三、蔡和森等人说道。

"我们工会已经准备举行顾正红的追悼大会，工人们提出抬着他的尸体向帝国主义示威抗议，并且迅速组织全市的大罢工。"李立三说。

“我赞成这样的抗议形式！也赞成不失时机地举行大罢工。”陈独秀点头道。

“建议中央立即起草一份紧急通知，要求各地党组织配合工会、农会、学生会以及其他社会团体声援追悼顾正红的活动！”瞿秋白说。

“需要！十分需要！”陈独秀挥动着双手，道，“你们立即分头行动！”并对蔡和森说：“你马上写信给中夏和润之，让他们在广州和长沙把动作搞大一点！”

蔡和森点点头：“明白。”

当日，一份经陈独秀签发的关于配合上海大罢工的中共中央第32号通告向全国各党组织发出。该通告有四项主要内容：一、由各团体宣言或通电反对日本人枪杀中国工人同胞；二、由各种团体发起募捐援助上海纱厂工人；三、以各种团体名义发起组织宣传队向市民宣传日本帝国主义者历来欺压中国人之事实，造成抵制运动；四、广州长沙等地应号召群众向日本领事馆示威。

随即，上海35个团体立即行动起来，并且成立了“日人残杀同胞雪耻会”，支援工人斗争。中共中央在此时可谓开足马力，全力投入。不仅总书记陈独秀坐镇亲自指挥，主要负责人瞿秋白、蔡和森、张国焘等也亲临前线。五四时的著名学生领袖，后来又从事工运的恽代英、李立三、李富春、李硕勋、项英等，都在第一线组织指挥工人、学生与社会团体的罢工和声援活动。

邓中夏则被派往广州，与正在广州的陈延年一起组织、指挥广州和香港工人的大罢工；长沙的毛泽东组织工人和学生等社会团体积极呼应与配合上海的行动；在武汉的李汉俊、林育南等积极组织铁路工人罢工，以配合上海的统一行动。

一场大革命正在酝酿！

5月19日，中共中央再次发出通告，这第33号通告比起第32号通告大大地推进了，这时的中共中央已经决定在全国范围内发动一场以反日为主的反对帝国主义的大运动，并在上海布置党团联席会议，讨论公祭顾正红的计划时，李立三说要“作一大示威计划”。

但是对立面的上海工部局当时全力控制和封锁顾正红被杀事件及上海罢工的消息，不让登报。针对这种情况，22日，中共上海地委又开联席会议，决定取消大游行，集中力量开好24日公祭顾正红的大会。

24日下午公祭在潭子湾举行。内外棉厂工会发动数千工人参加。上海一些大学生持旗前往增援，中途却被租界巡捕等拦截，许多人被逮捕。

租界当局的行为再次激怒上海市民，特别是知识界。青年领袖恽代英立即以上海学联的名义召开了学生代表会议，会上他激愤地抨击租界当局逮捕学生的暴行。

28日，租界当局不作回应，并继续对罢工的工人和学生施压。面对时局，中共中央与上海地委立即召开联席会议，陈独秀亲自主持，他指出，上海学生上街宣传的目的是要广泛发动各阶层的参与。

“现在租界当局扬言要在30日审讯那些被拘捕的学生，并且放风说他们是‘扰乱治安’要加以治罪，企图以此恫吓上海人民，镇压我们的反帝行动。所以我建议我们也要在5月30日这一天，动员和集结工人、学生为主体的队伍到租界举行反帝大示威，以迎头痛击帝国主义的阴谋！”瞿秋白说出了自己的想法。

“我非常赞成这个建议！”李立三上前握过瞿秋白的手后，道，“必须动员可以动员的所有力量，逼迫帝国主义在华势力低头！”

“好！5月30日！他们要阴谋，我们干阳谋——把革命的烽火烧到街头去！”陈独秀挥动着右臂，问出席会议的同志们，“你们都同意吗？”

“同意！”所有参加会议的共产党人异口同声，因为大家早已摩拳擦掌！

按计划，大游行从30日上午开始。为了确保此次行动达到目的，中共组织作了周密的布置，以上海学联的名义在二马路（今九江路）孟渊旅社设立现场游行总指挥部，由恽代英任总指挥，进行现场指挥。

这一天的上海市区，一些大学生分成许多小队，在租界街头巷尾演讲并散发传单，他们一出现，就会被一群群市民围着，愤怒的口号声此起彼伏。

接近中午时分，连最繁华的南京路上，每隔几个门面就有一队学生在演讲。那些演讲者慷慨陈词声泪俱下，唤起了市民强烈的共鸣。

“快，把标语和传单也贴出去！”这时，有学生在人群中奔跑穿梭着通知各路学生游行队伍。于是，很快就见街道沿途的橱窗、电线杆、电车上贴满各种标语，天空也飘舞着雪花般的传单……随着游行队伍在街头行进，“打倒帝国主义！”“反对越界筑路！”“援助被捕工人学生！”“抵制日货！”的口号声、讲演声，此起彼伏，好一场轰轰烈烈的反帝宣传活动！

下午1时以后，学生和市民在街头越聚越多，而且反日、反帝的激情更为高涨，上海市区中心热闹的街头都有学生在演讲，在游行……

“了不得！了不得啦！”

“要翻天啦！翻天啦——”

学生和市民的抗议浪潮使租界当局惊恐万分，他们企图用武力来压制已经燃起的革命烽火。于是，租界各巡捕房一批又一批的武装巡捕，他们或持枪或持棍，开始冲到街头，阻止学生演讲，驱赶听讲群众。

然而，愤怒的学生和市民并不买这些巡捕的账，于是双方开始发生肢体冲突。

“他们造反了！”

“抓！”“抓！”

急红了眼的巡捕们开始抓人！见不停演讲的学生和不肯散去的围

观群众就抓……街头开始混乱。

很快，到午后2时左右，巡捕房已经抓了100余人。现场事态发展有些失控。

“马上通知各校负责人，一方面组织队伍到巡捕房营救被捕同学和群众，另一方面组织原先在各街头游行和演说的队伍都会集到南京路……马上就去通知！”恽代英紧急召来自己的学生、游行联络员何秉彝，让他立即去通知各游行队伍。

“是！”何秉彝个头不高，动作却敏捷异常。

但街头现场的情况已经很不乐观。巡捕房抓人抓到了发疯。不一会儿，巡捕牢房完全容不下了，连审讯室、办公室都被塞满了被捕的学生和市民……

另一头，上海大学、南洋大学、同济大学、复旦大学等各校部分演讲队伍开始从四面八方向巡捕房会集，他们一路高呼“打倒帝国主义！”“立即释放爱国学生和群众！”的口号，步步向租界巡捕房逼近。

此时南京路上更加人流如潮，激怒的学生和市民喊着“打倒帝国主义！”“坚决不买日货！”等口号，并且赤手空拳地与前来抓捕他们的巡捕房“洋鬼子”展开肉搏……

叫的，喊的，吼的，一片混乱与厮杀。

“开枪！”下午3时45分，端着长枪的巡捕首先向示威的中国学生和上海市民扣动了扳机……

“砰！”

“哒哒哒……”

一声枪响后，随即又是一阵更密集的枪声……这是排着队的印度巡捕举枪集体向学生和市民齐射罪恶的子弹。

“打倒帝国主义！

“打倒外国强盗……”

“打倒……”

第一个倒下的正是恽代英的那位交通员、站在游行队伍最前面的大学生、年轻的共产党员何秉彝……

在他身后中弹的是同济大学学生尹景伊。“你下去，下……”尹景伊见正在演说的同学陈宝骁被巡捕打得头破血流，准备自己上去演讲，就在这个瞬间，一颗罪恶的子弹从陈宝骁右侧飞过，正射中尹景伊的胸膛，顿时他的学生装上血溅如注……

在尹景伊的另一侧，一位颇有几分洋气、身材小巧玲珑的男学生“啊”的一声惨叫，立即倒在血泊之中。“阿钦！阿钦——！”同伴们哭泣着抱起这位鲜血直流的小同学，不知如何是好。“报……”这位被同学们称为“阿钦”的学生全名叫陈虞钦，是南洋附中学生，印尼华裔学生。“阿钦！你要坚持住啊！”同学们想帮助浑身是血的陈虞钦堵住伤口，可就是再多的手也无法实现……后来一数，有七颗子弹打穿了陈虞钦年轻的身体。

陈虞钦就在帝国主义的枪口下结束了如花一般的青春生命。而在差不多同一时间里，与陈虞钦一样被洋鬼子杀害的还有一位只有16岁的小工人，他叫邬金华，是新世界的新职工。

“苍天哪！你想要干什么呀？”

“强盗！帝国主义强盗们已经张开了血盆的大嘴！痛苦的中华民族该觉醒了！该彻底地觉醒啊——！”

当得知自己的学生何秉彝等血洒南京路的噩耗时，游行总指挥恽代英举着双拳，像头怒狮般在旅社里狂呼，即使如此，也难以发泄他胸中的悲愤。

事情闹大了！租界和英巡捕也紧张起来，为了掩盖罪行，他们命令巡捕用水龙冲刷路上的血迹……然而这一幕恰好被友联影片公司陈铿然等人拍摄下来，成了帝国主义在华犯下滔天大罪的铁证。

当日，中共组织动员各路游行队伍和市民团体，很快统计出了30

日下午被巡捕杀害的人员，他们是何秉彝（上海大学学生，23岁，中共党员）、尹景伊（同济大学学生，21岁，中共党员）、陈虞钦（南洋附中学生，17岁）、唐良生（22岁，华洋电话局接线生）、陈兆长（18岁，东亚旅馆厨工）、朱和尚（16岁，洋务职工）、邬金华（16岁，新世界职工）、石松盛（20岁，电器公司职员）、陈兴发（22岁，包车行车匠）、姚顺庆（28岁，琴行漆工）、王纪福（36岁，裁缝）、谈金福（27岁，味香居伙友）、徐落逢（26岁，小商贩）共13人。这些牺牲在帝国主义枪口下的学生和工人，除了36岁的裁缝王纪福，平均年龄才21岁，正是青春年华啊！然而他们的生命就在瞬间被帝国主义强盗毁灭在南京路的街头。

当日，受伤者达一百多人，被逮捕者达数百人……

这就是震惊全世界的上海"五卅惨案"！由这场惨案引发的一场空前的反帝运动则拉开了中国城市革命的序幕……

街头烽火正烈。

在南京路上发生洋人公开枪杀同胞并造成数百人受伤及被捕，这是上海开埠以来从未听说过的事，迅速传遍了上海市的每一个角落……

第二天一早，那些将信将疑的人便悄然跑到南京路想去探个究竟。此时的南京路已经不再像往日那样熙熙攘攘……在稀少的人群中，有一位穿着长衫的中年男人，看样子他像个教书先生。

他确实是个先生，而且是个非常有名的教书先生。昨晚有人把洋人屠杀学生和市民的消息向他说起时，他不敢相信，也不敢不相信，因为他的许多好友都在说这事。于是31日这一天他赶早就到了南京路，想看个究竟，看看那个街头是否还有同胞留下的血痕……后来在当天，他写下了一篇非常有影响的《五月卅一日急雨中》——

从车上跨下，急雨如恶魔的乱箭，立刻打湿了我的长衫。满腔的愤怒，头颅似乎戴着紧紧的铁箍。我走，我奋疾地走。

路人少极了，店铺里仿佛也很少见人影。哪里去了！哪里去了！怕听昨天那样的排枪声，怕吃昨天那样的急射弹，所以如小鼠如蜗牛般蜷伏在家里，躲藏在柜台底下么？这有什么用！你蜷伏，你躲藏，枪声会来找你的耳朵，子弹会来找你的肉体：你看有什么用？

猛兽似的张着巨眼的汽车冲驰而过，泥水溅污我的衣服，也溅及我的项颈。我满腔的愤怒。

一口气赶到“老闸捕房”门前，我想参拜我们的伙伴的血迹，我想用舌头舔尽所有的血迹，咽入肚里。但是，没有了，一点儿也没有了！已经给仇人的水龙头冲得光光，已经给烂了心肠的人们踩得光光，更给恶魔的乱箭似的急雨洗得光光！

不要紧，我想。血曾经淌在这块地方，总有渗入这块土里的吧。那就行了。这块土是血的土，血是我们的伙伴的血。还不够是一课严重的功课么？血灌溉着，滋润着，将会看到血的花开在这里，血的果结在这里。

我注视这块土，全神地注视着，其余什么都不见了，仿佛自己整个儿躯体已经融化在里头。

……

这篇文章的作者，是大名鼎鼎的教育家叶圣陶先生。叶先生不敢相信“五卅惨案”的真实现场。然而现场的真实又无法让这位善良的教育家平静，于是他当天就写下了这篇文章……

作为共产党最早的一批党员之一和文化界的旗手，沈雁冰先生得知白天南京路发生的悲剧之后，无法压抑心中的愤慨。在30日当夜，他疾笔写下了短篇小说《五月三十日的下午》。作品的结尾如火焰一般向着黑暗的世界喷射——

“以眼还眼，以牙还牙！”这两句话不断地在我脑海里回旋；我在人丛里忿怒地推挤，我想找几个人来讨论我的新信仰。忽然疏疏落落的下起雨来了，暮色已经围抱着这都市，街上行人也渐渐稀少了。我转入一条小弄，雨下得更密了。路灯在雨中放着安静的冷光。这还是一个闷热的黄昏，这使我满载着郁怒的心更加烦躁。风挟着细雨吹到我脸上，稍感着些凉快；但是随风送来的一种特别声浪忽地又使我的热血在颞颥部血管里乱跳；这是一阵歌吹声，竹牌声，哗笑声！他们离流血的地点不过百步，距流血的时间不过一小时，竟然歌吹作乐呵！我的心抖了，我开始诅咒这都市，这污秽无耻的都市，这虎狼在上而豕鹿在下的都市！我祈求热血来洗刷这一切的强横暴虐，同时也洗刷这卑贱无耻呀！

雨点更粗更密了，风力也似乎劲了些：这许就是闷热后必然有的暴风雨的先遣队罢？

何止是叶圣陶、沈雁冰先生，新文化运动的旗手鲁迅先生也愤怒了。他在《忽然想到（十）》中以其特有的风格质问和痛斥道：“英国究竟有真的文明人存在？”“英国人的品性，我们可学的地方还多着！”并且告诫国人：“无须迟疑，只是试练自己，自求生存，对谁也不怀恶意的干下去。”后又在《杂忆》中进一步说道，“我觉得中国人所蕴蓄的怨愤已经够多了，自然是受强者的蹂躏所致的。但他们却不很向强者反抗，而反在弱者身上发泄，兵和匪不相争，无枪的百姓却并受兵匪之苦，就是最近便的证据”，中国人要“将华夏传统的所有小巧的玩艺儿全都放掉，倒去屈尊学学枪击我们的洋鬼子，这才可望有新的希望的萌芽”。

五卅惨案让整个上海都激愤了起来，而最激愤的是中国共产党人。

他们需要行动。他们必须行动！因为同志和人民在流血，同志和人民在自己祖国的土地上遭受帝国主义强盗的肆意屠杀……

刻不容缓！

就在5月30日当晚，陈独秀主持召开了中共中央紧急会议，除了蔡和森、李立三、恽代英、王一飞、罗亦农、张国焘，从异地紧急调来的工运领袖人物刘少奇也出席了这个晚上的紧急会议。

“当前最紧迫的事是不能让帝国主义分子如此疯狂！我们必须举行上海全市和全国性的大罢工，并且动员所有爱国力量向帝国主义分子发起全面进攻！”陈独秀慷慨激昂一番之后，立即进入了反帝斗争的具体行动计划。蔡和森和李立三、恽代英一致建议，根据斗争形势的变化，中央应当马上组织行动委员会，建立各阶级的反帝爱国统一战线，除工人罢工外，还应当组织学生罢课、商人罢市等一切有利于反帝国主义的行动。

“赞同！”

“完全正确！

紧急会议迅速达成统一意见，并作了明确分工：陈独秀指挥，李立三代表上海总工会负责对外活动，其余人各就原本岗位。

“代英，你们上海学联要走在所有活动之前，你要多辛苦些了！”陈独秀拍拍恽代英的肩膀，嘱咐道。

“明白。今晚就行动！”恽代英允诺。

于是就在当晚，上海学联各校的代表共有500人集会，讨论行动计划：一、全市大中学校次日率先一律罢课；二、要求全市工商界立即罢工、罢市；三、用罢工、罢课、罢市同帝国主义者斗争到底；四、决定扩大学联组织，应对事变；五、发表宣言，揭露帝国主义者的罪行，要求声援；六、要求各省学联及革命团体领导群众奋起斗争。

事实上，在上海学联行动之时，李立三、刘少奇和已经到上海出任中共重要职务的任弼时等当夜就深入各市区相关工商组织甚至街道召集工会、商会负责人开会，制定反帝对策。在他们的紧急组织下，山东路、河南路、爱多亚路（今延安路）、五马路（今广东路）、四马路

（今福州路）等商联会，纷纷响应。

31日上午，学生开始罢课，相当部分的商业门店也已罢市，大街上到处可以看到一队队喊着口号、浩浩荡荡走向市中心的大学生和中学生队伍。很快，又见一队队穿着工作服的工人队伍从各个厂区走出来。于是这两股游行队伍汇成势不可当的钢铁洪流，威震上海滩。站在洪流之巅指挥和领头的是我们熟悉的罗亦农、汪寿华等令敌人胆寒的中共领导人和工运领袖们……

但此时有一方的行动却仍处迟缓之中，那就是商界的罢市。

上海总商会的态度是关键，因为只有他们下令后才可能实现全市罢市。

瞿秋白对陈独秀说："总商会的态度有些像茅坑里的石头一样，需要青年学生去狠狠地敲一下！"

陈独秀听后，一双大眼珠瞪得圆圆的，突然说："我同意你的观点。请代英去组织一万名学生和那些爱国市民去上海总商会请愿！"

"我马上联系代英！"瞿秋白说。

很快，万余名学生和市民组成的请愿队伍包围了上海市总商会，要求商会会长发布罢市通知。

"这个罢市非同一般，我会自成立以来，可是从未有过这种决定呀！"正在商会值班的总商会副会长方椒伯直摇头。

"是，你们以前从来没有下过这样的决定和通告。但现在事情不一样了：帝国主义分子已经拿起枪，公开在大街上屠杀学生和市民。难道你们还要袖手旁观看着更多的百姓送死吗？"学生和市民们责问总商会长。

"这个……恐怕……"方椒伯依然摇头。

"好吧！如果你们不签发罢市通告，证明你们总商会是帝国主义的走狗，那么我们将采取针对杀害我同胞的帝国主义分子一样的惩罚措施……同学们，市民们，行动吧——"

“行动啦——！”

“砸烂帝国主义走狗的狗头——！”

顿时，愤怒的学生和市民抡起总商会长办公室的椅子、板凳就要砸……

“不要砸！不要砸！”方椒伯吓得浑身发抖，举着双手，连声道，“我签！我签……”

学生们获得总商会签发的全市罢市令后，火速付印，连夜分发到各商会分部和马路、街道及商店老板手中，以实现6月1日全上海罢市。

与此同时，李立三、刘少奇在31日又主持召开各工会联席会议，决定次日——6月1日公开成立上海总工会（以前是秘密机构）。

1925年6月1日，中国共产党领导的五卅惨案之后的第一场反帝斗争的全面行动开始了——

下午，上海总工会公开宣布成立，李立三任委员长，刘少奇为总务科主任（相当于秘书长）。中共中央总书记陈独秀到成立现场发表演说，他的激情与奋斗精神，让在场的人精神倍增，也让许多工人代表第一次见识了五四旗手和中共领导人的真面目。

“现在我以上海总工会的名义宣布：从6月2日起，上海全埠各业工友，全体一致罢工！”李立三委员长高声宣布道。

“报仇雪耻！”

“反抗残杀中国人的外国强盗！”

“打倒帝国主义——！”

工人的口号声顿时在上海市的上空回荡起来……

当日下午，上海总工会发布了告全体工友的著名的《六一宣言》。

6月1日，街头的形势十分严峻。愤怒的学生、工人和市民来到帝国主义屠杀同胞的现场集会抗议和演说，以及散发传单时，仍然遭到大批武装巡捕驱赶和追打，零星或密集的枪声时起，又有4人被活活打死，伤者不计其数。而且公共租界宣布从这一日起戒严，所有街头集会与演讲皆被禁止，并按“治安章程”对集会和演讲者论罪处置。下午时分，南京路和外滩一带的各交通要道，更令人惊愕地出现了全副武装的帝国主义强盗的军队……

显然，上海已经笼罩在帝国主义的铁甲与枪炮之下。

“工友们，不要害怕！让我们举起手来，参加敢死队吧！”站在街头不顾横行霸道的帝国主义的枪弹依然在振臂高喊的，是工人们熟悉的身影，他就是年仅26岁的工运领袖刘华。

“可是他们毕竟有枪和炮，那会死人的呀！”有人胆怯地嘀咕道。

“是，我们目前没有武器，但我们人多！只要我们团结起来，就不怕它帝国主义分子！是，我们有困难，但帝国主义分子的困难比我们多十倍！因为上海是我们的家园，是我们的！不是他们强盗的！强盗是不可能永远待在我们上海作威作福的！”刘华胸有成竹地回答道。

“对！强盗待不长的！上海是我们的！现在起来跟他们斗，就会早一天让强盗滚蛋！他们早一天滚蛋，我们就少死人、少饿肚！”

“对！联合起来跟外国强盗斗——”工人们手拉着手，开始跟着刘华一起高唱《国际歌》。

在党组织领导下，6月1日，全市大中学校罢课如期实现。

6月2日，全市罢工也基本如期实现。

6月3日，整个上海市中心地带的商市也几乎罢市成功……这让帝国主义在沪势力极为恐慌和紧张。

“必须采取最最强硬的措施，镇压和消灭那些纵容挑衅势力的存在！”租界方面对上海各界的反帝声音和行动，选择了与中国人民彻底为敌的道路，如此声嘶力竭地叫嚣。

6月4日开始，帝国主义强盗竟然动用武力强行占领和进驻上大、大夏、同济、同德和东华等大学及南洋附中等，企图以此来扑灭冲在反帝前线的学生革命浪潮，而这一招恰恰更加激怒了广大学生和老师。

由沈雁冰、侯绍裘（后成烈士）等共产党员联合上海教职员发起成立了救国同志会，从学生的反帝运动到救国运动，使得革命的斗争浪潮开始全方位形成。

中共中央创办的《热血日报》在五卅惨案四天后也正式发行，由瞿秋白任主编。陈独秀在创刊号上发表文章大声疾呼道："创造世界文化的，是热的血和冷的铁（指武装）。现在世界强者占有冷的铁，而我们弱者只有热的血，然而我们心中果然有热的血，不愁将来手中没有冷的铁。热的血一旦得着冷的铁，便是强者的末运！"

面对帝国主义的强盗行径，中国共产党人开始考虑武装斗争和城市暴动的革命"升级"！

6月6日，由蔡和森和瞿秋白起草、陈独秀签发的《中国共产党为反抗帝国主义野蛮残暴的大屠杀告全国民众书》（简称《告全国民众书》）通过《向导》等进步报刊和其他手段，在广大国民面前揭露了上海五卅惨案 的真相。

《告全国民众书》说："血肉横飞的上海，现在已成为外国帝国主义的屠场了！这是偶然的事么？不是的。这是帝国主义统治下的必然现象。资本帝国主义存在一天，被压迫民族和被压迫阶级每日都有被屠杀的可能啊！"

"自鸦片之后以至庚子之后的中国史，完全是一部外国强盗宰割中国民族的血书。然而这次上海的大流血，却是中国民族自觉的反抗帝国时期之第一页呵！""上海的大屠杀，便是帝国主义者重新表示他们兽性的志愿——只准中国人做奴隶，不准中国人谋解放，只准中国人在'奴隶'与'铁血'的两种惨境中有个选择！"

《告全国民众书》还狠狠地揭露了帝国主义列强的丑恶行径，并警示国人，说："全中国人民的生命与自由，决不能由惩凶、赔偿、道歉等虚文得到担保，只有废除一切不平等条约、推翻帝国主义在中国的一切特权才能得到担保。所以由这次大屠杀引起的全上海全中国的反抗运动，将是一种长期的民族争斗。这争斗的得失将不以英日帝国主义是否允许惩凶、赔偿、道歉为转移，而将被决定于下列的两个条件：第一，这争斗是否能长期的持续的摇动帝国主义在中国的特权与统治，并使其在经济上生活上发生永久的危机；第二，这争斗是否能引导全国各阶级的民众人于反帝国主义的高潮，并形成各阶级分别的群众组织与联合的民族组织。”

中国共产党勇敢地号召国人行动起来，反抗帝国主义野蛮残暴的大屠杀，并且坚持到斗争的最后胜利。《告全国民众书》提出了四条所要注意的事，并在最后提醒全国民众：“这次上海的大事变是由帝国主义向工人阶级之进攻引起的，这是证明各阶级的民众已经深悟拥护反帝国主义的新动力之重要。几十几百几千几万的上海学生、市民不惜殒身饮弹，在帝国主义的炮火中前仆后继的来援助工人，这是何等可敬的精神，何等重大的牺牲呵！务望上海和全国奋起的民众，承继流血烈士之遗志，在长期的民族斗争中时时拥护最被帝国主义仇视压迫的工人群众之利益；勿中帝国主义的离间政策，使最忠于民族利益的工人阶级有任何不堪之危险，而民族解放运动亦因此而遭断羽不振之打击啊！”

中国共产党的《告全国民众书》发出后，不日，共产主义青年团中央委员会按照中共中央的要求，也发表了《告全世界青年工人书》。五卅反帝运动开始进入一个新的阶段和深度……

此时，敌我双方都在严密观察形势的发展。6月6日晚，上海马路上还出现了这样一幕：一位中年男子，独自在街头张望，这一幕让工人纠察队看到了，以为真是“日本间谍”，便呼着“打倒日本鬼子”的口号，一拥而上将这位中年男子团团围住。这中年男子连忙自辩：“我不是日本人！不是！”

“那你是干什么的？”正当工人纠察队要对这个中年男子不客气时，来了几位上海地下党的同志，大伙一看：“这不是‘老头子’吗？”“老头子”是党内对陈独秀的称呼，因为他在年轻的中共组织中属于少数几位五十岁左右的“老人家”，故党内私底下都称他“老头子”。

“是是，鄙人就是！”陈独秀释然道。

“多危险呀！你怎么一个人出来白相呀？”

“我，我是想看看街上的情况……”陈独秀说。

“噢，太危险了！”工人纠察队员们说，“那我们送先生回家吧！”

“谢谢！谢谢！”陈独秀连连道谢。

这一幕听起来有点传奇，但可以看出当时的形势也让中共中央最高层密切关注和感到急迫。

形势确实急迫。其一，反帝的民众动员在上海虽然已经形成，但问题也随之冒出来，比如罢工后有的工厂就停发工人的工资，那些靠微薄工资养家糊口的工人就开始紧张起来。于是发动学生和市民等各界出来捐助，但需要救助的人员太多，维持长期罢工、罢市显然相当困难。第一波的罢工、罢市在中共和各工会一线人员的努力下并没有被瓦解。但到了6月中旬，段祺瑞、张作霖军阀政府竟然与帝国主义勾结，向反帝运动中的上海人民疯狂反扑，军阀张作霖亲自率军队进驻上海，参与镇压学生和工人及市民的反帝斗争。这是其二。这两点，让党内开始出现不同意见。

“斗争不能松懈！必须坚持到底！”

“我对长期罢工、罢市持保留意见。”

“帝国主义对付工人革命是有一套的，我们不能轻易放弃已有的斗争胜利，否则后果不堪设想，革命将遭受我们无法承受的挫折，街头将血流成河啊！”

“好了好了！吵没用！既然炉子已经烧热了，一下凉起来也没那么容易！现在需要的是尽快缓解上海斗争的严峻形势，牢牢掌握斗争的主动权，学生这一块问题不大，但工人和商人能不能继续罢工、罢市，是今后一段时间里的关键所在。我们必须要一方面加强上海的力量，另一方面通过发动全国的力量，从而向反动腐朽的北洋政府施压，同时缓解上海的压力，绝不能让帝国主义的疯狂势头得逞！”陈独秀说完这段话后，示意瞿秋白、蔡和森、张国焘等坐下来讨论“调兵遣将”的具体事宜。

“邓中夏去广州了吗？尽快让他到广州去，把广州和香港海员的罢工搞起来！”

“长沙方面有动作了吧？和森你与润之多联系，让他拿出干劲来！”

“把在武汉的项英也调回上海，他是工运的一把好手！”

“北方在工运方面有经验的人多，力量也强。对了，我们马上跟守常说一声，请他把王胡子也支援到我们上海来吧！他比我们谁都了解工人，工运经验丰富……”此时的中共中央总书记陈独秀担当着五卅反帝运动的“总指挥”，他与几位得力助手不分日夜地在布局新的斗争战场和斗争力量。这时他说的“守常”即李大钊，“王胡子”真名叫王荷波，这两位后来都成了革命烈士。

王荷波烈士革命功绩卓著，战斗的一生富有传奇色彩。

王荷波是福建人，1901年其母亲病逝不到百日，他便背井离乡，独自到江苏江阴的姨父处当兵。清军水师中职位相当于营长的姨父后来被撤职，王荷波也只好退役，开始在大连、海参崴兵工厂干苦力。1916年，他到了津浦铁路浦镇（今南京浦口区）机车厂当钳工。五四运动爆发，南京响应北京罢工号召，王荷波在厂里很有威信，便带领工人罢工。1921年，作为中国劳动组合书记部北方分部负责人的罗章龙从徐州到浦镇途中，被当地恶棍围攻，惨遇暴行。富有正义感的王荷波得知后，挺身而出，救下了罗章龙。从此王荷波与党建立了直接关系，并加入了中国共产党。南京地下党成立第一个党小组——浦口党小组，王荷波是组长。这年王荷波40岁，工人们给他家送上一块大红匾，上面四个大字：“品重柱石”，这四个字道出了王荷波的人品。

王荷波人高马大，年岁又大，长着浓浓的胡子，为人又好，所以工人们亲切地称他为“王胡子”。1923年，他到广州参加党的三大，被选为中共中央执行委员，同年，被补选为中共中央局委员，兼任中共上海区执委会委员长，与其他同志共同负责上海及杭州、宁波、松江、无锡等地方的党组织发展工作。1924年1月，第一次国共合作正式形成，苦力工出身的他，与毛泽东、恽代英、邓中夏、向警予等一起参加了国民党上海执行部工作。1925年，王荷波出席了在上海召开的“四大”。同年，这位参加和领导过京汉铁路二七大罢工的工运领袖被推选为中华全国铁路总工会委员长。八七会议时，他被正式推选为中央临时政治局委员。在20世纪二三十年代的中国，铁路工人是全国工人中力量最强的队伍，王荷波因此在工人和党中央的威望相当高。

五卅反帝运动开始后，陈独秀亲自点将王荷波火速从北方来到上海，指导上海至南京、郑州和杭州几条铁路线上的工人罢工。王荷波接受任务后，亲临各铁路线指挥，连续举行大罢工，有力地减弱了帝国主义及军阀势力镇压上海市民与学生的疯狂程度。

五卅反帝运动后来获得胜利，王荷波在此期间立下汗马功劳。我们应当永远记住这位先烈。

值得一提的是，王荷波后来与从广州黄埔军校调任到上海参与中共中央日常工作和组织武装斗争的周恩来相识，一见如故，周恩来从此一直亲切地称呼他为“王大哥”。在上海第三次武装起义中，王荷波就是周恩来的得力助手，勇敢地冲锋在第一线的军事指挥员。五卅运动结束后，王荷波受中央派遣，接替被军阀杀害的李大钊，出任北京地下党组织的负责人。1927年10月18日由于被叛徒出卖，王荷波在组织地下党北京市委开会时被反动军阀逮捕。11月11日，王荷波与其他17位中共北京市委地下党负责人一起被秘密杀害，时年45岁。

新中国成立后，周恩来总理时常挂念这位“大哥”，下令寻找王荷波及其他17位烈士的遗骸。后经公安部门几番艰苦努力，终于找到了失踪20余年的王荷波等烈士的遗骸。

1949年12月11日，中央有关方面专门在北京为王荷波等18位烈士举行遗骸安葬和公祭。周恩来总理亲自主持公祭。李立三作王荷波的专题事迹报告。中央组织部负责人宣读了中央对王荷波等18位烈士的《祭文》：

诸同志壮烈牺牲迄今已22年矣，当1927年之际，民族败类，外联帝国主义，内承封建余孽，国民党反动派，相继背叛于宁汉，奉系军阀，复逞威于京津，祸国殃民，无所不用其极，人民稍有反抗，则枉杀无辜，我革命志士，被其残害者，已不知凡几，而诸同志，亦竟惨遭毒手，各同志于被刑期中，虽历经酷虐，然始终不屈，临刑之时，犹复高呼口号，慷慨就义，此种为革命而牺牲之精神，不惟震慑当时反动派之胆，抑且鼓舞后起同志之气，奠定全国革命胜利之基。

鸣呼，先烈已矣，而我革命同志咸能步武诸先烈之后，前仆后继，与人民公敌作殊死斗争者，亦复二十有二年矣，其间，抛头颅、洒热血，历二万五千里之长征，亘十一载对内对外之苦战，近日摧毁国民党反动统治，成立全国人民政府，建国都于北京，完成革命之大业，举其成果，亦当可告慰诸先烈于地下。唯念大业之成，最难于经始，设非诸先烈于革命事业肇建之初，持之以坚贞，示之以壮烈，使全国同志燃起同仇之火，而向反动派坚决奋斗卒底于成，固不能不归功于诸公之倡导，有以致之。

诸同志遗骸藁葬于安定门外地坛之北箭档迤南已久历岁时，今特移葬于斯，庶我安永忠灵，而为全国人民之矜式。

鸣呼！哀哉！

尚飨。

我之所以在此多说了几句王荷波烈士的事，是因为上海龙华革命烈士纪念馆和南京雨花台革命烈士纪念馆中共计四五千人的革命先烈名录中，许多人的名字和事迹并不为今人所知，而他们每一位的鲜血都是为了共和国以及我们今天每一位幸福生活着的人而流淌的。我们必须永远缅怀他们……

现在把历史镜头拉回到五卅惨案后一周左右的1925年6月初的日子。

中共中央秘密办公处又一个不眠之夜——

总书记陈独秀从沙发上“噌”地站起，在房间里来回急促地走动着。突然他停下脚步，挥舞着拳头对瞿秋白、蔡和森、张国焘等人说：“进则胜，退则败。但小退有时也会有胜可取。”

“不能退！此刻退让，等于是向帝国主义者表明我们的软弱了！”瞿秋白一边咳嗽，一边竭力地反对道。

“不用再争了。现在我们最需要的是关注事态的发展！”蔡和森说。

“我赞成和森的意见。关注事态发展至关重要！”张国焘说完，几个人就要往外走。

“别别！有件事必须交代一下！”陈独秀双手叉腰，道，“强盗既然动手了，就不会仁慈的。所以各位也要特别小心一点。”

蔡和森跟瞿秋白和张国焘对视了一下，说：“我们自然都要警惕，可您千万别再一个人独自上街了啊！’

“不会！不会了！”陈独秀回答道。

形势正如中共领导人估计的那样，每一天都在朝着更加严峻的方向发展。工人、学生和商人的罢工、罢课、罢市在艰难地继续。帝国主义列强和北洋政府则串通一气，开始对学生、工人和市民进行变本加厉地血腥镇压。上海街头、小巷成了他们随意开枪杀人的场所，甚至派兵公开到总工会、学联等地方进行破坏和抓人。李立三、刘少奇包括在罢工一线工作活跃的刘华等成了他们抓捕的对象。

忽然有一天从汉口传来消息：上海总工会“头目”李立三已被刺杀身亡。

“什么？隆郅牺牲了？”消息传到陈独秀耳里，令他和其他中共中央高层领导万分惊愕和悲伤。隆郅是李立三原来的名字，因为搞工运后，他发现工人不太认识自己的名字，而且也不好叫，所以他干脆把自己的名字改成了“李立三”，又好叫，又好记。

次日，上海工会各界纷纷为“牺牲”的上海总工会委员长李立三同志举行追悼会。

当上海同志和工会都在为李立三的“牺牲”而悲痛时，有一天夜间，陈独秀在居室里埋头起草文件时，瞿秋白推门而入，并且带来一个人。

“仲甫先生，你看谁来了！”

陈独秀听瞿秋白这么说，便放下笔，抬起头……他一看跟随瞿秋白进来的那人，惊恐地跳了起来：“你，你是隆郅吗？你，你没死啊？！”

李立三笑笑，轻松地说：“没死。活着从汉口回来向总书记您报到……”

陈独秀立即伸出双臂，紧紧地拥抱住李立三，有些哽咽地道：“没，没死就……太好了！太好了！”随后又说，“革命肯定随时要准备被杀头的！尤其是我们这些人，说不准哪天就被敌人把我们的头颅当作西瓜给破了！但，也不能太便宜了那些刽子手！”

“隆郅，你说说到底是怎么回事？”陈独秀耐不住问李立三。

“是这样……”李立三开始娓娓道来：原来，上海奉系军阀邢士廉下令查封上海总工会后，便收买一批流氓打手，到处指名要暗杀李立三等6名工人及学生领袖。在如此严峻的形势下，上海工人出于对李立三的爱护，掩护他秘密离开了上海，一路到了汉口。哪知各地军阀政府也早已把李立三列为重点缉捕对象，所以李立三一到汉口，就走漏了风声。军阀当即下令将其捉拿，并雇用了当地有名的刺客肖剑飞前去刺杀。谁知这江湖出身的刺客肖剑飞见李立三后，发现他日夜同群众在一起，一心在为大众谋利益，于是认定李立三是个好人，便把吴佩孚的暗杀行动告诉了李立三。这样，李立三又乔装打扮返回上海。那刺客肖剑飞为了交差，就编造了个已将李立三刺杀的谎言。吴佩孚信以为真，下令在报纸上登出“共党要犯李立三在汉毙命”的新闻。这登了报的消息自然很快传到上海，于是有了工友们为李立三开追悼会的事。

“哈哈……看来你以后就得‘死’了！这样更便于同帝国主义分子斗争，而且我相信：你这个‘死鬼’必定能够缠死那些军阀！”陈独秀听完李立三的“传奇故事”后，乐得前俯后仰，这样说道。

让我们暂且放一放主战场上海的故事，将视线拉到整个中华大地——

北京：

6月2日，全市92所学校决议罢课。3日，5万余名学生上街游行示威。5日，480余个社会团体组织召开北京各界对英、日帝国主义残杀同胞雪耻大会。10日，20万人举行国民大会，声援上海。

天津：

6月5日，全市各校罢课，5万人上街游行；10日，天津总商会发出要求全市商业界对英日“实行经济绝交、共赴国难”倡议；14日，召开10余万人参加的市民大会，向北洋政府和在华帝国主义国家提出“五项要求”。

上海附近的南京、杭州、苏州、无锡、嘉兴、宁波等地则由中共直接派出宣中华（后为烈士）、张秋人（后为烈士）和李强等本土党员回老家组织学生和民众声援上海。

武汉和广州的声援活动更为广泛，声势浩大且时间最持久。武汉是当时的中国南北交通枢纽，又有“二七”大罢工的经验，加之有李汉俊、林育南、项英等中共高级领导的直接指挥，给了北洋政府和帝国主义在华势力沉重的打击。

广州是孙中山革命的大本营，中共的力量也十分雄厚。当时广东、香港海员大罢工又是邓中夏、苏兆征（曾任中共中央政治局常委，后为烈士）、杨殷（曾任中共中央军委主任，后为烈士）及陈延年等亲自组织指挥，所以那里的反帝大罢工斗争持续的时间长达一年零四个月，给予帝国主义的打击最惨痛。斗争中牺牲的革命者多达200多人……

全国各地的有力支持和声援，给上海反帝“三罢”（罢工、罢课、罢市）运动的胜利提供了外援和力量源泉。从6月初到8月初的两个多月时间里，由于“三罢”运动，在沪帝国主义势力与商业遭到打击，所以包括日商资本家在内的许多老板不得不部分地答应工人们提出的条件，同时租界巡捕房也不敢随意在大街上枪杀游行和演讲的学生及工人、市民。即便如此，继五卅惨案那天巡捕一下枪杀13人之后，仍有学生、工人与市民被先后枪杀。最恶劣的是，在工会和学生及市民不再大规模“三罢”之后，英、日驻沪帝国主义势力勾结新进驻上海的直系军阀孙传芳，答应馈赠孙传芳一笔巨款，唯一的条件是秘密杀害五卅反帝运动中的工人领袖刘华。

一位年仅26岁、仅在上海工作了5年的普通工人，如此让帝国主义势力仇恨，是因为刘华在中国共产党领导下，一直冲锋在这场轰轰烈烈的五卅反帝运动的最前沿，所以他成为帝国主义势力的眼中钉。他们对刘华恨得咬牙切齿。孙传芳为了给帝国主义势力效力，派出了大批密探追捕刘华。

11月29日下午，刘华参加完反对北洋政府的一个市民大会后，在暮色下走到静安寺乘电车时，被几个密探当面拦住，随后又有几个荷枪实弹的印度巡捕将刘华从后面阻截……

“你们想干什么？”刘华严正道。

“干什么！想抓你呗！”密探得意地摇晃着手中的枪，顶着刘华的腰杆，“把他绑起来！”

巡捕七手八脚地用手铐铐住刘华后，将其押至巡捕房。这一幕恰巧被认识刘华的纺织女工张招娣看到，于是刘华被捕的消息立即被党组织知道了。

秘密的营救工作和公开的声讨示威立即同时展开。然而，第二天巡捕房就将他“引渡”到淞沪戒严司令部。

“刘先生，我们都知道你是上海的工人领袖，又这么年轻有为。我们的孙大帅对你也十分器重，希望跟你交个朋友，共同谋上海之业……”审讯室里，军阀派来的法官皮笑肉不笑地想跟刘华套近乎。

刘华鼻子里“哼”了一声，不想搭理。

“其实刘先生，我们大帅没有太多的要求，只有一个小小的要求而已……”那法官似乎不厌其烦地说着。见刘华依然不吱声，他又说：“只要你跟工人们说说，别再罢工了，我们保证马上释放你。如何？”

“没门！”刘华愤慨地道。

“那能说说你个人有啥条件吗？”法官又说。

刘华头颅往后一仰，说：“对不起，我个人没有什么条件。如果要讲条件的话，那你就回去对你的主子说：我们要的条件是，帝国主义势力从上海、从中国滚出去，并且废除一切不平等条约，封建军阀放弃卖国求荣的统治，实现中华民族和工人阶级的解放。这个条件你们可答应吗？”

“这，这……”法官无话可说，穷凶极恶起来道，“你就真不怕死？”

“如果真怕了，那早晚有一天也会被帝国主义资本家和反动政府打死。所以我们必须起来同他们斗争，既然是斗争就再不怕死了！”刘华大义凛然地回答道。

“上刑！”

毒刑并没有摧毁这位年轻共产党员和工人阶级领袖的钢铁意志。后来上海全市发动了营救和声援刘华的工人罢工和学生罢课活动，并且举行了万人参加的声讨反动政府抓捕刘华的大会。8月份停止活动的上海总工会也宣布自动启封，再度公开领导新的工运……

军阀政府害怕如此闹下去可能无法完成帝国主义势力要求他除掉刘华的条件，所以在12月17日深夜，一群军警将刘华推上警车，行至一片荒地时，惊惶失措地将其秘密杀害了！

刘华的牺牲，再次震动和激怒了上海人民。几十万刘华的工友，不顾一切，举着刘华的遗像上街游行和声讨。上海总工会立即通电全国，称“我们最亲爱最勇敢的领袖”牺牲了，“工友们一致行动起来，踏着我们领袖的血，继续奋斗”！

12月21日，刘华的好友、著名诗人蒋光慈含泪疾笔写了一首横空出世的革命诗篇《在黑夜里——致刘华同志之灵》。诗人这样激昂而深情道：

…………

你尝为我述自己漂泊的历史；
你说你是无产者——从头算到底。
你也曾当过兵士，赴过前敌，
领略过那子弹在头上纷飞的味；
你也曾做过苦工，受过冻馁，
深知道不幸者的命运是痛苦的。

你说，“就是现在当我读书的时候，
也总未曾过过一天幸福的日子！

今天面包，明天衣服，后天书籍……
我纵刻苦用功又哪能安心呢?
唉！朋友，我要复仇，我要反抗，
我与这黑暗的社会啊，誓不两立！”

唉！若说人间尚有正义，
为什么恶者欢歌而善者哭泣?
为什么逸者奢淫而劳者冻馁?
难道说这都是上帝所注定的?
刘华啊！你是不幸者的代表，
你是上帝的叛徒，黑暗的劲敌！

你有领袖的天才，指挥的能力，
你毅然献身于工人的群众里；
数万被外国资本家的虐待者，压迫者，
庆幸啊，得了一个光明的柱石。

顾正红的惨死鼓动了热潮，
南京路的枪声、呼号、血溅、闹不分晓；
就是黄浦江啊也变了红色，
就是这伟大的上海啊也全被杀气笼罩了。

你领着数万被压迫者寻找解放的路，
努力为自由、人权、正义而奋斗；
我想象你那奔驰劳苦的神情，
唉！我只有一句话，“伟大啊，你的身手！”
但是友人和仇敌是不并行的，

光明哪能不受黑暗的侵袭？
于是他们，被压迫者的仇敌，
一定要，唉！一定要杀死你……

天空中的星星儿乱闪泪眼；
黄浦江的波浪儿在呜咽；
这时什么人道、正义、光明——不见面，
但闻鬼哭、神号、风嘶、夜乌在哀怨！
唉！我的朋友，我的同志，我的战士，
你未在天妃宫内公然被走狗们打死，
你未在南京路口被枪杀在群众前，
但在黑夜里被刽子手偷偷地处死——
我知道你虽死了，你的心不眠。

我待要买几朵鲜花献给你灵前，
尽尽生前同志的情谊——痛哭一番；
但谁知你死去尸身抛在何处，
在丛乱的野冢间抑在无人可寻的海边？
或者在那野僻的荒丘被野兽们饱餍？
哎哟！我的朋友啊！你死了，
但你死的这样惨……惨……惨……

数万工人失了一个勇敢的领袖，
现在也同我一样挥着热泪哭；
在他们那洁白的心房内，简单的想象中，
这巨大的悲哀将永无尽头。
唉！我的朋友，我的同志，我的战士，

你虽死了，你虽惨死了，
但你的名字在人类解放的纪念碑上，
将永远地、光荣地放射异彩而不朽。

英雄死了，诗人愤怒了，革命的战歌高扬起来了，于是一个由帝国主义势力压榨中国人民诱发的“惨案”，发展成一场全民族觉醒和奋起的反帝运动。英雄死而无悔，其精神的贡献远超出了一个独立的个人的肉体的生命价值。

在黑暗中高吟《在黑夜里》诗篇的作家蒋光慈，他自己后来也被追认为革命烈士。我在龙华革命烈士纪念馆里看到了他的画像和事迹。这位无产阶级革命文艺的先驱者，自小聪慧，12岁就写下了“滔滔洪水害如何？商旅相望怕渡过。澎湃有色千尺浪，渔舟遁影少闻歌”这样的诗篇，被当地人称为“神童”。五四运动时，蒋光慈已经是芜湖地区的学生运动领袖和文学青年领军人物。1920年，他经人介绍，来到上海，结识了陈独秀、陈望道等革命家，后来参加了社会主义青年团。1921年5月，蒋光慈与刘少奇、任弼时、萧劲光等被派赴莫斯科东方劳动者共产主义大学学习，并见到了仰慕已久的革命导师列宁。1924年1月列宁病逝时，蒋光慈写下了《哭列宁》的著名诗文，成为中国革命文学的开拓者之一。在莫斯科加入中国共产党组织后，蒋光慈回到上海，开始正式从事革命文学创作，并加入文学社团“创造社”。五卅运动后，他创作了小说《少年漂泊者》《短裤党》等一批反映工人运动的革命现实题材作品，是中国无产阶级革命文学的最初成果之一。之后他又与钱杏邨、孟超等人成立革命文学团体“太阳社”，主编《太阳月刊》《时代文艺》等文学刊物。由于蒋光慈的作品大都展现现实社会群众斗争，矛头直指帝国主义和反动军阀政府，故而屡遭当局查禁，本人也多次被通缉。然而蒋光慈从未低过头，继续创作一部又一部优秀作品，后来成为中国左翼作家联盟创始人之一。而他在1931年抱病创作的长篇小说《咆哮了的土地》，则更加奠定了他作为早期无产阶级革命文艺战士的崇高地位。1931年4月，蒋光慈肺病加剧，于8月31日在上海与世长辞，终年30岁。这位与邓中夏、恽代英、萧楚女、瞿秋白等一样都是早期宣传马列主义文学的骨干，同时又是早期的共产主义战士，在腥风血雨的革命中做出过杰出贡献，人民没有忘记他。

由中国共产党直接领导的震惊中外的五卅运动，对帝国主义是一次前所未有的沉重打击。时任中共中央总书记的陈独秀曾在运动后期代表中国共产党发表文章评价道，中国工人阶级在这次反帝运动中，“已表示极伟大的力量。经过这一时期，对于以后的发展途径，我们应当有个明确的答案，以为民众争斗之指针；并应该有详密的策略，以决定如何反抗帝国主义的侵略，如何反抗国内军阀政治上经济上的破坏及压迫，而力争解放全中国之革命的道路”。并且归纳了这一运动的两方面经验：“（一）能正确地应用无产阶级两个月以来联合城市劳动者及小商人而争斗的经验；（二）能正确地明确敌人方面——帝国主义者及军阀——的内部冲突而利用之。”这场用烈士鲜血换来的极不易的初步胜利，使中共组织也获得了迅速发展。1925年初中共“四大”召开时，全国的党员为994人，而到这年年底，全国的党员人数达一万人。上海在五卅运动之前有党员220人，运动之后增至1652人，其中工人占78%。党的阶级力量和队伍的增加，为中国共产党领导人民实现推翻“三座大山”、建立新中国的目标，奠定了重要基础。同时，也因为这场残酷的流血斗争，中国共产党人清醒地意识到“武装斗争”的重要性和紧迫性。

于是在1926年底，中共中央作出了一项重要决定：将曾任黄埔军校政治部主任、中共广东区委常委兼军事部长、国民革命军东征军总政治部主任的周恩来急调上海，担任中共中央军事领导工作，组织上海工人武装暴动。

上海从此进入更加残酷而激烈的革命斗争岁月……

第三章
“上大”——为何是一座革命熔炉？

我以为，能够称得上“革命大熔炉”的，应该是具有铸造革命者骨气、志气和才气的地方。

世上有这样的地方吗？有。在上海。近一百年前就有的一所大学，虽然它只存在了五年，但它在中国革命史上留下了不朽的篇章。

我对它顶礼膜拜——

有一年到广州参观黄埔军校，那门口的一副对联和横批让我记了很久：对联——升官发财请往他处，贪生畏死勿入斯门，横批——革命者来。

这是孙中山先生给黄埔军校定的“校规”之一，可惜后来蒋介石把持了这所国民党军事学校的大权，背离了孙中山的办校宗旨，为其日后的反革命事业培养亲信。当然，因为周恩来、恽代英等共产党人也在这里任教并发展了许多共产党员，所以黄埔军校也为建立新中国的革命事业输送了许多杰出的军事人才，共和国元帅、大将、上将中有相当一部分人都是黄埔军校的毕业生。

为写这部《革命者》，那天我在上海党史专家的陪同下，到淮海路、陕西路一带瞻仰几处中共中央早期在沪革命遗址。行至陕西北路时，我被专家叫住，说你一定要看看“老上海大学”的旧址。我以为这位专家知道我在现在的上海大学兼任博士生导师，结果他说：“可别弄错呵，此‘上大’非彼‘上大’！”

“怎么，不是我兼职的上海大学？”我不解地问。

“对。这所‘上大’我们上海人称它为‘老上大’。”

“老上大”，成立于国共合作初期的1922年，前身是私立东南高等专科师范学校，校址在闸北区青云路青云里（今青云路167弄内）。当时该校规模小，包括附中在内，学生也才一百六十来人，且多数是安徽籍寄宿生。

五四运动浪潮中，该校学生走出校门，看到了外面的世界，尤其是看到其他学校的规模与教学水平，觉得自己的学校根本不像样，于是开始起来反抗。校长王理堂竟然在这种情况下带着学生交的学费独自去了日本。学生们知道后更是义愤填膺，学生陈荫楠等联合几位骨干同学，决定推荐他们认可的新校长，推翻旧校长。

“大家觉得应该推荐哪位名家来当咱们的新校长？”热血青年们不知天高地厚，努力畅想他们心目中的“大校长”……最后三位当时的风云人物光荣“入选”，他们是：五四运动的旗手、中国共产党的主要创始人之一、《新青年》主编陈独秀，同学们认为他应该是首位人选；第二位是章太炎，德高望重的教育家，能请章老出来，一定可以办成一所著名大学；第三位是当时因主张“教育救国”而颇受瞩目的于右任。

“做梦去吧！”一些老师和其他同学听说有人想找这三位大人物来当校长，就差没笑掉牙。

“为什么不行？现在都在讲革命革命！可还没有一所革命大学，我们就不能请高人来办一所真正的革命大学吗？”年轻人就是敢想敢说，而且有真行动。几位骨干学生怀揣梦想，开始到处寻找这三位大人物的影踪，结果发现：陈独秀行踪不定，根本找不到，同学们那时还不知道陈大教授还是中国共产党的总书记，找不到他是在情理之中；章太炎倒是不爱动，但他住在苏州，而且对办学校没多少兴趣。同学们打听到于右任在上海的住处，且比较容易找到。不过怕吃闭门羹，学生们打听到于右任先生与邵力子先生关系不一般。相对而言，找邵力子没费多大劲。

“办所革命大学是大好事呀！孙中山先生一直有这个愿望啊！”邵力子一听，认为此非说说笑话，乃是好事一件。不过，要想动员于右任出来当此重任，怕是有些困难。

试试吧。邵力子到于右任住处如此这般一说，于右任大为感慨，道：“仲辉，你我都是中山先生的追随者，而创办一所启蒙国人革命思想的学府乃是良策一方。可要说让我来当校长，怕有误人之嫌啊！”

“仲辉”是邵力子的字。早在复旦大学的前身“复旦公学”求学时，邵力子与于右任便成莫逆之交，后来两人一起创办《神州日报》。革命风潮涌动时，邵力子随于右任一起到东京去见孙中山，并共同加入中国同盟会，从此开始参加革命。辛亥革命成功后，邵力子与叶楚伧在上海创办《民国日报》，此报成为当时国民党左派进步阵地。该报因抨击北洋军阀，宣传民主思想，备受军阀当局的迫害，经营极其困难。邵力子竭力支撑，备尝艰辛，有时甚至自己出钱购买纸张，使《民国日报》得以出版。他一手开辟的“觉悟”副刊，对新文化运动起了重要促进作用。1920年，陈独秀到上海来组织“马克思主义研究会”，并筹建中国共产党，邵力子是其中重要成员之一，8月，邵力子转为中共党员并参加上海共产主义小组（以国民党特别身份跨党参加）。

此时他游说于右任出任校长，有一份重要的责任是中国共产党也十分期待建立一所培养革命人才的学校。邵力子知道于右任与李大钊是留日的同学，在劝说于右任出任校长一职时，就在共产党内征求过陈独秀和李大钊的意见。两位中共领导认为于右任先生出来当一所国共合办的“革命大学”校长是合适的人选。

“仲辉你就去当副校长。”陈独秀算是把一份重要的任务交待给了邵力子。

“大家都赞成你出任此职，并且认为非你莫属！”邵力子把中共的意见转达给了于右任。

“真是这样啊？”于右任听后有些吃惊道。

“是这样。”邵力子便将李大钊和陈独秀的意见如此这般地复述了一遍。

于右任欣然开怀道：“那就去学校看看？”

“去看看！”

其实，此时的学校更期待新校长到任，因为校内势力斗争已经到了白热化阶段，连校牌都被砸了好几次。期待改良的那一派学生听说于右任“可能”愿意赴任的消息后，便在学校内外墙上贴出欢迎标语和彩旗。于右任一听这事，更不能不去“看一看”了。

1922年10月的一天，于右任在邵力子的陪同下，乘了一辆雇来的车子到达学校。当时天正下着雨，于右任一到校门，同学们手执欢迎旗，列队欢呼迎候，乐声和鞭炮声大作。许多同学甚至激动得跳跃起来，此时他们的身上和脸上挂满了雨水……这一幕让于右任感动得直呼：“此等学生可教也！可敬也！”

欢迎大会上，学生们请于右任讲话。于右任上台动情地说：“刚才见同学们在雨中的那种精神，很是感动。我小时做过小鞭炮，当时就想造炸弹、地雷，想把旧中国、旧世界炸个粉碎！今天，看到同学如此奋进的状态，我万分感慨，所以，我在这里向你们表示：我愿意与你们一起，建一所真正的、中国第一所革命大学校！”

同学们一听，三呼“万岁”。

于右任趁热打铁道：“我有这个信心！因为我特邀身边的这位大才子、著名人士邵力子一起建设管理这学校！我还要请当今中国所有进步的革命家、教育大家到学校来给大家当教授、当老师！甚至还想请孙中山先生来讲课——”

“中国万岁！”

“革命万岁——”

被学生们奉为“革命伟人、共和元勋、言论界之前驱、教育界之先进”的于右任这番话一出，犹如烈焰，将这座原本已经枯朽的学校燃烧得通红、通红……

“上海大学”——当日，于右任豪情满怀地写下这四个字后，一所在中国现代历史上产生过重大影响、造就了一大批优秀革命者的学校从此诞生。

“守常，这事你一定要帮忙啊！”于右任与邵力子分别出任“上海大学”正、副校长一事很快在社会上传开，此时正值李大钊和孙中山洽谈国共合作的“蜜月”时期。一日，于右任得知李大钊来到上海，便赶忙约他到四马路同兴楼京津茶馆，专门宴请故友。席间说到创办“上海大学”一事，于右任便向李大钊提出请求。

“自然！右任兄能出任该校校长，乃我国民一大幸事，我党一定有力出力、有人出人！”李大钊爽快答应，并说从中国革命需要出发，上海大学除了一般大学有的课程外，应该侧重开办社会科学系，而且将其列入学校重点，为国民革命培养骨干。

“是！办校最关键的是师资！守常在京师人脉广泛，一定给我推荐几位得力的教育栋梁啊！”于右任恳切道。

李大钊微笑着点点头，捋捋胡子，然后用手指蘸了点水，在桌子上写下几人的名字……“如何？”

“太好了！简直不敢想啊！”于右任立刻站起身，连连给比自己小几岁的李大钊拱手作揖，“谢谢！太谢谢了！”

“我们现在是一家，一家人不说两家话。培养一批有用的革命人才是最主要和最根本的事，守常和中国共产党当倾力而出！”李大钊这样表示。

很快，《民国日报》上刊登了一则《上海大学启事》：

本校原名东南高等专科师范学校，因东南两字与国立东南大学相同，兹从改组会议议决变更学制，定名上海大学，公举于右任先生为本大学校长。

一块比豆腐干大不了多少的广告，但也许是“名人效应”的关系，竟让报名入学者络绎不绝。另外，共产党方面也正好在这个时候将那些具有革命思想而被学校开除或休学的其他学校的进步学生招到上海大学。所以不到半年，上海大学的原址已经无法满足教学需要，于是搬到了公共租界的西摩路132号新校舍（位于现陕西北路），开始了它辉煌灿烂的“上大五年”（至1927年被背叛革命的蒋介石集团以“赤色学校”而封闭、解散）。

“养成建国人才，促进文化事业”，这是当时于右任亲笔写下的上海大学办校宗旨。

开学后，学生们一看自己的老师阵营，简直兴奋得乐开了花——

五四运动的学生领袖、著名工运活动家、《中国青年》主编邓中夏（当时化名“邓安石”）出任学校总务长兼授伦理学课程，主持学校日常工作；

精通俄语的著名学者、中共早期主要领导之一的瞿秋白任社会学系主任，兼授社会运动史和中国哲学史；

精通日文、英文，国文素养出众的著名学者，《共产党宣言》第一位中文全文翻译者陈望道任中文系主任，兼授文法和修辞；

教育界著名人士何世桢任英文系主任，兼授政治学大纲；

美术家洪野（潘玉良等杰出画家的老师）任美术系主任。

再看看“上大”的教授队伍，我们才知道当时为什么流传“北有北大、南有上大”这样一句话。

“上大”的老师还有——蔡和森（教授社会发展史）、张太雷（主讲工人运动史）、恽代英（教授帝国主义侵略中国史）、任弼时（教俄文，并主讲青年运动课）、施存统（中国社会主义青年团第一任书记，教社会运动史、社会思想史)、沈雁冰(即茅盾，教授中国文学史)、高语罕(中共早期党员，主讲黑格尔哲学)、蒋光慈(主讲苏联文学)……

还有兼职讲课的教授如彭述之、田汉、俞平伯、朱自清、萧楚女、丰子恺、周建人、李季、沈泽民、杨贤江、胡朴安、李春藩、周越然、侯绍裘等。

孙中山、陈独秀、李大钊、吴玉章、李立三等也都到“上大”讲过课。那时红极一时的国民党阵营里的“革命分子”汪精卫、戴季陶等也来此登过讲坛。

20世纪20年代在黄浦江畔崛起的这座革命熔炉——上海大学，如旭日东升，照亮了大上海，也影响了全中国……

说“上大”是一座革命熔炉，是因为它成立时，中国还没有一所专门培养革命人才的学校，而且，该校的主要师资和日常工作基本上是由中国共产党的领袖级骨干在主持和领导着。而走进这所学校的学生中有相当多的是我们后来都比较熟悉的人物：有如王稼祥、杨尚昆、秦邦宪等中共党史上的重要人物；有如丁玲、阳翰笙、戴望舒、袁牧之、施蛰存等文化名人。

从1922年成立到1927年，“上大”仅有五年的历史，然而这短暂的生命闪耀出的光芒却是其他中国高等学府无法相比的。因为这所学校不仅培养出了一大批后来改变和影响了中国的政治人物、文化名家，而且牺牲的革命者也特别多，他们的英勇事迹和不朽的精神至今仍在滋养着我们一代又一代人……

2019年5月4日，是中国现代史上一场伟大革命运动的百年纪念日。这场革命运动我们都很熟悉，它叫五四运动。我们在隆重纪念这个伟大运动时，一定会联想到一百年前从北京红楼出发的“北大”学生游行队伍中走在最前面的那个人，那个在天安门前带头高呼“打倒帝国主义！”“废除一切对中国的不平等条款！”等口号的年轻身影……

那个人、那个身影我们非常熟悉，他就是中国共产党早期的领导人之一、著名的工人运动领袖邓中夏。

对于邓中夏，中国人似乎都很熟悉他。然而有两件发生在他身上的事情许多人又并不了解：一是他对中共“一大”召开的贡献；二是他在“上大”从事培养革命人才的伟业。

在李大钊筹备北京共产党早期组织时，邓中夏便是积极分子。是他和李大钊、罗章龙、张国焘、刘仁静等接待了受共产国际委派前来中国帮助筹建中国共产党的维经斯基。1921年6月底，北京党组织接到上海党组织发来的关于召开中国共产党第一次全国代表大会的通知，北京方面推荐两名代表时，第一个人选就是邓中夏，第二个是张国焘，因为考虑张国焘与陈独秀曾有过接触。但是邓中夏已经定下7月到南京参加少年中国学会年会，7月中旬又要到重庆讲学。“这是定好的事，再改不太好！”就这样，后来改选成年龄最小的刘仁静与张国焘作为北京党组织的代表出席在上海召开的中国共产党第一次全国代表大会。

邓中夏因此没有出现在中共“一大”的13位代表的名单上。然而，作为当时年轻的中共党员中颇具社会影响和知名度的邓中夏，仍然是李大钊委托的“一大”重要的筹备人员，在准备北京党组织出席全国代表大会的报告。6月28日，邓中夏到南京出席少年中国学会年会。7月4日，邓中夏从南京到达上海，住在法租界博文女校。此后的三四天时间里，邓中夏不仅向上海方面的“一大”会议筹备组递交了北京党小组的“报告”，而且一直在“与已赴会的一大代表共商建党大事”。出席“一大”的包惠僧在回忆文章中这样说：“会议之前，各地代表都到达上海，住在法租界打铁浜博文女校楼上，毛泽东同志也住在这里，邓中夏同志当时应重庆各中学夏令营学术讲习会之约，定期前往讲学，不能参加我们的会议，但是他在博文女校同各地代表同住了三四日，他同每一个代表都交换过工作意见”，为大会召开起到了很大的作用。而且邓中夏在这期间同上海方面的李汉俊等人商量了会议安排，因为当时有中共“北李南陈”（北方的李大钊、南方的陈独秀）两位领导人之说，所以，代表“北李”的张国焘主持会议，“南陈”麾下的陈公博做会议记录，上海的代表则做好“会议服务”。所有这些确定后，邓中夏还同“会务总管”、上海代表李达的夫人王会悟一起察看检查了“一大”开会的会场。

“好了。我可以放心走了！”邓中夏检查完毕会场后，走出李达兄弟的寓所，便深深地呼吸了一口气，脸上露出一丝霞光……此刻的他，心头一定异常澎湃，因为在中国建立一个无产阶级政党，是自五四运动以来革命同志积极努力和期待的事。

而受命到上海大学出任“总务主任”，既是党的安排，又是邓中夏自己非常愿意做的一件事。作为五四运动和“二七”京汉铁路大罢工的旗手，又是中国共产党建党伟业的参与者，邓中夏非常重视革命人才培养，他到“上大”后，实际上承担的是校长职务，因为于右任平时不到校办公，总务主任邓中夏便成了实际上的执行者。

在北京大学求过学的邓中夏，受校长蔡元培的“教育救国”思想影响很深。后来接受马克思主义后，更明白了要救中国，必须先对国人的思想进行启蒙。所以到了“上大”后，他亲自制定了《上海大学章程》，明确“上大”的宗旨是“养成建国人才，促进文化事业”，按照国共合作办“革命学校”的原则，把社会科学和革命文艺作为重点，同时聘请各界著名人士进校任教或讲课。在邓中夏主导下，“上大”的社会科学课程又与一般的大学不同，注重的是以马克思主义理论武装学生。他特别强调“读活的书”。

“什么是活的书？了解中国社会，寻找拯救中国社会和民众的方法，就是活的书，就是我们上大同学要最最认真读的书！”邓中夏如此说。

于是，在这套革命教育思想引领下，陈独秀、李大钊、蔡和森、李立三等中国共产党人进入学校，上了讲台。那十月革命的烽火，那巴黎公社的云烟，那“二七”大罢工的传奇……让学生听得津津有味，热血沸腾。一时间，学校出现了这样的景象：“课堂里是殚精竭虑的讨论，街头巷尾是如火如荼的讲演，舞台上是民族的血泪魂灵的活动，刊物与传单成堆地从印刷所的机器中吐出……”

“社会科学研究会”“社会问题研究会”“文艺研究会”“春风文学会”等学术研究会和社团，也在学校纷纷创立。

如此不出一年时间，“上大”的名声迅速传扬。1923年报考该校的学生不但有四川、云南、广西、贵州、湖南、安徽等地的青年，甚至还有从南洋、日本等异国他乡归来的华侨青年。

“学生如潮涌来，旧校舍无法满足。”1924年2月22日，“上大”迁入西摩路的新楼房作校区。这时的邓中夏立即着手学校建制，对原有的科系作了重大调整，大学部分设三个院：社会科学院、自然科学院和文艺学院。同时还增设中学部（开办高中班和初中班）。如此一来，“上大”便真正成了一所科系齐全的全国闻名大学。

作为一位职业革命者，邓中夏想到了“革命火种”不应该仅仅在校园，“应当传播到更广阔的天地”。于是他根据在北京长辛店办劳动补习学校的经验，结合大上海工业和商业发达的特点，决定依托“上大”，创办平民夜校和工人夜校。这一举措，可以说是“点燃上海民众革命之火伟大创举”。

第一期“上大”平民夜校报名的人数达450人，结果前来听课的多达560人！第二期、第三期的学生更多……一时间，“到上大去念书”，成为上海市民的热门话题。加之工人夜校的开设，“上大”成了革命者和上海民众向往的圣地。后来成长为上海工运领袖的刘华等就是在这个时候接受马克思主义教育并加入中国共产党的。

先进思想的传播和文化知识的提高，让工人和学生们看到了自我解放和无产阶级革命的希望与前景，许多人主动加入中国共产党和共产主义青年团的队伍中。此时中共上海地下组织不断扩大，由“一大”时在编的一个小组，增至四个小组，而“上大”是中共上海地下党的“第一小组”，共11名党员。这个支部有邓中夏、瞿秋白、恽代英、张太雷等，他们都曾是党中央和团中央的领导人，他们后来又都成了革命烈士……

正是他们的伟大人格和共产党员的品质，深深地影响和激励了“上大”的学生走上了坚定的革命道路。

后来成为女革命家的杨之华（瞿秋白妻子）曾这样回忆“为人师表”的邓中夏：

> 他是我们的总务长。他的头发很黑，眉毛浓而长，眉心很宽。当他抬起头来看人的时候，两眼闪闪发光。他精神饱满，做事机智果断，使学校的生活紧张而有秩序。他常常喜欢讲李卜克内西和卢森堡的故事给我们听。他是我们敬爱的一位有魄力、有毅力的革命者。

对无产阶级革命者来说，李卜克内西和卢森堡就像后来的全世界游击队员所崇拜和热爱的古巴革命家切·格瓦拉——

> 是的，真正的革命者，
> 委身于他理想中的事业，
> 他们往往为自己选择最暴露、最危险的位置。
> 当黎明还没有到来，
> 他们已经在黑暗中扑倒，
> 在所有倒下的队列里，
> 请我们记住一个人：
> 罗莎·卢森堡……
>
> 是的，将来胜利之日，我们可能活着，
> 可能已死去，

但我们的纲领是永存的。
它将使全人类获得解放！

（李卜克内西语）

讲演台上，邓中夏声情并茂的演讲与朗诵，打动了多少“上大”学生的心灵。而被列宁称为“革命之鹰”的女革命者卢森堡与马克思战友李卜克内西的英雄形象，已经深深地烙在了同学们的心中。

后来，他们中的许多人，也成了卢森堡式的中国女英雄和李卜克内西式的中国勇士。

因为是国共合作办校，所以在办校过程中，曾经出现以共产党人为代表的革命左派与国民党右派势力的尖锐斗争。虽然共产党人居多数，但以英文系主任何世桢和中学部主任陈德征为首的少数国民党右派势力仗着旧校残余的裙带关系，企图将学校的革命思想传播与马克思主义教育主体压制和抹杀。邓中夏联合在校的中共力量，力排干扰，坚持革命真理，使得右派势力最后以失败告终。这一方面让“上大”这所革命熔炉的烈焰燃烧得更加旺盛，同时也让国民党反动势力对邓中夏更加怀恨在心。

从1923年4月到1925年4月，邓中夏执掌“上大”的两年里，他和其他中共早期领导人将此大学打造成革命大本营。五卅运动前，他奉中共中央之命离开“上大”，然而正因他在校时创立的“平民夜校”“工人夜校”及“上大”本校的革命教育，震惊中外的五卅反帝运动中冲锋在最前列的和牺牲最多的都是“上大”人。牺牲的中共党员黄仁是“上大”学生，牺牲在帝国主义强盗枪口下的工人党员顾正红是“上大”工人夜校生，牺牲的工运领袖刘华是“上大”培养的优秀干部……据统计，五卅运动中被反动军阀政府和帝国主义巡捕抓捕的就有百余人是“上大”人。

“上大”的革命史上，“邓中夏”的名字一定是排在最前列的。

他的坚韧品质和共产党人坚持信仰与真理的骨气，影响和浸润了他的学生和学生的学生……

离开“上大”的邓中夏，在广州领导和指挥了著名的省港大罢工，后来出任中共广东省委书记。然而几年后，令人惋惜的是，由于受王明“左”倾错误的影响，邓中夏所有党内的职务全被撤销。1931年，当邓中夏辗转再度回到上海时，连基本的生活都成问题，只能到码头上当搬运工，即便如此，邓中夏没有一句怨言。

1933年5月15日晚上，邓中夏到上海法租界环龙路骏德里37号的赤色互济总会办事，不料被一群法租界巡捕抓捕。押到巡捕房后，开始邓中夏的身份并没有暴露，任凭敌人如何使用毒刑，邓中夏一口咬定自己叫“施义”，只是去访友的。然而因为邓中夏在“上大”和五四运动、“二七”大罢工等活动中抛头露面太多，加之叛徒做证，9月5日，他被关进牢房。知道自己身份已暴露的邓中夏，在与敌人进行面对面的斗争时，始终保持着共产党人的骨气。

“不错，我就是邓中夏，中共中央委员，曾任红二军团政委……你们还要问什么？这些够枪毙的条件了吗？还需要问什么！”邓中夏把敌人的刑问变成了革命者对反革命者的质问。

蒋介石得知中共高级领导人邓中夏被抓获，十分兴奋，命令将其押至南京。于是9月6日深夜，邓中夏被秘密通过火车押送到南京。敌人害怕出意外，派了十几名武装宪兵把守在关押邓中夏的那节车厢，另专门在邓中夏的手铐另一边铐上沪东区的一位年轻共产党员作“陪绑”——整节火车车厢封得严严实实，不透一丝缝隙，如临大敌。当押解的宪兵打起瞌睡时，坦然而没有睡意的邓中夏仍在亲切地向铐在同一副手铐上的青年党员说着革命道理——

“对有些人来说，死非常可怕。但对一个革命者来说，在参加革命的时候，就应该考虑到，为什么而死，是不是死得其所，死得其时。”

“革命总是要付出代价的。我们要准备随时为共产主义事业献出一切。”

“我这个人，目标大，敌人绝不会放过，为党牺牲是光荣的。野火烧不尽，春风吹又生。牺牲一个邓中夏，会有千百个邓中夏站起来。记住，革命终归是要胜利的……你还年轻，要学得坚强些。将来，你出去后，要好好工作，不要辜负党对你的培养。”

与邓中夏铐在一起的年轻党员叫马乃松，他意识到邓中夏是在抓紧分秒时间，有意识地教育自己。马乃松被邓中夏的革命情操深深打动，从而也更加坚定了同敌人斗争到底的信心。

到南京后，邓中夏被关进南京宪兵司令部拘留所。这个宪兵司令部拘留所位于秦淮河畔，分甲、乙、丙三所。“政治犯”基本都关在甲所。此所监房如口井，四壁不透风，仅有门口一个小洞，供看守监视“犯人”所用。邓中夏被关进甲所第11号监房，他进去的时候，里面已经有十几个“政治犯”。一个“犯人”见新来的难友胸前挂着一个小牌，上写“施义即邓中夏”，大吃一惊：“你真是邓中夏？”

“是。在下就是邓中夏。”邓中夏笑笑。

“哎呀！你在洪湖苏区领导革命时，我就知道你的大名了！”这位“犯人”叫郑绍文，也是共产党员。他十分警惕地悄悄问：“他们已经知道你的身份啦？”

邓中夏点头示意。

“太可惜了！”郑绍文长叹一声。

邓中夏反而坦然地安慰道：“没什么，革命者随时准备有一天要进这个地方的。”

“来来来，大家认识一下我们的邓中夏同志！”郑绍文立即招呼全囚室的“犯人”。

“啊，你真是邓中夏？”囚室内多数是共产党员，“邓中夏”这个名字他们是熟悉的。多数人不相信他们能够在这种地方见到党的一位重要人物，于是拥过来左看右看，很是好奇。

“是，我就是邓中夏。”邓中夏与囚友们一一握手相识。

“真没想到能在这儿见到您啊！”有人激动万分地握着邓中夏的手不放。邓中夏笑了，说：“在监狱见面，这是我们共产党人的光荣。”他这话让所有人感到一阵温暖。

“喂喂，大家听着，”这时，郑绍文说，“邓中夏同志是我们党的重要领导人，又历任几个省的省委书记，还是红二军团的政治委员，是对革命立过大功的人，是我们的革命老大哥，大家同意不同意请他睡上铺？”

在监狱里有一条不成文的规矩：新进来的人一般都要先在门口的尿桶边睡，等有新人来了或牢房里有人走了，再依次往里挪移。

“应该应该！”“来来，睡我这儿！”“我已经腾出来了！”郑绍文的话音未落，囚友们抢着要给邓中夏让铺。这让邓中夏一阵感动。

当晚，郑绍文端着一碗白米饭和一盘炒菜，送到邓中夏面前，让他吃。邓中夏很是惊讶，问：“这是怎么回事？”

郑绍文解释：“这叫包饭，是同志们凑钱叫外边饭铺送来的。”

“你们……”邓中夏一听，哽咽了。他深情地看了难友一眼后，擦了擦眼眶，斩钉截铁道：“只这一次，下不为例！”说完，硬拉着一位瘦弱的囚友，“咱们一块吃这饭菜吧。”

邓中夏被关在国民党南京宪兵司令部拘留所时，革命家陶铸也被关在此处，且是狱中秘密党支部书记。一天，放风的时候，陶铸问郑绍文：“‘老大哥’的表现怎么样？”

“很好呀！何事？”郑绍文问。

“你回去，就说支部的同志都很关心他，问他有什么打算。”陶铸说。

郑绍文回监房后，向邓中夏转达陶铸的话。邓中夏一听，便颇为激动地从铺上跳下来，郑重其事地说：“这个问题提得好！一个革命领导者到了这个时候，同志们应该关心他的政治态度。请告诉同志们，我邓中夏化成灰也是中国共产党党员！”

从此，监狱内的难友们更加信任和尊敬邓中夏。“老大哥”的形象一直被许多革命者铭记于心，甚至连审讯他的那些人也对他暗暗敬佩，因为任何刑具在邓中夏身上都不能奏效，之后敌人就找来一个又一个出卖党的叛徒来“感化”和诱导，但所有计谋在邓中夏面前丝毫不起作用。

一日，国民党中央党部调查科又“请”了几位“政府要人”来劝说邓中夏，并以高官厚禄来诱引他。邓中夏听后一声冷笑，随后义正词严道：“我是革命者，早已把生命献给革命事业。你们那种只会吮吸人民血汗的官，是人干的吗？快把你们那一套收起来，不许侮辱我！”

“邓先生，我们知道你是共产党的前辈，可现在的中共高层都是些刚从莫斯科回来的年轻人，他们处处打压像你这样的共产党元老，我们都为你抱不平啊！中共愈来愈错，日暮途穷。你这样了不起的政治家，何必再为他们作牺牲呢！”“说客”中有人使出这般毒招，企图在邓中夏的“伤口”上撒盐。

邓中夏勃然大怒，严肃而又清楚地告诉这几个蒋介石派来的“要员”：“我要问问你们：一个害杨梅大疮到第三期已无可救药的人，是否有资格去讥笑那些偶感伤风咳嗽的人？我们共产党从不掩盖自己的缺点与错误。我们很有自信心。我们自己敢于揭发一切缺点与错误，也能克服一切缺点与错误。我们懂得，错误较诸我们的正确主张，总是局部的、有限的。而你们，背叛革命，屠杀人民，犯了人民不能饶恕的罪恶……还有脸来说别人的缺点和错误，真是不知人间有羞耻事！”

无计可施的敌人知道在邓中夏这样的共产党员身上，找不到一根软骨头。监狱之中的邓中夏，仍然没有忘记自己作为一名共产党领导者的责任。

入狱时，由于王明“左”倾教条主义的影响，各地党组织受到严重破坏。另一方面由于党内出了大叛徒顾顺章，许多共产党人接连遭到敌人的残酷杀害，这也使得狱中的一些党员陷入深深的痛苦之中。同在狱中的邓中夏，感触尤深，他便在狱中开起“党课”，用革命先烈的气节，鼓励难友们坚持斗争。

他这样说：“共产党人被捕后要有骨气，要坚强，在任何情况下，不能失去气节。”

“一个人为了个人升官发财而活，那是苟且偷生的活，虽活犹死。一个人能为最多数中国民众的利益，为勤劳大众的利益而死，虽死犹生。人只有一生一死，要生得有意义，死得有价值。”

“我是晓得此人的。你们想软化这样的共党，真是太难了！”正在江西“剿共”前线的蒋介石听完手下的汇报后，如此说。因为他与邓中夏早年共过事，深知其品性，于是立即向南京的宪兵司令部司令谷正伦发去一份密电：“即行枪决邓中夏。”

1933年9月19日，邓中夏被转押至监狱的“优待号”牢房。邓中夏知道自己的生命即将终结。他通过牢房内的地下党组织写信道：“同志们，我要到雨花台去了。你们继续努力奋斗吧！最后胜利终究是属于我们的！”

9月21日凌晨，天未破晓，牢房号子外忽然传来一阵急促的脚步声，随后只听狱警大声喊道：“十一号，邓中夏！”

就义的时刻到了。邓中夏从容地穿好衣服，大义凛然地走出牢房，开始振臂高呼：“中国共产党万岁！”“无产阶级革命万岁！”“打倒国民党反动政府！”他那雄壮和悲怆的口号，一下震醒了整个监狱。难友们纷纷扑向铁窗，噙着热泪，向他告别。

“死到临头，脖子还那么硬啊！”几个凶残的狱警用力卡住邓中夏的脖子，企图让他低头和不能出声。邓中夏顽强挣扎，再度高昂起头颅，继续高呼着口号，直到囚车渐渐远去……

雨花台下，一排罪恶的子弹射向邓中夏的头部和身躯，烈士的鲜血顿时喷洒在青山坡上。

著名的工运领袖、伟大的无产阶级革命战士邓中夏就这样牺牲了，年仅39岁。

起来，饥寒交迫的奴隶！
起来，全世界受苦的人！
满腔的热血已经沸腾，
要为真理而斗争！
旧世界打个落花流水，
奴隶们起来……

“上大”的校园内，再次响彻嘹亮而悲壮的《国际歌》……这是教务长兼社会学系主任的瞿秋白在给同学们上“政治课”。

瞿秋白的俄语水平非常高，这是因为他在18岁时就只身到北京考取了北洋政府的外交部部立俄文专修馆。这个俄文专修馆的好处是不收学费，所以对家境贫困的瞿秋白来说，是求之不得的。学习期间，瞿秋白了解了俄国十月革命，又因为经常到北大文学院旁听课程，所以瞿秋白很早就认识了陈独秀和李大钊。尤其是参加五四运动之后，瞿秋白便参加了李大钊组建的北京马克思主义研究会。1920年，他怀着对俄国革命的浓厚兴趣，应北京《晨报》和上海《时事新报》之邀，以报社特约记者的身份前往莫斯科。莫斯科之行，改变了瞿秋白的人生观，也让他从此成为一名无产阶级革命战士。在莫斯科的两年里，瞿秋白不仅深入世界上第一个社会主义国家的厂矿、农村、军队、学校和百姓家庭考察采访，而且多次见到了革命导师列宁，甚至与列宁面对面地交流。列宁还向这位中国青年介绍布尔什维克史和“十月革命”过程，并向瞿秋白推荐了几本关于东方问题的书。伟大导师的面授与教诲，让瞿秋白获得了一般中国进步知识分子不易获得的宝贵革命经验。再加上后来留在莫斯科东方大学从事翻译与中国班教学工作，瞿秋白对马列经典原作有更直接的学习机会，并阅读了大量他异常喜爱的俄罗斯文学名著。

“伟大的苏联社会主义，如东方旭日，喷薄而出，照亮世界，也照亮了所有被压迫民族。而我——还有千百个去过苏联的同志都会深深地感受到，我们从此不再是旧时代的孝子顺孙，而是新时代的活泼稚儿，是积极的革命奋斗者！整个旧世界，将要被社会主义、共产主义而取代！”“上大”课堂上，瞿秋白时而用俄文教同学们高唱《国际歌》，时而用他那特有的细软中带着铿锵的常州官话朗读马列主义经典语录。他以自己的所见所闻，向对社会主义和共产主义充满向往之心的“上大”学生讲述苏联社会主义制度和人民自由生活的一幅幅美好景象，令学生们心潮澎湃、热血沸腾。

“目前，我们的革命已经到了紧要的转折关头！”又是瞿秋白关于中国革命的政治课，像以往一样，大教室被挤得水泄不通。让同学们吃惊的是，他们的瞿老师上来就劈头盖脸、慷慨激昂地说了这样一句话，没有其他任何开场白。

大课堂顿时鸦雀无声，教室内只有瞿秋白铿锵有力的话语：“是的，是到了紧要的转折关头了！国民党右派分子最近在北京的西山开会，公开树起反对共产党的反革命旗帜。在广州，以戴季陶为首的一些人也遥相呼应，叫嚷什么要建立所谓的‘纯正的三民主义’，他们的目的只有一个，那就是：彻底地破坏国共合作，向中国革命进行猖狂的攻击！”

台下，“上大”学生们睁大一双双眼睛。台上，只见瞿秋白把挂在脖子上的羊毛围巾取下，然后挥动右臂，道：“这些都是阴谋，是阴谋的暴露！”

“我们一定要揭穿这些阴谋！而这阴谋的领头人就是——”瞿秋白说到此处，回头在黑板上大大地写出三个字：“戴季陶！”

“此人！此人高谈‘中庸’‘调和’与所谓的‘统一’，其最终的目的是想把中国共产党和中国革命统一战线拉到他们国民党右派反动势力那里去。这样的结果是：中国革命断无胜利可言！”瞿秋白说到这里，大声疾呼道，“革命者需要迅速清醒！立即行动！”

这就是瞿秋白，一个“上大”的革命者教授。他的锋芒和个人魅力的光芒，对许多进步学生产生了终身的影响。

著名作家丁玲当时也是从“平民学校”转入“上大”的学生。她和“闺蜜”王剑虹（王后来成了瞿秋白的第一任妻子，结婚半年后不幸因病去世）一起从老家湖南来到黄浦江畔，开始了影响她们一生革命与爱情的“上大”生涯。丁玲在几十年后专门写了篇题为《我所认识的瞿秋白》的回忆文章，这样记述她最初认识的瞿秋白和瞿秋白在“上大”对她的影响——

> 那天，他们带了一个新朋友来，这个朋友瘦长个儿，戴一副散光眼镜，说一口南方官话，见面时话不多，但很机警，当可以说一两句俏皮话时，就不动声色地渲染几句，惹人高兴，用不惊动人的眼光静静地飘过来，我和剑虹都认为他是一个出色的共产党员。这个人就是瞿秋白同志，就是后来领导共产党召开“八七”会议、取代机会主义者陈独秀、后来又犯过盲动主义错误的瞿秋白，就是做了许多文艺工作、在文艺战线有过卓越贡献，同鲁迅建立过深厚友谊的瞿秋白，就是那个在国民党牢狱中从容就义的瞿秋白……

丁玲回忆说：“瞿秋白讲苏联故事给我们听，这非常对我们的胃口。过去在平民女校时，也请另一位从苏联回来的同志讲过苏联情况。两个讲师大不一样，一个像瞎子摸象，一个像熟练的厨师剥笋。当他知道我们读过一些托尔斯泰、普希金、高尔基的书的时候，他的话就更多了。我们就像小时候听大人讲故事似的都听迷了。他对我们这一年来的东游西荡的生活，对我们的不切实际的幻想，都抱着极大的兴趣听着、赞赏着。他鼓励我们随他们去上海，到上海大学文学系听课。”

丁玲到了“上大”后，比较了许多“大师”级老师，最后得出结论：

> 最好的教员却是瞿秋白。他几乎每天下课后都来我们这里。于是，我们的小亭子间热闹了。他谈话的面很宽，他讲希腊、罗马，讲文艺复兴也讲唐宋元明。他不但讲死人，而且也讲活人。他不是对小孩讲故事，对学生讲书，而是把我们当作同游者，一同游历上下古今，东南西北。我常怀疑他为什么不在文学系教书而在社会科学系教书，他在那里讲哲学。哲学是什么呢？是很深奥的吧？他一定精通哲学！但他不同我们讲哲学，只讲文学，讲社会生活，讲社会生活中的形形色色。后来，他为了帮助我们能很快懂得普希金的语言的美丽，他教我们读俄文的普希金的诗。他的教法很特别，稍学字母拼音后，就直接读原文的诗，在诗句中讲文法，讲变格，讲俄文用语的特点，讲普希金用词的美丽。为了读一首诗，我们得读二百多个生字，得记熟许多文法。但这二百多个生字、文法，由于诗，就好像完全吃进去了。当我们读了三四首诗后，我们自己简直以为已经掌握俄文了。

从印象深刻，到影响人生，丁玲在“上大”时从职业革命家和文艺家瞿秋白身上，获得了前所未有的力量与方向——

> 因为是寒假，秋白出门较少；开学以后，也常眷恋着家。他每天穿着一件舒适的、黑绸的旧丝棉袍，据说是他做官的祖父的

遗物。他每天写诗，一本又一本，全是送给剑虹的情诗。也写过一首给我，说我是安琪儿，赤子之心，大概是表示感谢我对他们恋爱的帮助。剑虹也天天写诗，一本又一本。他们还一起读诗，中国历代的各家诗词，都爱不释手。他们每天讲的就是李白、杜甫、韩愈、苏轼、李商隐、李后主、陆游、王渔洋、郑板桥……秋白还会刻图章，他把他最喜爱的诗句，刻在各种各样的精致的小石块上。剑虹原来中国古典文学的基础就较好，但如此的爱好，却是因了秋白的培养与熏陶。

剑虹比我大两岁，书比我念得多。我从认识她以后，在思想兴趣方面受过她很大的影响，那都是对社会主义的追求，对人生的狂想，对世俗的鄙视。尽管我们表面有些傲气，但我们是喜群的，甚至有时也能迁就的。现在，我不能不随着他们吹吹箫、唱几句昆曲（这都是秋白教的），但心田却不能不离开他们的甜蜜的生活而感到寂寞，我向往着广阔的世界，我怀念起另外的旧友。我常常有一些新的计划，而这些计划却只秘藏在心头，我眼望着逝去的时日而深感惆怅。

秋白在学校的工作不少，后来又加上翻译工作，他给鲍罗廷当翻译可能就是从这时开始的。我见他安排得很好。他西装笔挺，一身整洁，精神抖擞，进出来往。他从不把客人引上楼来，也从不同我们（至少是我吧）谈他的工作，谈他的朋友，谈他的同志。他这时显得精力旺盛，常常在外忙了一整天，回来仍然兴致很好，同剑虹谈诗、写诗。有时为了赶文章，就通宵坐在桌子面前，泡一杯茶，点上支烟，剑虹陪着他。他一夜能翻译一万字，我看过他写的稿纸，一行行端端正正、秀秀气气的字，几乎连一个字都没有改动。

我不知道他怎样支配时间的，好像他还很有闲空。他们两人好多次到我那小小的过街楼上来座谈。因为只有我这间屋里有一

> 个烧煤油的烤火炉，比较暖和一些。这个炉子是云白买给秋白和剑虹的，他们一定要放在我屋子里。炉盖上有一圈小孔，火光从这些小孔里射出来，像一朵花的光圈，闪映在天花板上。他们来的时候，我们总是把电灯关了，只留下这些闪烁的微明的晃动的花的光圈，屋子里气氛也美极了。他的谈锋很健，常常幽默地谈些当时文坛的逸事。他好像同沈雁冰、郑振铎都熟识。他喜欢徐志摩的诗。对创造社的天才家们他似乎只对郁达夫还感到一点点兴趣。我那时对这些人，事、文章以及文学研究会和创造社的争论，是没有发言权的。我只是一个小学生，非常有趣地听着。这是我对于文学上的什么浪漫主义、自然主义、写实主义以及为人生、为艺术等等所上的第一课。那时秋白同志的议论广泛，我还不能掌握住他的意见的要点，只觉得他的不凡、他的高超，他似乎是站在各种意见之上的。
>
> 有一次，我问他我将来究竟学什么好，干什么好，现在应该怎么搞。秋白毫不思考地昂首答道："你么，按你喜欢的去学，去干，飞吧，飞得越高越好，越远越好，你是一个需要展翅高飞的鸟儿。嘿，就是这样……"他的话当时给我无穷的信心。给我很大的力量。我相信了他的话，决定了自己的主张……

丁玲后来成为中国现代文学史上的一位重要的作家，创作了一大批优秀的革命文学作品。在延安时，毛泽东曾这样评价丁玲："昨日文小姐，今日武将军。"

像丁玲这样受瞿秋白影响而坚定走上革命道路者不乏其人。

"今岁花开盛，宜栽白玉盆。只缘秋色淡，无处觅霜痕。"这是瞿秋白在中学时写的诗。这位7岁就能做诗的革命"文青"，骨子里透着一身清傲之风。而在参加革命后，性格里渐渐浸入宽容待同志的谦和之气。

羊牧之，是瞿秋白从家乡带出来走上革命道路的革命者，也是“上大”的学生之一。他这样回忆当时身为临时中央政治局常委并主持工作的瞿秋白的工作状态，以及他的谦逊与自知之明：工作异常繁忙的他，“非但没有一点架子，而且总是谦逊地感到自己缺少基层工作经验，名不副实。他多次说：搞农运我不如彭湃、毛泽东；搞工运我不如苏兆征、邓中夏；论军事我不如贺龙、叶挺。有一次我笑着说：你宣传马列主义还是可以的。殊不知他听了把头直摇，说：这方面我比陈独秀、李大钊差远了”。

革命的志气和品质，其实是从理想和信仰中浸透出的一种精神和人格力量。作为“上大”教授的瞿秋白，他在曲折的革命经历中透露出的坚定与自信、明确与果断，给学生们留下深刻印象，这对一些普通工人和知识分子走上革命道路极其可贵和重要，同时也折射出瞿秋白作为革命领袖表里如一的伟大人格光芒。

“上大”停办之后，正值最严酷的大革命失败时期，革命处在最低潮，共产党人在国民党反动派强大势力的淫威下血流成河。而瞿秋白正是此时站到了党的最高领导的位置上。后来由于“王明路线”的影响，瞿秋白的政治地位一下从巅峰坠入最低谷，在苏区仅为一张报纸的主编。主力红军撤离苏区开始长征时，他又被留在了四面虎狼的江西。那时瞿秋白已经患病非常严重，连走路也常气喘吁吁。当时中共中央留守在江西的领导人陈毅和项英决定送瞿秋白和年老体弱的何叔衡等到上海养病。然而，就在路上，护送他们的小分队遭到了地方保安武装团的追袭，中途何叔衡坠崖身亡，瞿秋白惨遭敌人逮捕。

革命困难岁月，中国共产党早期的两位领导人落得如此命运，令人痛楚。

入狱后的瞿秋白，被叛徒出卖身份暴露，正在“剿共”前线的蒋介石认为能够让瞿秋白这样的中共重要人物“反水”，对提升蒋某人“威望”和诋毁中国共产党将是何等的“巨大战果”！于是“劝降”的要员一个接一个地来到瞿秋白落难的福建长汀游说，前后达九班人马。然而这些人只得到了瞿秋白的这样一个回答：“我爱自己的历史，甚于鸟爱它的翅膀。你们不要枉费心机了，也勿撕破我的历史！”

最后，说客们甚至搬出了顾顺章（中共最危险的叛徒）如何受到国民党“优惠待遇”来诱惑瞿秋白：“切不当不识时务者。”

瞿秋白对此冷笑：“我是瞿秋白，不是顾顺章！我宁愿做一个不识时务的人，也绝不会做一个出卖灵魂的‘识时务者’！”

不日，正在南昌指挥“剿共”的蒋介石收到军统呈上的报告，说瞿秋白“思想顽固，意志坚决，无法挽回”。

“敬酒不吃吃罚酒！”气歪了脸的蒋介石狠狠地骂了一句，随即签发了一份处决瞿秋白的密令：就地枪决！

1935年6月18日上午，瞿秋白在长汀中山公园用完最后一餐，挺胸昂首，而且手里夹着香烟，边抽边往刑场走去。一路上，时而用中文时而用俄文高唱《国际歌》……

“瞿先生，你就真的不怕死？”押解他的刽子手们感到不可思议，这样轻声地问行将接受极刑的瞿秋白。

瞿秋白依然轻声笑言：“真正的共产党人在参加革命的那天，就已经准备好了这一天的到来。死何足挂齿！因为我们相信共产主义一定会有在中国和世界上实现的那一天！”

“不可救药！”刽子手们听后直摇头。

行至长汀西门外罗汉岭前的一块草坪中间，瞿秋白停了下来，然后盘足席地而坐，向着刽子手们微笑道：“此地很好！来吧——”

刽子手们愣了一下，而后一起举起了枪……

“中国共产党万岁！”“中国革命胜利万岁！”“共产主义万岁——！”

随着一阵罪恶的枪声，“中国共产党早期的主要领导人之一，伟大的马克思主义者，卓越的无产阶级革命家、理论家和宣传家，中国的革命文学事业的重要奠基者之一”的瞿秋白同志倒在了血泊之中……

享年36岁。

一位卓越的革命领袖，能够成为自己的导师和教授，对年轻的革命者来说，还有比这更荣幸的吗？

瞿秋白这样的老师，给“上大”青年学生带来的革命启蒙和志气酿成，无疑是巨大和不可替代的。

我们在前面提到的那位在南京路上勇敢地挡在帝国主义强盗枪口前的何秉彝，便是这样一位“上大”学生。

出生在地主家庭的何秉彝，最初只是一个有些个性的叛逆小青年而已。凭借富裕的家庭支撑和聪慧的天赋，他考上了大学。因为接触到了革命家李一氓，所以他开始倾向于进步思潮。后来听说“上大”的社会学系很“新潮”，于是何秉彝放弃了理工科，考到了瞿秋白任主任的“上大”社会学系。

“疯了你！听说那只是个‘弄堂大学’，怎么可以混到下三滥那里去呢？”何父听说后，气得一封又一封信催促何秉彝“改邪归正”。

仅仅听了瞿秋白几堂课的何秉彝，这时给父亲回了一封长长的信，向老人家介绍了“上大”和自己为什么要去读这个大学的社会学系。他说：“男何以要研究社会学？因为：男现在是二十世纪的新青年，不是十九世纪的陈腐的以文章为生、以科举为目的的老学究，生在这离奇的二十世纪的社会里，便要为二十世纪的社会谋改造，便要为二十世纪的人民谋幸福，即要研究人类社会之生活的真理，及其种种现象，以鉴定其可否，这就是男要研究社会学的主因，亦是男个性的从好，志趣的决定。”何秉彝表示，如果要叫他为了做官去读书，他毫无兴趣，且不屑一顾。他还告诉家人自己上了瞿秋白先生的课的体会：“上海大学在上海虽是私立，但男相信它是顶好的学校，信服它的社会学是十分完善的。它的制度、它的组织和它的精神，皆是男所崇拜而尊仰的。”他激情昂扬地说：“男如是行去，觉得未来之神在预告男了，好像说：‘你将上光明之路了，你将得到很相适的安慰了；你的前途是无量的；你的生命之流矢，将从此先射；你的生命之花，将从此开放。'”

让自己的生命，盛开出革命的理想之花，这是何秉彝在“上大”懂得革命的人生道理之后悟出的结论，而他后来在参加反帝国主义的斗争中，年轻的生命之花永远定格在五卅运动中……

不仅如此，何秉彝生前还以他在“上大”和上海所沐浴的革命风浪对自己理想和信仰的洗礼经历，教育和引导自己的弟弟同他一起走上革命道路。后来，他的弟弟何秉均1928年壮烈牺牲在上海，时年20岁……

啊，这是何等令人炫目的生命之花呀！它像冬日里的雪花一样，在我们望得见的半空潇洒地飞扬，朝着它认定的方向，向世间散发着它的魅力与光芒。虽然在整个革命历史的大海里它显得十分渺小，然而它认定自己的价值，以及这种价值的光芒——这就是“上大”学生从革命领袖和导师身上学到和传承下来的精神与信仰。

在“上大”的烈士谱上有一位叫李硕勋的青年俊杰。他是位四川籍革命者，1923年底考入“上大”并在学校入了党。李硕勋是社会学系的学生，在瞿秋白的课堂上，他感受着社会主义伟大革命的汹涌澎湃和马列主义的思想光芒。1924年，这位优秀的学生成为全国学联执委会主任。当看到自己的同学黄仁牺牲在街头的那一幕后，他发誓要用革命的斗争对付反革命的暴行。五卅运动之后，为了适应城市武装斗争的需要，全国学联接受了党的一项秘密任务：建立军事委员会，培训青年军事骨干。于是李硕勋成为这个“委员会”的委员长，开始了他的地下军事武装斗争的革命生涯，为之后上海的武装起义做出了卓越贡献。在结束担任多年的全国学联主席和兼任的地下党上海南市部委书记工作之后，李硕勋又参加了南昌起义。当再回到上海时，他出任中共江苏省委军委书记和江南省军委书记，与李维汉、陈云、刘晓等一起在苏南地区成功组建了红十四军、红十五军，配合江南一带的革命武装斗争。1931年8月，李硕勋奉中共中央之命赴海南领导那里的武装斗争。可刚到海口，即被叛徒出卖关入牢狱。狱中，国民党反动派知道李硕勋是中共“大人物”，用毒刑逼他投降就范。然而李硕勋宁死不屈，被敌人打断脚骨。临刑前，这位年仅28岁的中共党员、优秀的军事家已经不能站立，却振臂高呼“打倒国民党反动派！”“中国共产党万岁！”等口号。李硕勋烈士牺牲前给妻子赵君陶留下这样一封遗书：

> 陶：余在琼已直认不讳，日内恐即将判决，余亦即将与你们长别。在前方，在后方，日死若干人，余亦其中之一耳。死后勿为我过悲，惟望善育吾儿，你宜设法送之返家中，你亦努力谋自立为要。死后尸总会收的，绝不许来，千嘱万嘱。
>
> 勋

李硕勋烈士的妻子赵君陶也是“上大”社会学系的学生。她与李硕勋相识于“上大”，1926年结婚，并加入中国共产党，是早期妇女工作的领导人之一和教育家。

1923年夏，是个炎热的季节，也就在这个时候，一位中国革命史上的重要人物来到了上海。他叫恽代英，是如今他故乡的常州人所称“三杰”之一，而“三杰”中的另外两人也都曾是“上大”重要的老师和中共早期领导者：一位是前面已经说到的瞿秋白，另一位是张太雷。他们在上海和“上大”留下的功绩如丰碑一般永远屹立在黄浦江岸头……

恽代英是作为青年学生领袖和中国社会主义青年团领导者之一的双重身份进“上大”当教授的，当时他还是新创办的《中国青年》主创人。之前他在武汉读书，因为领导五四运动中的学生示威游行和与林育南等创办进步报刊而在广大青年学生中具有重要影响，成为革命领军人物。

"'上大'是我们培养新一代革命者的第一所学校，你去任教最合适，与中夏、秋白他们一起把那里的革命火焰燃烧起来！"陈独秀对恽代英寄予极大希望，如此鼓励道。

这位在上海和"上大"留下诸多辉煌身影的青年革命者，后来离开上海，到广州的黄埔军校任政治教官，与周恩来一起培养革命军事人才，其后又参与组织南昌起义、广州起义。

1929年4月5日，在瑞金的毛泽东曾经致电中共中央建议恽代英出任红四军前委书记。后因蒋桂战争爆发未果。

然而当1930年春恽代英再度回到上海时，却因为反对李立三的"左"倾冒险主义而受到打击，降至沪东区委书记。

就在这年5月6日那天，身穿长衫、一副工人打扮的恽代英，带着一包传单，到杨树浦韬朋路（今通北路）老怡和纱厂门口与那里的地下党员接头。不料此时突遇巡捕搜查。一代青年革命领袖恽代英，因为深度近视，那天又为了不被人发现而没戴眼镜，待巡捕走到他跟前时，已经躲避不及。恽代英当时迅速地做了一件事：趁巡捕搜他身时，突然用双手抓破了自己的脸——恽代英知道，在上海、在敌人那里认识他的人太多!《中国青年》杂志他是主笔，"上大"他是老师，五卅运动中他是学生游行的总指挥……更不用说他在街头、工厂和夜校演讲时有多少人见过他!

抓破脸的恽代英开始一直没有被人识破。关在龙华国民党淞沪警备司令部监狱里的他，任凭敌人严刑拷打，皆没有暴露身份，于是最后仅以携带传单"企图煽动集会"罪名被判五年。在监狱里，恽代英依旧以一个革命宣传者和演说家的身份鼓动难友们进行狱中斗争。他经常高吟的那首《时代的囚徒》之歌，给狱中革命者无比强大的精神力量——

囚徒，时代的囚徒，
我们，并不犯罪；
我们，都从火线上捕来，
从那阶级斗争的火线上捕来……

囚徒，不是囚徒，是俘虏！
凭它怎么样虐待，
热血仍旧是在沸腾！
……
我们并不怕死，
胜利就在我们眼前！
铁壁和铜墙，
手铐和脚镣，
锁得住我们的身，
锁不住我们的心！

这年9月，中共六届三中全会在上海召开，狱中的恽代英仍被选举为中央候补委员。

恽代英后被押送到南京军事监狱，许多难友得知他就是大名鼎鼎的恽代英后，没有一个人出卖他。甚至连监狱的狱警都因为恽代英的人格力量而被感动，也没有向上级汇报。党中央和周恩来对恽代英的安全极为关心，尽力营救，争取提前释放。就在地下党支部已经通知恽代英做好准备提前出狱时，一件无法挽回的事发生了：中共中央政治局候补委员顾顺章在武汉被捕。顾顺章为了活命，向蒋介石献了一份“厚礼”——把在南京狱中的恽代英给出卖了！

蒋介石大喜，因为他在黄埔军校时就非常了解恽代英，也欣赏其才华。高官厚禄相诱，是蒋介石惯用的手段。“恽代英可以是例外，不要他任何自首材料云云，只要答应到我这儿做事情，就放他！”这回蒋介石格外“爽气”，让人把这允诺带给狱中的恽代英。

已经暴露身份的恽代英听之一笑，说：“不与革命的背叛者同流合污！”

“就地枪决！”蒋介石气急败坏地即刻下令。

1931年4月29日尚未天亮，一群武装的国民党宪兵将恽代英拉出囚室，没走几步，他们便端起了枪……执行任务的宪兵们竟然惧怕恽代英那气宇轩昂、威震山河的正义气概，一个个双手颤抖，迟迟拉不动枪栓……气得在现场的国民党军法司司长王震南最后只得让另一些刽子手拔枪向恽代英施以暴行。

浪迹江湖忆旧游，
故人生死各千秋。
已摈忧患寻常事，
留得豪情作楚囚。
……

恽代英的牺牲，让战友周恩来异常悲伤。1937年夏，借着到南京参加国共合作谈判的机会，周恩来低吟着恽代英的这首绝命诗，来到雨花台凭吊亡友。新中国成立后的第一个夏天，周恩来再次为恽代英题词道：“中国青年热爱的领袖——恽代英同志牺牲已经19年了，他的无产阶级意识、工作热情、坚强意志、朴素作风、牺牲精神、群众化的品质、感人的说服力，应永远成为中国青年的楷模。”

是的，恽代英这样的青年领袖，影响和教育了早期中国革命的无数青年革命者。下面这对在上海龙华烈士纪念馆和南京雨花台烈士纪念馆烈士名录中都有的“烈士师生”，便是其中的两位——老师叫侯绍裘，学生叫张应春。

侯绍裘与张应春都曾因为恽代英的影响而来到“上大”，后来这对师生作为中共代表同在上海的国民党江苏省党部任执委，与同是执委的著名学者柳亚子等有着深厚的友谊与感情。

1927年3月，侯绍裘刚参加完上海特别市临时市政府委员的就职典礼，便奉中共中央之命，前往反动势力控制下的南京进行面对面的反抗斗争。在这最黑暗的日子里，参与公开同蒋介石反动势力斗争的中共党员有侯绍裘的学生张应春等人。3月29日夜，侯绍裘带领下的“江苏省党部”班子在离开上海、移师南京，一路经过苏州、无锡、常州火车站时，成千上万的群众手持彩旗欢迎。到达南京火车站时，前来欢迎的各界人士竟然多达四五万人。

此刻的南京城，革命势力和反革命势力已经进入白热化的斗争阶段。看透了蒋介石叛变革命嘴脸的侯绍裘等中共领导和国民党江苏省党部进步人士，决定响应国民党在武汉召开的国民党二届三中全会关于免除蒋介石国民党军委主席等职务的决定，拟在南京成立新的江苏省政府。侯绍裘以中共代表和国民党省党部执委的双重身份，主持这一与来势汹汹、杀气腾腾的蒋介石反动集团艰苦斗争的工作。

侯绍裘他们到达南京之后的一周，此地可谓“钟山风雨，分秒惊天动地”：革命势力与反动势力分别展开了抢先争夺战。

4月9日，反动势力的军团兵临城下之后，南京顿时“山雨欲来风满楼”。

当晚，侯绍裘主持召开南京市各革命团体负责人紧急会议，决定第二天召开群众大会并去蒋介石处请愿。

次日，也就是4月10日上午，由江苏省党部组织的“南京市民肃清反革命派大会”召开，数万群众参加，其势其威，撼动钟山。侯绍裘代表省党部愤怒谴责蒋介石的反动行径。下午，各界代表到蒋介石的“总司令部”门前请愿。最后蒋某人假装答应请愿要求。哪知下午5时左右，一群手持棍棒枪支的流氓突然冲入请愿的群众队伍中，疯狂地大施淫威，并向赤手空拳的无辜请愿者开枪扫射…… 现场顿时“血肉横流，惨不忍睹”。

面对突如其来的严峻形势，当晚11时，南京市总工会等革命团体内的主要共产党负责人，紧急聚集到大纱帽巷10号召开党内会议，以应对时下的严重情况。谁知会议开至凌晨2时许，会场被国民党南京市公安局侦缉队便衣特务团团包围，除时任中共南京市地委常委的刘少猷（本名刘平楷，后任中共南京地委书记、上海沪东区委书记和中共湖北省委书记、云南省委代书记。1931年7月26日在昆明被敌人逮捕后牺牲）跳墙外，侯绍裘等其余9人全部被捕。

蒋介石听说中共南京地委的“头头”们被“一网打尽”，据说得意了整整一天。后来他派人对侯绍裘劝降，说要委以“江苏省政府主席”之职，条件是公开退出中共。

侯绍裘只回答了两个字：“妄想！”

三四天后的一个漆黑的夜晚，国民党南京市公安局局长温建刚和特务头子陈葆元奉蒋介石之命，亲自指挥侦缉队对侯绍裘等9位中共南京市委地下党负责人进行了最残忍的屠杀——特务们将这9人先装进麻袋，而后一个个活活用刺刀杀害，然后又偷偷趁着夜色用车子将尸体运到南京通济门外的九龙桥处，把麻袋里的9位共产党人的遗体投入秦淮河，毁尸灭迹……

侯绍裘等9名共产党人的遗体再也没有找到，幸亏当时有路过的百姓无意间看到有人往秦淮河里扔麻袋的一幕，1949年后政府多方调查、追寻才了解到蒋介石国民党反动集团对中国共产党人犯下的这一令人发指的罪行！

现在的南京雨花台烈士纪念馆和上海龙华烈士纪念馆都有他们的名字。让我们一起来认识一下：

侯绍裘，上海松江人，时任国民党江苏省党部中共党团书记，牺牲时31岁；

谢文锦，时任中共南京地委书记，牺牲时33岁；

陈君起，时任中共南京地委妇女委员，牺牲时42岁；

梁永，时任南京市总工会委员，牺牲时23岁；

刘重民，时任中共南京地委委员，牺牲时25岁；

文化震，时任共青团南京地委书记，牺牲时25岁；

许金元，时任国民党江苏省党部委员，牺牲时21岁；

张应春，时任国民党江苏省党部执委兼妇女部部长，牺牲时26岁；

钟天樾，时任南京市总工会委员，牺牲时22岁。

在雨花台烈士纪念馆，我对这9位烈士的档案进行了一番考证发现，除了山东籍的梁永烈士，其余8位，他们或者是上海人，或者与上海有着千丝万缕的关系。可以说，作为革命者，他们或是主要革命经历在上海，或是革命的“根”和起步在上海。比如刘重民、文化震、钟天樾、许金元等，虽然并非上海人，但当他们开始懂得革命道理和追求真理时，就来到了上海，或进了“上大”，或在上海总工会，接受马克思主义的革命教育，然后走上革命道路，加入中国共产党，几乎都是五卅运动中的骨干。1927年，蒋介石一手操纵的四一〇惨案之前，这些革命者因为工作需要，先后在革命最紧急的关头被组织派到了腥风血雨的南京，有的才去十来天时间，就被敌人残忍地刺死在麻袋内扔进了秦淮河里……

下面我们重点讲一讲谢文锦和陈君起两位牺牲在南京的革命烈士。

现在许多人并不知道谢文锦是何许人也，其实这位温州籍革命家与陈望道、俞秀松、施存统等上海的第一批中共党员都是浙江省省立第一师范学校的校友。1920年，谢文锦就来到上海，与刘少奇等早期革命家一同进了由陈独秀、陈望道等共产党人开设在渔阳里六号的青年革命者摇篮——“外国语学社”学习。1921年，谢文锦在上海加入中国共产党，同年又被党派遣到莫斯科东方劳动者共产主义大学学习，在那里，与他一起学习和给他讲课的人，后来都是中国共产党的重要人物，如老师瞿秋白，同学任弼时、罗亦农、王一飞、彭述之、萧劲光、蒋光慈等。回国后的谢文锦到温州老家播撒革命种子，唤起了一批批热血的温州进步青年到上海来。谢文锦或介绍他们到上海大学学习，或带领他们直接参加工人运动，如蔡雄、林平海、戴国鹏、林去病、王国桢、金石声、陈琢如、戴树棠等，后来这些青年先后牺牲在上海的几次武装起义之中。解放后，有一位叫苏渊雷的温州籍学者回忆道："这批温州籍革命烈士之所以为革命献身，一个重要原因是受到过谢文锦的政治启发和人格感化。"

9位烈士中，陈君起年岁最大，42岁。

陈君起是上海嘉定南翔镇人。很难想象，这样一位出生在富饶之乡、父亲是前清翰林的中年妇女，竟然能够为革命赴汤蹈火，最后牺牲在他乡！陈君起走上革命道路是与个人对进步事业的追求和摆脱不幸的婚姻与家庭有关。那时，妇女解放运动是革命初期的重要内容之一，陈君起的特殊家庭状况，对从事妇女解放运动和地下党联络工作极为有利，所以这位"南翔老大姐"，不动声色地辗转在上海和南京之间，并在国共合作期间成为国民党江苏省党部妇女委员。1927年4月2日，在谢文锦带领下，江苏省党部从上海紧急迁往南京，陈君起随行而去。之后的一个多星期里，她与战友一起，不分日夜地四处奔波，组织各界妇女起来与蒋介石反革命势力进行殊死斗争，最后不幸与其他8位同志被敌人抓捕后牺牲……

当时在汉口的《民国日报》刊载了一首诗歌，名为《钟山的悲哀》，如此描述陈君起等烈士经历的那场血腥屠杀的情景——

黑暗恐怖的云雾，笼罩着钟山四周；那游丝般的细雨，更落落疏疏，把黯淡的花草淹润浸透。这是促成谁的悲伤，谁的哀诉！

> 黑暗恐怖的云雾，笼罩着钟山四周；那空中的风声，江上的涛声，更凄切地将哀吟合奏。这是促成谁的悲伤，谁的哀诉！
>
> 是谁的悲伤声？哀诉声？诅咒声？振遍了民众的隔膜！

现在，我们仍要回到这9名中共烈士中没有说完的侯绍裘与张应春两位“师生烈士”的传奇故事，因为他们的传奇都与当时在“上大”教书的恽代英相关，同时又延伸出更传奇的革命生涯和壮丽史话——

松江出生的侯绍裘与吴江出生的张应春可算是同属“吴地”的同乡。历史上的吴江，因江南水乡的独特地理优势和层出不穷的文人雅士，开创了中华文明史上千年不衰的儒雅风流。“春后银鱼霜下鲈，远人曾到合思吴。欲图江色不上笔，静觅鸟声深在芦。落日未昏闻市散，青天都净见山孤。桥南水涨虹垂影，清夜澄光照太湖。”北宋文人张先的一首《吴江》，把这块民殷物阜的江南水乡描绘得如诗如画。

想象不出，如此灵动的江南水国，竟然能够锤炼出两位铁骨铮铮的革命侠士。

只有一种可能：思想和信仰的铸造。

是的。这就是20世纪初，一群中国知识分子的人生与命运重塑的过程，由此延伸出的是一条用生命和鲜血染红的革命者之路……

侯绍裘算得上是松江的才子了。1918年8月，他以第二名的成绩考入上海的南洋公学（上海交通大学前身），攻读土木工程专业。然而在1919年5月6日从老家回上海的火车上，一张报纸上的“消息”，让这位工科生开始对“国家大事”产生兴趣，人生方向从此有了质的变化。这个“消息”就是五四运动。

5月7日，侯绍裘与学校的同学一起参加了反帝示威的万人大会。市民和学生们的热情与斗争场景，让这位松江才子感触深刻，再不能自拔。“群众的势力，更使我精神紧张。我回校后的第一件事，便是拟了一篇提倡国货、抵制日货办法的文章，在走廊下（校中的冲要处）公布出来！”侯绍裘曾经这样回忆道。

5月11日，上海学生联合会成立，侯绍裘作为南洋公学的代表被推荐为学联教育科书记，从此开始了他的“救国革命”学生运动生涯。一本《新青年》，一篇《灰色马》，让侯绍裘变成了信仰马克思主义的革命者。因为编著出版被松江人亲切称呼为“耳朵报”的《问题周刊》，侯绍裘最后被学校以“举动激烈，志不在学”为名而开除学籍。一位五四运动的进步大学生，竟然被开除，这一事件本身就轰动了正在燃烧革命烈火的上海滩。《民国日报》副刊《觉悟》发表署名文章指出：“试想，从事新文化运动的人是开除吓得退的吗？”而侯绍裘面对飞来的厄运，却平静道：“我的意志岂是他们所能改变的？”

就在此时，老家松江有所私立女子学校因封建势力和财政上出现压力而停办。这所江南最早的女子学校之一停办的消息，让侯绍裘感到惋惜。此时，一位名叫朱季恂的乡贤有意重新振兴这所女子学校，而且听说当时正在宜兴教书的侯绍裘是位松江才子，于是邀他一起来重振松江女子学校。朱季恂是吴江名士柳亚子的好友，同是同盟会成员，且也曾在南洋公学求学过。所以侯绍裘十分乐意同这位同乡兼“学长”共同振兴松江女子学校。

“朱侯”联手，松江女子学校很快重振旗鼓。主抓教学的侯绍裘大量引进名家和先进思想到校，于是“松江女校”在上海滩上便有了好名声。时任中共上海地委兼区委委员的沈雁冰著文夸奖侯绍裘他们：“我很佩服他们有勇气排斥一切冷淡的、固拒的、没有抵抗力的压迫的空气，而火辣辣地做自己的事。”

侯绍裘把松江女子学校办得有声有色，引起了中共上海地区的关注，不仅及时发展侯绍裘为松江地区最早的一批中共党员之一，而且在1923年冬，便派出负责上海周边地区建党工作的中共中央局的罗章龙和团中央负责人恽代英到松江去建党组织。这一天侯绍裘格外激动，亲自赶赴上海迎接。三人从上海苏州河上乘小火轮，经外白渡桥循黄浦江上行至松江。之后的日子，三人吃住在一起，既在民众中讲演，又不时召开各种秘密会议，宣传马克思主义和俄国十月革命，解答进步人士提出的种种关切的问题，初步在松江建立了党、团和学生组织，使“上海之根”从此有了“革命火种”。罗章龙对此次与恽代英一起到松江与侯绍裘工作的日子印象格外深刻，曾回忆说：“侯绍裘这个同志风仪俊秀，很能干，富有才华，雄辩滔滔，文章也写得出众。”他还以《松江三人行》作题写下诗句：

风雨连朝会议忙，苏南决策费周章。
以求计划无遗误，辩论终宵也不妨。
……
江南赋重田租恶，到处乡村有斗争。
革故鼎新千载事，照人肝胆是侯生。

在并肩革命的经历中，恽代英与侯绍裘结下了深厚革命友情。侯绍裘则更是以恽代英为榜样和楷模，事事处处学习之。

1924年2月，国民党上海执行部成立，这是一件历史性的大事，它也影响了之后的国共合作，许多杰出的中国共产党人从此正式登上政坛。因为这一机构组织中，除了当时国民党的重要人物汪精卫、胡汉民、于右任，邓中夏、毛泽东、恽代英、向警予、罗章龙以及中共的友好人士柳亚子等都在其中，20名执委中有12位是中共党员，而且后来主持日常工作的也都是邓中夏、恽代英等中共党员。这一阶段，中共利用“国共合作”的合法组织，积极发展上海周边的相关革命力量与党团组织，吸收进步分子加入革命队伍行列。孙传芳进驻上海后，扬言“悬两千银元”要捉拿侯绍裘。学生和友人们听说后，赶紧前来报信。侯绍裘坦然回答：“别怕。尽量不被抓，万一不幸被抓，就为革命挺身就义罢了！”

1924年底，江浙军阀混战，侯绍裘呕心沥血办起的松江景贤女子学校被迫关闭，他带着学生一起将学校迁至上海市内。“来我们上大附中吧，我们这里需要你！”恽代英向校方推荐侯绍裘当改组后的附中部主任获得批准后，立即把这一喜讯告知了侯绍裘。而从这一天起，侯绍裘便真正与恽代英等一起，并肩战斗在职业革命家的岗位上，开启了他生命中最忙碌和最出彩的革命生涯。

五卅运动的腥风血雨中，侯绍裘是恽代英的得力助手，直接在一线指挥学联各成员单位的游行和抗议队伍到南京路掀起的反帝大行动，同时他又是全上海老师抗议队伍的组织者和领导者。在帝国主义分子血洗南京路的第二天，他就与杨贤江、茅盾、董亦湘等共产党员联合上海全市大、中学校，成立了教职员救国会，支持和声援五卅运动的“三罢”斗争。当时在教育界有一批所谓的“名流”，其实反对学生上街与帝国主义分子斗争，他们甚至提出什么“在学言学，教育救国”的老调。侯绍裘以一个无产阶级革命者的高远见识，严正指出：在历史的转折关头，“救国先于教育”，“以挽救国家之危机，从而奠定根本之教育之基础”。

侯绍裘受恽代英的影响，加之才学超人，他的演说和雄辩能力，总让学生和同行们为之吸引并深受感染，成为五卅运动中一个闪闪发光的人物。更可贵的是，他在开拓和组织上海周边地区的党建工作方面以及公开与国民党右派势力进行针锋相对的斗争中所表现出的才干与勇气，带动和培养了一批像他一样坚定的革命者。

他的学生，一位重要的女青年革命者，此时走到了他的身边。这位日后成为闻名苏沪一带的秋瑾式的女共产党员，她的名字叫张应春，是后来与侯绍裘等一起被国民党刽子手残害的九烈士之一。

在上海龙华烈士纪念馆和南京雨花台烈士纪念馆都有张应春烈士的介绍。

张应春的故乡——吴江黎里，是我从小就熟悉的近邻。它地处江浙交界处，距苏州30公里左右，与同里、织里和古里共称“江南四里”，历史上是有名的集市。那里至今仍然弥漫着宁静的江南古镇的特殊气息。

出生在黎里的张应春，少年时代就很有胆识，其父张农膝下四个女孩，在“女子无才便是德”的年代，张应春从小就有种想“抬头”的勇气。办私塾的父亲给了她这个机会，她成为私塾中唯一的女生。小应春学习认真，悟性又好，这让父亲和先生们皆为喜欢。渐渐大家似乎忘了小应春是女孩，而常把她视作男儿。那时柳亚子的“南社”在黎里轮番宣传巾帼女侠秋瑾，从小说、戏剧到诗歌，都深深地吸引了小应春，她幼小的心灵萌发了要做“秋瑾式的女杰”的想法。然而小应春先天不足，身体一直柔弱。已经把女儿当儿子养的父亲是个开明人士，毫不含糊地将女儿“往高里送”——送到由教育家倪寿芝创办的女子学校学习。

“先觉仰天民，当年东渡挹文明，遄归祖国朝夕费经营……道德宗旨兼训朴与勤，大家努力，莫让须眉独迈征！”这是这所女子学校的校歌内容，可见创办者当时的远大胸怀和反封建的精神境界。

张应春来到这所学校，遇到了人生中一位重要人物，她的同班同学柳均权——柳亚子的四妹。用现在的话来说，两人是“闺蜜”，她们“上课同桌而坐，放学结伴返家，过从甚密”。

受柳亚子等人的影响，外面的时局动荡和革命浪潮，也总是让黎里这个原本宁静的小镇一次次地风起云涌。1915年，袁世凯复辟称帝，引来国人一片哗然和反对。小小年纪的张应春在大庭广众下怒骂袁世凯，这在当时可算得一件“轰动”十里八乡的事。

张应春的名字开始被柳亚子注意。父亲张农加入柳亚子的“南社”，更让张应春有了呼吸革命清新空气的机会，同时在父亲的言传身教下，她的诗才文艺出众，作品频频见刊登报。

“黎里应春，稀世才女！”柳亚子遇人便夸。

五四运动的革命浪潮袭来，京城和上海惊天动地的“强国”“救国”口号，也撼动了黎里的这位少女之心。1920年夏，在父亲的支持下，张应春怀着“强国必先强种，强种必先强身”的信仰，只身来到上海，报考了设在老西门林荫路上海美专内的我国第一所女子体育学校。

“霹雳一声声，睡狮醒未醒，神州的事化维新……寄语青年，莫负光阴，振兴体育为己任。”那个时候体育学校已经有如此先进的办学理念和充满奋斗的目标。

此时的上海，经历了五四运动的洗礼后，革命浪潮激荡，各种进步的报刊和社团如雨后春笋般涌现，各种先进思潮在年轻人中大为流行，所以学校内洋溢着一股爱国、民主、进步的气息。这其中的张应春，如鱼得水，加之她借学来的体育本领，常挥刀起舞，又慷慨激昂地指点江山，大有秋瑾风范，干脆自喻“秋石”。

就在这时，张应春突然患了一场病——她的小腿得了丹毒，不得不回乡诊治。而此时柳亚子也在黎里。

“柳兄，景贤学校如今生源滚滚而来，师资成了大问题了！你智慧独特，人脉又畅，烦请大兄介绍几个思想先进的女师为我校用啊！”一日，侯绍裘恳求柳亚子帮忙，这样说道。

“好呀，此事你算找对人了！”柳亚子是了解侯绍裘办的松江景贤女子中学的。他的脑子没有转半个弯，就脱口而出把同乡的张应春介绍给了侯绍裘。

侯绍裘见了已经加入中国共产党的张应春，真是喜出望外，从此这对革命的师生加同事开始了一段精彩的人生。

那时景贤中学事实上已经成为中共上海地区和松江培养女革命者的一个重要据点。张应春为帮助侯绍裘张罗学校扩展而带来的诸多事宜，可谓东奔西走，甚是操心。在新校舍建设时因为筹款一时困难，张应春甚至把学校给她的薪金全部捐了出来，而且组织了九个募捐队在松江和上海到处募捐。一介女子，在公众中到处抛头露面，这在当时会受到人们在背后指指点点。

“干脆，我把辫子剪了！”一日，张应春拿起一把大剪刀，对着镜子，自己“咔嚓咔嚓”地把一头秀发剪了下来。从此，吴江、松江和上海街头，一位自喻“秋石”的女子常常出现在演讲台，出现在公众面前……

张应春的“吴江秋瑾”之美名，也渐渐被叫开。

五四运动之后，中国的革命思潮中，除了“科学救国”、“教育救国”和学潮、工运，还有一个重要的革命潮流，便是妇女解放运动。这同样是一场波澜壮阔的深刻革命，动员和鼓励中国妇女自觉自救的解放运动，是中国共产党唤醒民众的重要工作，而在这场运动中，宋庆龄、何香凝、蔡畅、向警予等则是妇女界的领袖和旗手。在上海、在江浙大地上，像张应春这样有知识、有胆识、有能力，每天意气风发、活力四射的革命女性，自然格外令人耳目一新。张应春在妇女解放运动中身体力行，比如在自己的家乡第一个报考女子体校、第一个剪头发、第一个甩掉束胸布等，皆因为她是一名中国共产党员。

“我们入了党，当然身心受党的指挥，个人的利益置之度外！”张应春在加入中国共产党之后，如此坚定而执着地吐露心声。

随着北伐进程，革命和反革命的两股势力的斗争进入白热化的阶段。身为上海地区国民党内部的中共党团组织负责人的侯绍裘时时处在两种势力交锋的中心地带，工作的危险程度超乎想象。分担和替代老师的部分工作以及关注老师的安全成为张应春工作的一部分。她以女人的特有敏感和细腻，为侯绍裘化解了无数惊与险。

“应春，组织决定明天我们就要将党部搬到南京去。你马上通知各位委员立即准备动身，越快越好！”1927年3月29日下午，侯绍裘把张应春叫到自己的寓所，以果断的口吻向她交代了这一重要任务。

“明白了老师！”张应春接令后立刻拔腿就走，却被侯绍裘叫住：

“慢着，还有一件事……”

“什么事？”张应春收回脚步，问。

侯绍裘表情凝重地对自己的学生说：“此番南京之行，形势险恶，我们要作最坏的打算。你想法托人给家里人去个讯……”

张应春点点头：“我明白。等到了南京再说吧！”

可是到了南京后，急转直下的恶劣形势，让这位革命侠士根本没有时间顾上给黎里的家人带个讯。当家人得知她在南京遇难时，全家人疑信参半。为此父亲张农先生两度亲赴南京，但终不得实讯，由此忧愤成疾，吐血而逝。正乃父女同殉，悲天恸地！

1949年初，毛泽东主席邀请柳亚子先生到北京筹备建国大业。初踏北京路上，柳亚子想起革命烈士侯绍裘和张应春，便当即吟诵出“白首同归侣，侯张并激昂。洞胸悲宛李，割舌惨刘黄”的纪念诗篇。敌人在残害张应春和侯绍裘时，用的手段极其残忍，不仅用乱刀活活将其捅死，而且在这之前将他们的舌头也割了……想起战友如此悲惨的牺牲，柳亚子常不能眠。而当他参加开国大典，面对着广场上的欢呼的人群时，他以“奠酒碧云应告慰，人民已见太平年”的诗句来告慰烈士英灵……

恽代英、侯绍裘、张应春……这三位革命烈士，一位曾经是“上大”的教员，一位曾经是“上大”的附中部主任，一位曾到“上大”学习过，从某种程度讲，他们是因“上大”结缘的师、友、生，牺牲的时间分别是1931年、1927年、1927年，年龄分别是36岁、31岁和26岁。

啊，多么年轻的生命，多么炫目的青年才俊！可为了革命，为了今天的新中国，他们早早地、年纪轻轻地就离开了这个世界，不免令人格外惋惜！

他们是“上大”诸多英勇牺牲的革命者代表。

第四章
1927，用共产党人的血染红的那个年份……

革命者的高贵，就在于直面死亡，无私无畏。

不知是不是苍天的安排，但确实有些巧合与传奇：在1927年大革命失败之后，汪寿华、赵世炎、罗亦农，这三位中共重要人物几乎在同一时间英勇牺牲了，他们牺牲时的年龄都只有26岁……

上海工人武装起义共有三次，前两次都是由汪寿华、罗亦农和赵世炎组织领导的。

汪寿华是三人中第一位牺牲者。汪寿华，浙江诸暨人，他本名不姓汪，姓何，原名何纪元。父亲是清末秀才，一生在老家教书，后来因病去世，汪寿华的长兄也因病走了，家道一下衰败。17岁的汪寿华则以优异成绩考上了杭州的浙江省立第一师范学校，这是一所具有“浙江革命熔炉”之称的学校。五四运动让追求进步的汪寿华懂得改造旧世界的道理与志向，日记里他写道：“愿誓今日起，毋使后悔生。”

俄国“十月革命”一声炮响，汪寿华与许多中国青年一样，开始渴望去苏俄学习和感受社会主义新世界。1920年，他趁暑假回家，便到处宣传马克思的共产主义学说，乡亲们将信将疑。汪寿华就说：“你们等我去那里回来后，我们也搞社会主义，建立新中国！”族里人和乡亲们没人理解和支持他，唯有他那种田的母亲竟然格外开明地给他凑了100块大洋，支持儿子到俄国留学。

这年6月，汪寿华来到上海，在同学宣中华（烈士，上海工运领导者之一，曾任中共闸北部委书记。1927年4月17日晚，敌人对他经过长达三天的残酷用刑后仍一无所获，便让一群手持大刀的刽子手将宣中华斩腰断首。宣中华死得极其壮烈，时年29岁）的介绍下，来到进步的工读互助团和中国第一批马克思主义者开办的上海外国语学社学俄文。1921年4月，在中国共产党建党之前，卓有远见的陈独秀、李大钊等领导人便开始把优秀青年往外送，让他们去接受马克思主义教育，学习革命经验，于是汪寿华和刘少奇、任弼时、罗亦农、萧劲光等一起奔向他们向往的“十月革命”圣地——莫斯科。

罗亦农是湖南人，年龄还比汪寿华小一岁。他的父亲是一位当地有名的绅士。同样受五四运动影响，17岁那年（1919年下半年），身穿长衫、手持雨伞的湘江少年罗亦农来到上海，先在一家报馆当校对工人，也就是这个工作，使他有机会比别人更多地看到如《新青年》这样的进步杂志。一日，有位中年男子来到校对间，与罗亦农聊起天来，问他来自何处，有什么爱好和追求云云，最后问：“你怕不怕事？”罗亦农答：“我都一个人闯到大上海了，怕啥？”那中年人大喜，夸道：“有湖南人的那股辣劲儿！”

之后罗亦农才知道，这位中年人便是大名鼎鼎的五四运动旗手、中共创始人之一的陈独秀。从此，聪明、豁达、坚实和向上的罗亦农常常被陈独秀带到他在上海的寓所，而罗亦农也在这个时候读到了最早的中文版《共产党宣言》。“去俄国吧！”一日，陈独秀对已经在外国语学社学习了一段时间的罗亦农说。

这太让罗亦农喜出望外了！自然，这得征求家人意见。与汪寿华的情况差不离，乡里族里的人觉得不可理喻，但罗亦农的父亲很支持，而且认为这是“光宗耀祖”的事。很快，100块大洋的路费，父亲痛快地给到儿子手里。

罗亦农凭借着聪明和好学，后来成为党的总书记陈独秀所特别喜欢的“小伙伴”。他在进入莫斯科的东方大学学习后，进步非常快，先后入团、入党，并成为中共旅莫斯科支部书记，且兼任中国班的唯物论教授和翻译，与当时通过其他渠道到俄国并也在东方大学学习和任教的瞿秋白的影响力不相上下。

然而汪寿华的“莫斯科之旅”则比罗亦农曲折和艰巨得多了：那时反动军阀对中国青年前往社会主义的苏俄已经非常警惕了，为了避免军阀注意，汪寿华他们到了哈尔滨后就分开行动。这个时候的汪寿华与刘少奇、罗亦农、任弼时等就不在一起同行了，而且他和梁柏台（烈士，苏维埃红色政权时的第一任司法部长，1935年被“铲共团”杀害，时年36岁）被军阀张作霖手下逮捕。释放后的汪寿华等经海道抵达海参崴。那时通往莫斯科的交通也难走，白匪猖獗，后来知道，刘少奇与任强时、萧劲光、曹靖华等的那个小组也遇到了不少麻烦，只是他们“运气”比汪寿华他们要好些而已，所以几经折腾，也花了几个月时间才到了莫斯科。

汪寿华他们停留在人生地不熟的海参崴后，只能边打工边从事革命工作，同时加入了共产党，成为远东中国工人部主任。

与汪寿华和罗亦农同一时间离开上海、被选送到国外的赵世炎，则是由李大钊亲自为其设计出国计划的。赵世炎接受马克思主义比汪寿华、罗亦农还要早些。这个四川少年14岁就到北京，并很快结识了李大钊，1920年5月9日，搭乘法国远洋航轮“阿芒尼克”号，到了革命的另一个圣地，“巴黎公社”所在地——巴黎。与赵世炎同船而行的中国青年就多了，共130多人，这中间有太多我们熟悉的人物了！这年下半年，周恩来、邓小平、蔡和森、陈毅、向警予等先后来到巴黎或柏林等欧洲革命中心的重要城市，这些青年，后来大多成为中国共产党的重要领导者，而真正在严酷的革命斗争中活下来、走到新中国成立之日的仅仅是少数之少数……

1925年，这是个重要年份，根据党中央要求，许多留法、留苏的中国青年一代的优秀党员纷纷被调回祖国，奔赴革命的第一线，而作为主战场的上海几乎是这些优秀青年回国后一致的目的地。

震惊世界的五卅运动，是使党中央全力调回在外学习的青年骨干回国参与和领导革命的一个重要背景。当时，工人运动和学生运动缺少经验，又有一批组织者和领导者牺牲，党的主要领导者陈独秀和李大钊等意识到必须采取“革命的特别的措施”。

汪寿华、罗亦农、赵世炎三人，最初分别被分到了上海、广州和东北三地。留在上海的汪寿华比别的同学早些日子回国，因为老家诸暨有位姑娘等着他回去完婚。随后因为要参加中共“四大”，汪寿华便到了上海。整个五卅运动期间，汪寿华与同学李立三、刘少奇等都在上海总工会工作，他任宣传科科长，那些领着罢工工人在街头与帝国主义斗争的现场，他都经历了。

此时的罗亦农则是在广州与陈延年、周恩来等组成中共广东区委，领导广东和香港方面的工人罢工，以声援和支持上海五卅运动。

赵世炎那时在北方出任中共北京地委书记和北方执委等职，协助李大钊从事北方数省区的反帝、反军阀斗争，包括成立“内蒙古工农兵大联盟”及建立武装队伍等。赵世炎也是党内有名的“能文能武”的才俊。当时北方地区很有影响的进步报刊《救国时报》就这样赞扬道：“赵先生为有名的《北方政治评论》的主编，其言论风采为一般革命青年所景仰，赵世炎之名遂洋溢于全国。”

五卅运动后的中国，以国共合作的广州国民政府为代表的南方革命阵营与北京北洋政府的北方反动军阀政权形成了对立局面。在中国共产党人和国民党进步力量的推进下，旨在推翻北洋反动军阀政府的“北伐”战争，由此在1926年7月份开始，从南向北迅速推进。北伐军总司令是蒋介石，何应钦、李济深、白崇禧、李宗仁、朱培德、谭延闿等则都是北伐军一线军事将帅。然而北伐军的政治部门领导和各军的党代表，几乎都是以个人身份加入国民党的中国共产党员，如北伐军总政治部主任、副主任分别是邓演达和郭沫若。李富春、林伯渠、朱克靖、廖乾吾等分别在各军任党代表或政治部主任。广东等省的人民群众则对北伐军给予了巨大的支援，如中共出面组织了省港几千名罢工工人组成运输队随军出征。

“北伐”战争在最初的时候完全是一场为了推翻反动军阀政府和反对帝国主义在华势力猖獗镇压的正义之战，因此北伐军自出征以后，所向披靡。这也让各地革命者和广大受压迫的人民欢欣鼓舞。这个时候，中国共产党决定借势争取革命的更大成功。因上海作为中国南北的关键中部，又是最大的城市，且当时驻扎在城内的北洋军阀政府的军队只有一两千人，加上两千来名警察，三四千人对决二十多万工人纠察队和数十万学生，中国共产党决定在上海进行武装起义，以配合北伐军，欲一举“拿下”上海政权……

一切准备都在迅速展开。也就在这个时候，已经有了一些军事武装斗争实践的赵世炎和罗亦农，先后被中共中央从北方和广州抽调到上海。1926年5月7日，中共为配合“北伐”的武装起义已在悄然而又紧张地进行：中共上海区委决定成立军事特别委员会，汪寿华、赵世炎、罗亦农三人从此开始了一段并肩赴汤蹈火的武装起义生涯——

当时的斯高塔路（今山阴路）恒丰里一栋很不起眼的小楼里，似乎突然有些人来人往地热闹起来，而外人只知道这些人都是为“生意”凑在一起的，而且看起来还有些“派头”，因为男的多数穿着丝绸长衫，女的则涂脂抹粉像洋太太似的——不像是穷人聚集。其实，这里是当时中共上海区委的所在机关，那一段时间里“来来去去”的人，都是教官赵世炎、罗亦农和汪寿华的秘密培训班学员。之所以选择这个地方，是因为这栋房子地处华界，而打开门又可一步迈入日本租界，为的就是以防万一。

革命形势已经步步逼紧。秘密培训班前后共开了6期，共一个多月，每一期学员学一周，一周中集中学习两次至三次，一般都是晚上或下午时间。学员都是上海党团组织和工会负责人。秘密培训班主要传授一些最基本的军事常识，而核心的制造炸药和枪械使用技术等培训，则在另一个秘密地点由中央直接指挥进行，那里只有十几人，处于绝对的秘密状态。相比之下，山阴路上海区委机关的这个据点会集了工人武装起义的基本骨干，以教育和动员民众，及教授最简单的军事防备和军事技术为主。教员罗亦农主讲马列主义和时局与形势，赵世炎主讲党的组织建设，汪寿华侧重工人运动。秘密培训班时间虽不长，但成效却十分明显，相当一批优秀学员这个时候加入了党组织。有个数字能说明，五卅运动后的1925年底，上海地区有中共党员1350多名，到1926年赵世炎、罗亦农、汪寿华他们办班结束时，上海中共党员总人数已达2500多人。

此时，北伐军节节胜利，直逼浙江、上海。就在这时，浙江省长夏超宣布“独立”。上海将归谁，成为当时最受关注的焦点。

10月19日，中共上海区委受党中央的指令，正式决定举行第一次工人武装起义。罗亦农被推荐为起义总指挥，赵世炎和汪寿华皆是起义的指挥，各负责发动民众和相关工会组织工作。

起义的时间定在10月24日。

一切都在等待浙江方面的消息——上海的罗亦农、赵世炎和汪寿华每时每刻都在聆听杭州方面的消息，然而前方的消息大出意外：浙江省长夏超在率部进军嘉兴时，遭到由北而南向杭州进军的孙传芳部沉重打击。10月22日，夏超只得率残部向余杭退却。23日，孙军进入杭州，并派兵追击夏超，在余杭公路上将夏超打死。

“不行了！立即停止起义！”10月23日晚，原计划的武装起义无法再继续进行了。罗亦农、赵世炎、汪寿华研究了形势，迅速向中央报告并获得批准后，马上做出新的决定。然而，此时已深更半夜，有些地区的工人纠察队未能及时接到停止起义行动的通知，便开始与警察发生冲突，后果自然与计划和设想的有了严重差异……工人领袖陶静轩、奚佐尧等10余人在冲突中牺牲，百余人被捕。

次日凌晨，第一次起义宣告结束和失败。

中共中央对武装起义的失败非常重视，令汪寿华到武汉向中央主持工作的负责人张国焘汇报武装起义的经过，并再次强调上海搞武装斗争的重要性和可能性，要求借北伐大军之势，再次进行武装起义，这样上海必有可能在中国共产党的掌握之下。

听上海同志信心百倍地讲述武装起义成功的把握，年轻的中共中央自然也十分期待和希望，张国焘等当然全力支持上海搞一次“像像样样”的武装起义。“把帝国主义和反动军阀彻底吓得爬不起来！”这是那个年代多数中国共产党人的愿望。

就在这样的愿望和北伐节节胜利的革命形势下，上海的第二次工人武装起义又紧锣密鼓地开始准备。

然而，盘踞在上海的孙传芳军阀集团则对组织武装起义的领导者罗亦农、赵世炎和汪寿华等展开大搜捕行动。有一天晚上，汪寿华召集工会干部开会，正准备讲话时，突然从窗口看到两个巡捕往会场走。他一边悄声告诉大家镇静，一边把自己的头发弄得乱乱的。巡捕进门后没有发现他，但看到那么多人聚集在一起，知道“有情况”。于是一个巡捕持枪看守和监视现场，另一个巡捕则折身就去报讯。等到大批巡捕赶来，汪寿华已经在工友的掩护下翻墙跑了……

“什么，罗总指挥找不到啦？”在差不多时间里，突然有一天深夜，赵世炎接到工人纠察队的报告后甚为吃惊。

“坏了！千万别让敌人抓走了呀！”赵世炎急得直跺脚，然后亲自带人分头去罗亦农在拉斐德路（今复兴路）的秘密军事训练点附近寻找。

“在这儿呢！”正在大家焦急万分时，一位工人纠察队员在训练点的楼梯边看到正躺在那里睡着了的罗亦农。

“哈哈，我睡着了呀？！”罗亦农看到战友赵世炎和工人同志们围着他直笑，有些不好意思起来。他是太累了。

然而，从当时的形势看，北伐军进攻杭州城的胜利即在眼前，这对上海再次举行武装起义已经到了“机不可失”的时刻。

1927年2月15日，中共中央召开紧急会议，决定在北伐军进攻杭州后转向上海途中的松江一带时，开始城内工人武装起义！

“这回绝不能再失手了！同志们，拿出我们所有的本领和坚强的革命精神来吧！”总指挥罗亦农在16日召开的中共上海区委军事会议上，挥动着拳头，誓言必胜。

汪寿华则更紧张起来，因为此次武装起义是以总工会为主体组织起来的工人纠察队作为主力的武装暴动。而富有武装斗争经验的赵世炎一面检查起义的各方面准备，一面在18日中共上海区委召开的特别会议上提醒：“我们虽然要尝试暴动，但前途如何，还难预料，必须高度警惕之！”

也就在这一天，北伐军攻克杭州。上海区委立即宣布，19日在总工会号召下举行“全沪工人总同盟”罢工，提出的口号是：“援助北伐军，打倒孙传芳！”显而易见，所有的人都认为：最佳的武装暴动时机到了！

19日、20日、21日和22日，工人大罢工势如长虹，有36万人参加。与只有两千来人军阀军队和两千来名警察的敌人较量，所有人都认为应该是“小菜一碟”，胜利在握。

于是，22日白天，上海工商学各界和共产党、国民党代表宣布成立“上海市民临时革命委员会”。

胜利的曙光似乎就在眼前！

当天下午4时，中共上海区委发出特别紧急通告，动员上海市民在傍晚6时暴动……当起义的炮声响起后，各区工人纠察队立即开始袭击军警，在街头巷尾中与敌人进行着短兵相接的激战。然而，谁也没有想到，正当上海工人第二次武装起义达到高潮，迫切需要北伐部队援助时，蒋介石却令进军嘉兴的白崇禧部停止进攻上海，而且原本与上海方面的中共组织讲好密切配合的钮永建部队竟然也按兵不动，袖手旁观。

没有外围援助、缺少武器弹药且军事经验不足的工人武装起义，一下陷于孤军奋战之困境。眼看又是一场血流成河的悲剧，“上海市民临时革命委员会”决定立即停止第二次武装起义。

一把血、一把汗的工人们流泪了，叹气了。

罗亦农、赵世炎和汪寿华等武装起义领导者则在大骂蒋介石：他是个不讲信誉的叛徒！是革命的真正敌人！

然而，骂得再凶，也改变不了武装起义失败的结果。这让上海的许多革命者心生闷气……

2月23日晚。中共中央和中共上海区委召开联席会议，宣布两项重要决定：立即停止上海工人第二次武装起义，立即动手扩大武装组织，准备第三次武装起义；成立武装起义特别行动委员会（简称“特委”），为武装起义的最高领导机构，总书记陈独秀亲自出马任特委书记，委员有周恩来、罗亦农、赵世炎、汪寿华和彭述之等，特委下设特别军委，周恩来任书记。

之后，正式起义前又确定周恩来为武装起义总指挥。

前两次武装起义虽然没有成功，但也锻炼了工人和共产党人。同时，垂死的反动军阀则更加猖獗。他们组织了“大刀队”，只要见到贴标语和呼口号者，逮住就砍头。即便如此，也没有吓倒工人和进步的学生们。原商务印书馆老工人任其祥说：“他们的残暴吓不倒我们，我们还是照样进行巧妙的宣传活动。为了和敌人周旋，我们宣传队分作两批，前一批上街呼口号，有意吸引‘大刀队’来追捕，而第二批宣传队早已在街头到处贴标语和散发传单，然后迅速撤走，弄得‘大刀队’疲于奔命，顾此失彼，处处扑空。”

于是，军阀又使出毒招，将起义中牺牲的工人和学生的头颅割下来悬挂在电线杆上，暴尸在街道上示众……同时又在大街上、小巷内任意进行搜身，给市民心理上造成极度恐慌。

“必须以牙还牙！”24日晚召开的特委会上，罗亦农等义愤填膺、摩拳擦掌道。

周恩来则示意他们现在更多的是需要冷静下来，认真分析前两次起义失败的原因，同时坐下来一起分析敌我双方力量对比。

“问题主要还出在我们这边真正起义的主力队伍不够。”汪寿华说。“还有，周边配合和支援的力量始终没有协调好，所以吃了大亏。”赵世炎指出。

“工人纠察队赤手空拳，没有武器装备，关键时刻使不上劲是根本。”罗亦农挥动着拳头，补充道。

“大家分析得都有道理。所以一场武装起义，不单单是我们几个人的问题，也不仅仅是上海工人和学生的问题，还是整个全局的问题。哪一块没有准备好，就可能造成全盘皆输的结果。”周恩来总结说，并且着重讲了下一次武装起义的三支主力的建立：工人纠察队、自卫团和特别队。毫无疑问，工人纠察队是主力中的主力，至少要3000人至5000人；把这样的一支人数众多的队伍指挥和带动起来，就得有编队、训练和武器配备等。而要确保三支主力队伍的战斗力及行动的迅速、有效，还得在运输、消息传播等方面的保障上下功夫。

“上海是沿海、有江有河的城市，我们除了要做好陆上的工作，还要争取海军方面的支持。”周恩来不愧是我党早期最重要的军事家，又有广州武装斗争的实践和领导黄埔军校的经历，所以熟悉军事指挥。

从这一天开始的第三次武装起义的准备工作，就在周恩来的直接指挥下，有条不紊地分工进行。

既然工人纠察队是起义主力，那么对这支队伍的训练便成了当务之急。有经验的周恩来以自己的影响力和人脉关系，立即将已经到达浙江的北伐军中的共产党员、黄埔军校第一期毕业生侯镜如和彭干臣（烈士，“八一”南昌起义重要骨干，1935年牺牲在战场，时年36岁）秘密调到上海，训练工人纠察队骨干人员，教他们枪械知识以及巷战战术等军事技术。他们都是中共党员，周恩来要求他们自己来上海的同时，也从北伐军内带一些军事骨干秘密进入工人纠察队编队系列，担任起义指挥和军事战术指挥。这是实战的训练，与以往两次武装起义完全不同的是，第三次武装起义不再是简单的罢工、示威和游行了，而是准备真刀真枪地打仗！

此时的罗亦农，正协助周恩来在执行起义准备的全局工作；赵世炎则负责三支主力队伍中的党团骨干的工作，汪寿华依然利用上海总工会名义组织工人纠察队，并发动外围工人队伍的罢工、示威等。

一日，商务印书馆迎来一位从汽车上下来的特殊客人。这客人头戴礼帽、穿着长衫，一副生意人的派头，而且还从汽车上搬下来大包小包一大堆。

“哎呀，怎么是你呀？太危险了，周总指挥，你怎么能亲自来给我们送武器呢？”原来这位“客人”就是周恩来，他是专门为商务印书馆工人纠察队送枪支来的。

进屋后，周恩来笑笑，说：“兵法上重要的一条就是讲出其不意嘛！你看外面街上都紧张，谁会相信我们竟然在大白天坐着汽车来送军火呀？！”

街头，白色恐怖。暗里，起义烽火已烈。至2月底，汪寿华负责的5000名工人纠察队人员已经落实，外围力量的罢工游行队伍也达到了近30万人。与此同时，为了防止北方军阀支援上海反动势力，周恩来指令罗亦农亲自出面组织沪杭、沪宁两条铁路的工人成立罢工委员会，随时应对可能出现的复杂局面。

3月初后的形势对武装起义十分有利，因为在周恩来和罗亦农、赵世炎、汪寿华等领导下的起义准备工作已经即将完成。然而，此时蒋介石指挥的北伐军占领和进攻上海的行动，却处在缓慢甚至是停滞的状态。怎么办?

“千万别再贸然行动！”中共中央总书记、武装起义最高领导陈独秀发话了，“不能太早了！至少需要两个起码条件：一是上海已没有驻兵；二是北伐军到松江后继续前进，或者等他们到达龙华后我们再行动。”但关键时刻，周恩来和罗亦农、赵世炎、汪寿华等几位起义军事特委并没有完全听从陈独秀的意见，他们认为：只要北伐军或到达龙华，或进攻苏州，或留守在上海的军阀部队开始撤退这三个条件中有一个达成，就可以举行起义。

3月20日，北伐军攻克松江。傍晚时分，前锋部队已经到达龙华。

第三次上海工人武装起义条件成熟!

3月21日中午12时，身穿灰布棉袄、头戴鸭舌帽、围着灰色围巾的起义总指挥周恩来和罗亦农、赵世炎在前线总指挥部里向各起义分指挥部发布命令：武装起义正式开始!

顿时，由汪寿华负责指挥的全市百万工人、学生和市民罢工、罢课、罢市号令吹响，那标志起义开始的各种汽笛声响彻云霄，整个上海的市民都能感受到一场伟大的疾风骤雨的大革命将拉开战幕……

战斗异常紧张且捷报频传：先是南市工人纠察队占领了南市警察署和那里的兵工厂及南市火车站；浦东形势更是激动人心，两个小时全部结束战斗；吴淞那边也由工人全部占领。

当晚，除闸北以外，各区均取得预期的胜利。但盘踞在北火车站和商务印书馆俱乐部（原东方图书馆）的守敌十分顽固，他们凭借着坦克、迫击炮和机枪等重武器，压制了工人纠察队的进攻，起义队伍伤亡严重。周恩来和赵世炎、罗亦农得知前方战事紧急情况后，火速亲临战斗现场，立即命令暂时停止强攻，随后佯装退阵。

就在这一夜，周恩来、罗亦农、赵世炎一直在几个战线，分头部署向最后的两个重要据点进攻……

由于被工人纠察队切断了援兵，盘踞在商务印书馆俱乐部的守敌很快被四面围集过来的工人纠察大军包围，被瓮中捉鳖。

一面投降的白旗飘出……上海滩一片欢腾！

现在只剩下顽敌的最后一个据点——北火车站了。按照原来的计划，是等待北伐军的支援，以攻克有重武器的北站守敌。然而，21日整整一天，却没有等到北伐军往市区内前进一步……怎么回事？

“老蒋的狐狸尾巴终于露出来了！”罗亦农愤怒地将拳头砸在桌子上。赵世炎也当着周恩来的面痛斥蒋介石是革命的叛徒！

“他这个人是什么样，我在黄埔军校已经深有了解，”周恩来沉稳地对特委的同志们说，“我们绝不依靠北伐军拿下北站，我们自己有决心和信心，凭自己的力量，最后彻底消灭军阀的残余部队！”

“对！我们自己干！”

“自己干！把反动军阀赶出上海！”

“打倒反动军阀！”

“建立革命政权！”

22日，当第一道阳光照射在北火车站时，数以万计的罢工队伍和工人纠察队、武装特别队以及市民们，将站内的顽敌团团包围……

随后，经过一个白天的心理战之后，下午5点，天色刚刚暗下来，向北火车站总攻的命令下达：一时间，北火车站四周，枪声、口号声、喊杀声震天，地动山摇！敌方指挥官毕庶澄见大势已去，偷偷逃到了租界。于是，敌军一下陷入群龙无首的困境。工人起义大军，趁势奋起，一下攻破了守敌，夺得起义的最后一个据点，缴获长短枪近4000支，轻重机枪数十挺。

中国工人第一支通过斗争获得的武装队伍也从此刻正式建立。呵，上海工人阶级和中国共产党第一次在上海扬眉吐气，威壮山河！

这是一个胜利的日子，一个值得纪念的日子，一个使革命者有了成功喜悦的日子，一个让中国共产党第一次知道可以通过武装斗争赢得革命胜利的日子!

那一天，罗亦农、赵世炎和汪寿华，抱在一起热泪盈眶，随后他们围到周恩来身边，发自内心地对他说：“恩来，你一来就胜利了！我们和上海人民感谢你啊！”

周恩来笑笑：“没有你们先前的两次起义，就不会有这第三次起义的成功。你们辛苦了！”

四位革命者的手紧紧地握在了一起。

武装起义胜利的消息，比今天的电讯还要传得快，整个上海市没用半天时间就传遍了这一振奋人心的喜讯。

根据革命者的策划准备，3月22日上午9时，在市中心新舞台，召开了第二次市民代表会议，到会代表4000余名，选出19名上海市政府委员，其中中共党员罗亦农、汪寿华、侯绍裘和李震瀛在列，还有后来成为大叛徒的顾顺章。

与此同时，上海临时市政府正式成立，并由市政府委员推选了白崇禧、钮永建、杨杏佛、王晓籁、汪寿华为执行委员，林钧（川沙人，原“上大”学生，又名林少白，五卅运动中的学生领袖之一，后参加南昌起义。中共党员，1944年被国民党杀害）为秘书长。但被推选担任临时市政府主席的钮永建和北伐军驻沪最高军事长官的白崇禧却拒绝到职视事，这其实是蒋介石集团的阴谋。然而，上海武装起义的革命胜利消息，仍然振奋着全国和全世界。苏联《真理报》等8家报纸都印了上海胜利专号，详细作了报道。全苏工会中央理事会代表苏联全体工人，专门向上海总工会发来贺电，热烈表示：“你们会经常得到我们兄弟般的援助。不论是艰苦的失败时刻或愉快的胜利时刻，我们总是与你们站在一起的！”

年轻的中国共产党和全体上海人民此时都沉浸在胜利的喜悦之中。虽然周恩来、赵世炎等期待能够以真诚和善良的姿态，换取国共合作的北伐革命的全胜。可代表大地主大资产阶级势力的蒋介石并不这么想，他的反革命嘴脸如此一会儿阴，一会儿阳，企图迷惑中国共产党人和广大民众。按照蒋介石的授意，一股阴风其实就在起义胜利的当天就开始吹了起来：上海县商会、闸北商会、银行公会、钱业公会等19个代表上海资本家利益的团体宣布成立了上海商业联合会，由虞洽卿、王晓籁等17个资产阶级头面人物组成常务委员会。明眼人一看就知道他们是想跟上海总工会对峙。

3月26日，蒋介石到达上海，当天晚上，新成立的上海商业联合会主席虞洽卿即拜会了蒋介石。第三日蒋介石又接见这个商会的9名代表，拍着胸脯将他的“阶级兄弟”们安抚了一番。上海资产阶级代表们心领神会，立马由钱业公会组织了84家钱庄慷慨解囊，凑出100万元，加上银行业的200万元，给了老蒋一份厚重的“见面礼”。

“拿钱办事”的蒋介石其实也并不像资产阶级代表们想的那么简单，此时他的野心不仅仅是有那么多诱人利益的上海，他更看中的是整个中国。而欲借北伐军的力量夺取江山，如今最大的问题是中国共产党在第一大城市上海已经有了几千人的武装队伍！这让蒋介石十分头痛。

“陈独秀这样的秀才玩玩文字游戏，话捅到天，我也不怕！可怕的是像周恩来他们领着拿起枪的工人和学生……”蒋介石曾这样对亲信说。

蒋介石在对付革命力量和自己的对手时，很有一套。为了镇压和解除上海的工人武装，他的一系列行动已经在暗中紧锣密鼓地进行了——

先是拨出50万元经费，让国民革命军总司令部特务处处长杨虎出面，收买帮会流氓打手，组织队伍，为捣毁上海总工会和镇压工人运动作准备。杨虎根据蒋介石的指令，除了组建针对共产党领导的上海总工会的上海商业联合会，又使出一个更毒的招：成立一个“中华共进会”，由上海滩的帮会头目黄金荣、杜月笙、张啸林出面组织，青帮头目蒲锦荣为会长，红帮头目张伯歧为军事总指挥。上海的青红帮势力很大，到4月上旬，“中华共进会”已发展到上万人。为了掩人耳目，该会成员均身穿蓝色短衫，戴着上有黑色“工”字符号的白布臂章，工人和市民还以为就是总工会的人呢！这些流氓地痞组成的“黄色”工会成员还通过打入上海总工会的奸细，仿制了许多上海总工会的标识，等待时机，企图一举解除工人纠察队的武装。

明面上蒋介石又是向共产党投出橄榄枝，又是专门派人给工人纠察队送上写有金光闪闪的“共同奋斗”四字的锦旗，以表示他对上海工人阶级的“敬意”。

也许正是蒋介石的这些表面文章，在3月26日召开的中共上海区委会议上还大骂蒋介石是“新军阀”“杀的都是共产党人”的陈独秀，竟然在一个星期后的4月5日，与武汉的国民党领袖汪精卫公开发表《汪精卫、陈独秀联合宣言》。这份《联合宣言》中说：“中国共产党多数同志，凡是了知中国共产党的革命理论，及其对于中国国民党真实态度的人，都不会怀疑孙总理的联共政策。”由于当时在南昌和广州等地，蒋介石的反革命伎俩已经暴露，所以上海和其他地区的中共党员们对形势非常担忧，并且各种传言四起。而《联合宣言》却这样安抚和引导自己的同志，“国民党最高党部全体会议之决议，已昭示全世界，绝无有驱逐友党摧残工会之事。上海军事当局表示服从中央，即或有些意见与误会，亦未必终不可释解”，并呼吁国共两党应抛弃相互间的怀疑，不听信任何谣言，相互尊敬，事事协商等。

靠阴谋起家的蒋介石很会利用这种机会。他认为镇压革命、清除共产党和解除上海工人武装的时机到了！在勾结日、英、美等帝国主义国家在华势力之后，蒋介石使出的第一个毒招是假借国民党中央监察委员会之名，提出一份“举发中国共产党谋叛呈文”，决定对陈独秀、谭平山、林祖涵、鲍罗廷等200多名各地“共产党首要危险分子”就近知照公安局或军警，分别看管监视，免予活动，并说“如有借端扰动，有碍治安者，定当执法，以绳其后”。

举着屠刀的蒋介石此时仍在假装仁慈，当这一系列“密令”布置完后，他于4月9日大张旗鼓地离开上海到了南京，其伏笔是：即将在上海发生的所有事与“蒋某”无关。

从上海出发到南京途中的蒋介石想着自己的计划，不由暗自得意。

没有了蒋介石的上海，此时一片杀气腾腾，以白崇禧和黄金荣为首的两股势力正迅速按照蒋介石的反革命计划开始实施第二个毒招：抓捕武装起义领导者周恩来、汪寿华、罗亦农、赵世炎等共产党的重要人物。

这一切，靠的都是伪装和骗局。

对付周恩来，他们命令二十六军第二师师长斯烈出面“邀请”他到师部去商量上海工人纠察队的武器管理等“相关事宜”。“当时斯烈写了一封信给我，要我去谈一谈，我就被骗去了。”周恩来后来这样说。

就这样，起义胜利后一直在东方图书馆内工作的周恩来带着几位指挥部的副手就匆匆赶到位于宝山路的二师师部。但师长斯烈见了周恩来只是客气地寒暄，并没有商量什么事，显然是想诱骗和软禁周恩来。一向文质彬彬的周恩来大怒，甚至把桌子、花瓶及杯子都推倒在地上，用手指着斯烈，训斥道：“你背叛了孙总理的‘三民主义’和‘三大政策”，你镇压和欺骗工人，收缴了他们从军阀手中夺来的武器，你们是得不到好下场的！”斯烈只得低着头喃喃道：“我是奉命……”

斯烈执行的是蒋介石的密令，他软硬兼施不让周恩来走。这一夜，可把中共中央和工人纠察队员们急坏了。

第二天清晨，周恩来被二师中共地下党的军官们营救了出来，逃出了虎穴。

“笨！笨到黄浦江里去了！”蒋介石得知后，把斯烈骂得狗血喷头。

1927年4月11日，29岁的周恩来从敌人的虎口中死里逃生。

可也就在这一夜，另一名只有26岁的上海武装起义的领袖则没有那么“幸运”，他就是上海总工会委员长、中共上海区委常委的汪寿华。

汪寿华在此次武装起义中，除了负责总工会和工人纠察队的组织挑选，还负责“外联”，即同国民党人士、资产阶级代表人物、帮会头目的联络与协调工作。由于汪寿华是在上海工人中具有广泛影响力的中共负责人之一，3月27日蒋介石专门会见了汪寿华，向他提出要工会听从军事当局的指挥，汪寿华对此断然不答应。

“此人必除之！”蒋介石离开南京前，给黄金荣等“帮凶”们下达密令。而这也正中黄金荣这些帮会头目的“胃口”：假如工人纠察队执掌了上海滩的天下，能有帮会的好日子过吗？早已想“干掉”汪寿华的几个帮会头目此时一拍即合，想出一条毒计……

上海总工会当时在湖州会馆办公。帮会中有人提出去砸湖州会馆，但被杨虎、杜月笙等制止：“与其到湖州会馆大动干戈，不如假装‘请’汪寿华委员长前来商量事宜，送去轻飘飘的一份帖子，让极不好对付的汪寿华自投罗网？”

妙！妙计！

于是4月9日下午，青帮头目杜月笙的大管家万墨林来到湖州会馆，一派“真诚”地给汪寿华送上一张“请帖”，邀汪寿华赴宴。去还是不去，当时总工会和中共上海区委负责人也有不同意见。

“不能去，寿华，杜月笙这人同我们一直貌合神离，此人阴险得很！”比汪寿华大一岁的李震瀛非常不赞成赴这“鸿门宴”。然而负责这一块工作的汪寿华深思片刻后，摇摇头，说：“我过去常和青红帮流氓打交道，他们还算讲义气，去了或许可以把话谈谈开，不去反叫人耻笑！”

在这种情况下，中共上海区委最后决定让比较有军事经验的李震瀛陪汪寿华一起去。但汪寿华考虑到杜月笙是不会让李震瀛跟着进杜公馆的，就在临进“虎穴”前对李说：“我进去后如果两个钟头还不出来，说明事情不好，你就回去报告。”

李震瀛被汪寿华挡在阴森森的杜公馆外，晚上8时整，汪寿华昂首阔步来到杜月笙公馆……

“汪委员长来啦！”汪寿华穿过杜公馆宽敞的庭院，在灯火辉煌的大厅里，杜月笙客气地说。但接下来他就立即换了口气：“我们有个建议，请汪委员长把工人纠察队合并到我们这边来……”杜月笙说的“我们这边”，就是他们受蒋介石旨意新成立的“中华共进会”。

“你们？中华共进会？”汪寿华立即警惕道。

“是。”杜月笙的话和表情，不再掩盖什么了。

“想吞我们的胜利果实？”汪寿华也不再客气，严正责问。

“话别说得那么难听嘛！毕竟阿拉晓得侬汪先生并不是上海人。这上海滩上的事还是由阿拉来管比较合适！”杜月笙以上海话来回应汪寿华的责问。

汪寿华冷眼看一下杜月笙，说：“杜先生也不要忘了，我们工人纠察队也不是上海滩的哪一帮什么势力，而是中国共产党领导的革命队伍！”

“什么共产党革命队伍！老子要铲除的就是你们共产党！”突然，在汪寿华的身后，另一个帮主头目张啸林早已忍不住了，没等汪寿华的话说完，便喊出一声“杀了他”，顿时，只见早已埋伏在外的几位流氓打手朝汪寿华一拥而上，一阵拳打脚踢，将汪寿华打得昏死在地。随即，杜月笙等按原定计划把昏死过去的汪寿华塞进汽车，向枫林桥一带驶去……

这是一个罪恶的夜晚。

汽车到达预定地点后，打手们把汪寿华推下汽车，塞进麻袋里，随即就地动手挖坑。这个时候，麻袋里突然发出一阵呻吟，原来汪寿华苏醒了过来。

“看你还吱声！”几位打手抡起铁铲，又朝麻袋狠狠砸下去……

麻袋内不再有声响。随后，麻袋被扔进深深的大坑里，并被泥土填平。

26岁的青年共产党人，上海三次武装起义的重要领导者汪寿华，就这样壮烈牺牲了。这位与刘少奇、任弼时、萧劲光等都是同学的中共早期的革命者过早地离开了他亲爱的战友和上海工友们。

生前，汪寿华曾这样说过："革命是追求真理的事业，我们应尽力地走我们现在应走的路。如果牺牲了，以后的路自会有人来继续走下去的。"

果不其然。在工友们找不到汪寿华之后的第二天，蒋介石利用"中华共进会"的流氓分子向工人纠察队驻地进攻，他们举着刀和枪，突然袭击——并唆使北伐军第二十六军周凤岐部借口"工人内讧"，发动了震惊全国的"四一二"反革命政变……

至此，蒋介石反动集团彻底撕破了脸面，向全国各地的共产党和革命者举起屠刀，狂砍乱杀，数十万烈士倒在血泊之中！

我们先来看上海的1927年4月12日那一天吧——

那一天清晨，周恩来逃离"虎口"，正在返回他曾经指挥起义队伍战斗和工作的"总指挥部"——东方图书馆的半途，他在黄逸峰（中共党员，解放后任上海铁路局局长）的陪同下，路经北四川路东四卡子桥附近的罗亦农办公处，发现东方图书馆已经被国民党部队占领，那里的工人纠察队也被缴械。

"罗亦农到哪儿去了？他安全吗？"周恩来非常担心他的战友们的安全。第二天，周恩来才知道罗亦农也才刚刚在工友们的帮助下逃过一劫。

因为没有抓到"共党"武装起义的"要犯"罗亦农，蒋介石不日就在上海"悬赏五万大洋"要捉拿罗亦农。一口外地口音的罗亦农根据中共中央的指示，不得不离开上海。

那天清晨，赵世炎亲自到码头送罗亦农。两位并肩战斗了多年的年轻共产党人深情地握手告别，相互勉励。

罗亦农后来到了汉口，参加中共“五大”，后调任中共湖北省委书记。11月初，他秘密回到上海，参加中共中央临时政治局会议，并被选举为政治局常委。1928年元旦，刚满26周岁的罗亦农，在中央政治局所在地举行了他与李哲时女士的婚礼。瞿秋白、杨之华夫妇，周恩来、邓颖超夫妇，李富春、蔡畅夫妇等出席。

为筹备在莫斯科召开的中共“六大”而立即启程的罗亦农，却在新婚四个多月后的1928年4月15日上午到英租界与中共山东省委来的同志接头时，被已经背叛革命的何家兴夫妇告密而被巡捕逮捕。

第二天，上海滩的各种报纸都刊登了“共党要犯”罗亦农被捕的消息。从那些报道中所用的“首要已擒，共祸可熄”的字眼，可以看出敌人对抓捕罗亦农的得意劲儿。中共中央万分焦急，责令周恩来营救。但反动当局那里格外重视此案，蒋介石怕出意外，立即密令淞沪警备司令部“就地处决”罗亦农……

4月21日晚，一群反动军警便将中共中央临时政治局常委、上海武装起义领导者之一的罗亦农残害于龙华刑场。

“哲时，永别了！灵其有知，将永远拥抱你，望你学我之所学以慰我……胜利永终是我们的！”这是罗亦农在监狱里留给新婚爱妻的遗书。

罗亦农的新婚妻子焦急地等待爱人回家，但一直没有见到人。而爱人被捕的消息很快在报纸上到处传播。妻子李哲时每天都在为丈夫着急，同时自己又不得不每天换一个住所，因为敌人也在到处追捕她这样的“共党家属”。

4月22日一早，顾顺章出现在李哲时跟前，悄悄地对她说：“你到龙华去，有个十字路口的一条马路口上空悬有一根铁丝，挂着四块方块铁皮，上面写了‘文治大学’四个字。在这条马路口的右边电线杆上，你去看看贴了什么字的纸条。”

下面是李哲时后来对“认尸”的悲惨现场的回忆：

我当即上了黄包车，找到了文治大学那条马路口的右边电线杆，抬头一看，纸上写的是“奉蒋总司令命，共党要犯罗亦农着即枪决，淞沪警备司令钱大钧”。上面盖了方印，还有年月日字样，我木然站立好久，原来亦农昨天已……我要找刑场和遗体，我还希望这是个噩梦。

我拖着沉重的双腿，走进有文治大学的这条马路。在绵绵的细雨中，发现路的右边有个不大的草场，当中有一摊鲜红的血泊，我急忙走近一看，在血泊旁边草地上，有一根贴在竹竿上的纸标，写着“共党要犯罗亦农”几个字，还有一块雪白的折叠整齐的手巾，我的眼睛发黑，两腿一软，就昏倒了。有人把我拉起来。我才看见周围有几个老百姓。我右手插进了血泊，脱下了黑色旗袍，捡起了标签和手巾，连同衣服卷了起来，向老百姓问，你们知道尸体移到哪里去了吗？

有一位老百姓领着我向前走，在这马路右边一丛灌木林的前方有一个黄土孤坟，他对我说在这里，说完就离开了。我看到坟上有一撮青草，是新掩埋的坟。坟里是不是亦农？坟的周围没有任何标志。难道是经善堂行好事用薄木棺埋的吗？我想还是回去汇报了再来查明，就乘原车回旅馆找顾顺章，但他已不知去向，我只好回到上海美专，悲痛已极，但又不能放声大哭。

四月二十三日早上，周恩来派了在中央秘书处工作的杨庆兰来通知我，说美专危险，立刻转移住到王一知处。在王处周恩来来看我，我向中央提出要求，一要一支手枪去杀出卖罗亦农的叛徒；二要查看罗亦农是否掩埋了，如经善堂草草掩埋，那要另行安葬；三要求派我到莫斯科去学习革命理论。周恩来说信任你有决心，但你没有使用手枪的技术，万不能由你去做。处理叛徒由组织负责。其他要求不成问题，我向中央转达。不几天，杨之华大姐来把我接到她的住处去住，说秋白已去莫斯科筹备开中共的“六大”去了，我正好陪你住几天。

我住到杨之华处不久，大概五月初，中央派了一位同志（我不曾问他的姓名），办好了棺木衣衾，带了四位工人，要我引路去龙华文治大学那条马路，找到了那个黄土新坟。我再一次查看坟的周围有无标志，仍然没有，乃叫工人刨土，移出薄木棺材，打开盖板和四周的木板，果然是亦农的遗体。

遗体已在腐化，面目肿大变形，头上有一个大洞，脑浆流到浅红色绒线背心卷成的枕头上，已生满了蛆。遗体深灰色夹袍上，还捆缚着很粗的绳子；一只右腿弯曲着，袜子上的松紧带，还是我给他买的。当时我请工人先将捆在亦农身上的绳子去掉，抬进新运去的棺木里，放进石灰。新买的衣服不能换了，盖在身上后就盖棺了，因为遗体已发恶臭，工人们不很快盖棺是受不了的。然后我们把亦农的灵柩抬到组织预先安排好的安徽会馆停厝棺木处停放。中央派来的同志告诉我，只好将亦农冒充安徽人，才能停放在这里。当时昏昏沉沉的我也没有看到棺木的头间钉了一小块木板写了什么……

解放后，党组织几经周折，方才找回罗亦农的棺木。据曾在中央特科工作的李强同志介绍，罗亦农牺牲后，是地下党组织找人收的尸，然后埋在荒地上，并且立了块小碑。后来是李强等人把罗亦农的棺材秘密运到了上海江湾公墓，与苏兆征（著名工人领袖，中国共产党早期领导者之一。1929年在上海病逝，终年44岁）、张锡瑗（烈士，邓小平妻子，1929年去世，时年24岁）一起安葬，当时为隐去烈士的真名，所以用了“姚维常、毕觉之墓”和“张周士之墓”。

在罗亦农牺牲12年后的一天，远在苏联伊万诺沃的国际儿童院里，一位老师指着墙上的一张照片，对一位10多岁的中国男孩说："这就是你的父亲罗亦农。他是中国共产党的重要领导者……"然后又认真地看了看男孩，感叹道："你长得真像你爸爸。"

这个中国男孩叫罗西北，这是他第一次看到自己父亲的真容，之前他只知道自己父亲是位英雄。罗西北在出生后被送到母亲的老家四川江津外婆那儿生活，后组织上送他到苏联后才知道了父亲的历史。

与此同时，在苏联念书的还有一位儿童叫赵施格，有一天他也被老师领到一面墙边，指着标有"赵世炎"名字的照片，对他说："这是你的父亲，他是中国共产党的创始人之一，在上海领导工人运动，被反动派逮捕杀害了。"

这个叫赵施格的男孩当时13岁，他母亲夏之栩生他的时候，父亲已经牺牲，赵施格是遗腹子。

赵施格的父亲赵世炎被捕于1927年7月2日。那是一个风雨交加的日子，国民党警探根据叛徒提供的地址，突然闯进了四川北路志安坊190号赵世炎秘密居住的地方。那一天已经怀孕的妻子和丈母娘在家。敌人闯入家中后，赵世炎的妻子和丈母娘万分焦急，而就在这时，丈母娘从窗口看到办事回来的赵世炎正往家这边走，她不顾一切冲到窗台边将一盆作暗号的花盆推了下去。可是那天雨太大，赵世炎没有看清家里的暗号在不在，依然往家里奔跑……

赵世炎1920年留法勤工俭学，1921年2月接到陈独秀来信要他立即与周恩来等人组成旅欧共产主义小组，他和周恩来、陈公培、张申府、刘清扬组成的"巴黎小组"是中共成立时的八个共产主义小组之一。四一二政变那天清晨，赵世炎在家中听到枪声，断定出事了，便立即赶赴湖州会馆的上海总工会，途中有逃亡的工人纠察队队员告诉他，总工会总部已被敌人占领，赵世炎马上绕过敌人的视野，来到纠察队部队附近的一个联络点，与中共闸北区委书记郭伯和会面，两人决定根据急剧变化的形势，紧急组织罢工，以抗议国民党反动势力的镇压暴行。

4月13日，赵世炎和周恩来不顾危险，在闸北青云路召开工人声讨大会，随后数万名群众游行，去第二十六军二师司令部请愿与抗议，要求立即释放被捕的工人，并交还工人纠察队的武器。已经打红眼的国民党军队早有准备，端枪就朝游行队伍扫射……那天本来天在下雨，敌人枪响的那一刻，宝山路上顿时血流成河……

形势急转而下，中共所有活动不得不转入地下。赵世炎等领导人更是面临极端严酷的考验，每时每刻都有被敌人抓捕和枪杀的可能。然而，作为中国共产党的创始人之一的赵世炎，仍然无所畏惧，继续夜以继日地工作。他在区委会上说："共产党就是战斗的党，没有战斗就没有了党。党存在一天就必须战斗一天。战斗就必然面临死亡和牺牲，这就是共产党人从事革命的命运……为了建立新中国和我们的孩子有个幸福的明天，我们可以舍去一切！"

赵世炎虽然年轻，但却是位久经考验的革命战士，他有很多传奇故事。比如有一次他去参加一个会议，发现被特务跟踪，怎么也甩不掉。正在他着急时，突然见对面走来一位与自己打扮得一模一样的青年。这个青年靠近他时悄悄说："快躲进那边饭馆，我来对付特务。"赵世炎这才发现这位青年是区委机关的夏之栩（女同志），是专门来掩护他的。脱险后的赵世炎不明白，为什么这个区委女同志会在暗地里掩护他。后来成为他妻子的夏之栩告诉赵世炎，她常听李大钊表扬赵世炎如何如何能干，所以心生好感，于是便有了主动暗中掩护他的"跟踪行动"。

"哈哈……你太好了！"赵世炎后来与夏之栩相恋，并结成革命伉俪。

然而才结婚没多少日子，敌人就在赵世炎家将他逮捕了。开始他们并不知道赵世炎的真实身份，只是发现他家有3万多银元。这可是一笔不小的数目！

敌人对他施以严刑却没有获得结果，赵世炎也是被叛徒出卖了。这3万银元是赵世炎保管的党产，他一家人从未碰过这钱。敌人识破他的身份后，嘲笑他“傻到家”。赵世炎则如此回应那些见财眼开的反动派：“你们怎知共产党人心里想的是什么！”

“想什么？”敌人问。

“我们想的是广大劳苦大众的幸福生活和明天有个美好的国家。”

“傻，彻底地傻了！”敌人听后大笑起来。他们自然无法懂得共产党人崇高的追求与理想。

1927年7月19日，赵世炎在被关押17天后，敌人接到了刚刚得知赵世炎真实身份的蒋介石下达的“即刻就地枪决”的指令。那一天早饭过后，赵世炎就被叫出牢房。他知道这是最后斗争的时刻了，镇静地理了理身上的衣服，扣好纽扣，像赴宴一样从容。一出牢房，他便振臂高呼“共产党万岁！”“打倒反动军阀蒋介石！”等口号。刽子手们一听就急了，一阵狂叫：“砍！快快拿刀砍！”

一代英豪、党的好儿子赵世炎英勇地倒下了，鲜血染红了一地……

又一位才26岁的忠诚革命者牺牲在上海滩。

1927年是中国革命史上一个特别值得铭记的年份。那一年蒋介石背叛革命，残酷镇压和屠杀中国共产党人及人民群众，在“四一二”惨案之后的三天之内，据统计，有300人被杀，500多人被捕，5000多人下落不明……

啊，血，大街上流淌着的血，
一直把黄浦江和苏州河染得通红通红，
直连到与残阳一样血红血红的天边……
上海，
南京，
武汉，

北京，

广州……都开始血流成河。那血多数是革命者的，共产党人的，其中还有李大钊的……

第五章
职务越高，牺牲的概率越大；他们义无反顾

我们当今的人批评起历史，常表现得似乎很“聪明”、很有“经验”，远离历史环境而口出轻言。这其实是一种非常幼稚和无知的行为。

四一二反革命政变后，中共中央即派李立三、陈延年和聂荣臻到上海。显然，中央派他们来上海，是有重要考虑的：李立三是中国工人运动的杰出领导人之一，上海是工人最多的地方，而工人是武装起义的主力军，关键时刻，需要李立三这样有经验的领导；陈延年是陈独秀的公子，在国民革命中心地带的广东省就是位杰出的领导者，曾与周恩来并肩战斗过，在革命最艰苦的时刻，陈独秀派出自己的儿子到最困难的地方工作，也足见形势的紧迫性；聂荣臻的到来，同样是因为考虑军事斗争和武装起义的需要。作为共产国际的代表和组建中共的主要联络人，维经斯基也被派到上海来，显然是要起指导作用。

根据《中央关于沪区工作的决议案》精神，在上海成立了由李立三、陈延年、赵世炎、周恩来和维经斯基组成的特务委员会，领导上海工作。

上海是中共早期非常重要的大本营。1921年中国共产党成立后，最初设立了两个地委，一是上海，二是北京。北京由李大钊负责，上海由陈独秀负责。瞿秋白、李立三、邓中夏等，都曾担任过上海地委的领导工作。而上海的工作范围，不仅仅是上海市区，还包括现在的

江浙两省和安徽省。江浙革命一直是以上海为中心的，早期中共领导人中的江浙人士也特别多。前文我们讲到了浙江省立第一师范学校出来的一大批优秀革命者，后来都成了中共上海地区的党组织骨干和领导者。当然，江苏同样也有“常州三杰”张太雷、恽代英和瞿秋白，他们影响了一批江苏青年和上海青年走上了革命道路。这种“一人带地区”的革命现象，在湖南、广东、北京、山东、湖北都曾有过，是中国革命史上的特殊现象。

李立三、陈延年、聂荣臻和维经斯基到达上海，一方面是中央对上海工作的高度重视，另一方面是对“上海领导班子”的一次大调整。在早期的中共历史上，这种“班子”大调整，是随着革命形势的变化而变化，有时甚至一两个月或者更短的时间就会对一个地区的党的负责人进行调整，这既是革命需要，又是当时太缺少领导所致。复杂而残酷的革命实践，每时每刻都在考验每一个革命者的能力……让我感到特别敬佩的是，绝大多数共产党人在党的决定面前，都没有怨言，无条件地服从，许多同志前一年可能还是党的核心领导，后一年就成了一个最基层党组织的负责人，邓中夏、恽代英等都有过这样的经历。

我们来看陈延年吧——

这位当时年仅28岁的中共上海地区领导，之前接替周恩来任广东区委书记。

在广东，由于陈延年一开始不会讲广东话，接近工人和农民有些困难。于是他努力在语言上攻克难关，并积极投身到工人中去，经常与人力车夫一起躬着身子拉车。当时的香港《工商日报》为了诋毁共产党人，曾就此事发过新闻，讥笑共产党的干部当“车夫”。陈延年知道后，不仅没生气，反而非常高兴，他对身边的革命同志说，共产党人当车夫，这不是耻辱，而是十分光荣的事，因为我们是劳动人民的政党，这有什么不好呢?

他很快打开局面，在不到两年内，发展党员人数从过去的几百人，猛增到五千多人，仅此就很能说明陈延年的工作能力。

在上海爆发五卅运动时，广东声援上海的省港大罢工历时16个月，是中国工人运动乃至国际工人运动中的辉煌篇章，而这正是陈延年与其他革命者一起领导的结果。

陈延年及弟弟陈乔年，在短短的二十几年人生里，几乎没有沾过父亲的一点“荣光”，相反，伴随他们的常常是无尽的艰苦和一次次的危险……

陈延年和弟弟陈乔年从小都在老家安徽安庆生活。1915年父亲从日本回国后，全家人才搬到上海，居住在法租界嵩山路吉谊里21号一幢砖木结构的小楼里。那个时候，陈独秀的生活并不好过，其妻高君曼患病严重，身边又有两个十来岁的儿子，最主要的是陈独秀很不“安分”，一心忙着办杂志，可又没钱，虽然有朋友帮忙，但全家生活仍十分艰难。这一年，由陈独秀主编的《新青年》横空出世，给中国革命带来无限光明，可对陈家来说，陈延年只能带着弟弟一边上学，一边打工，以维持生计和交学费，常常处在饥饿状态，而且他们还要照顾有病的母亲。但即便如此，陈延年仍然如饥似渴地阅读着各类新书刊，包括父亲编的《新青年》。父亲陈独秀在家里也很有些家长式的霸道，儿子们既怕他，又有些恨他，但“老子”的文章却又被儿子偷偷地喜欢。比如《新青年》上的创刊词，“青年如初春，如朝阳，如百卉之萌动，如利刃之新发于硎，人生最可宝贵之时期也”云云，陈延年读得热血沸腾。因为喜欢法文，陈延年的法文功底很好，于是在五四运动之后，留法勤工俭学浪潮在全国迅速掀起之时，陈延年把自己的想法告诉了父亲。陈独秀马上答应：“好啊，这个我非常支持！”正在帮助一批批青年干部去欧洲深造的陈独秀，对儿子的想法十分支持，并且在陈延年提出带弟弟一起去时他略深思了一下，便点点头：“也好，你们一起去、一起回，相互有个照应，留在我身边反而不是良策……”

于是，1920年初，陈延年带着弟弟陈乔年，加入了留法队伍，成为蔡和森、赵世炎和周恩来等革命青年队伍中的一员。

1922年，陈延年同周恩来、赵世炎一起在旅欧勤工俭学学生中创建了旅欧共产主义组织——中国少年共产党。这年秋天，他经法共党员，后成为越南共产党领袖的胡志明（当时叫阮爱国）介绍加入了法国共产党。不久，中国共产党正式承认原旅欧共产主义小组成员及加入法共的同志为中国共产党员，并组成中共旅欧支部，陈延年是这个支部的领导成员。弟弟陈乔年也是“少共”的成员。1923年，遵照中共中央指令，12名中国青年党员由法国转赴苏联，进入莫斯科东方劳动者共产主义大学学习马克思主义和俄国革命经验，此时的陈延年和弟弟都已经是其中的佼佼者了。

1924年夏，陈延年比弟弟陈乔年早半年回到祖国，在上海只停留了半个月，就被派到广东工作，从此开始真正的革命实践。

陈延年是1927年4月15日秘密回到上海的，到7月4日他被国民党反动派杀害于龙华，前后不到三个月时间。他作为新派到上海的中共上海地区的负责人之一，每天都看到自己的战友和同胞，被敌人一个个甚至一批批地杀害……

然而陈延年的被捕和牺牲来得太突然、太惨烈！

4月16日至18日上海成立以李立三为首的“特务委员会”，5月，周恩来、罗亦农等离开上海到武汉，留在上海的陈延年实际上一直在负责上海地区对付疯狂屠杀共产党人和革命者的国民党反动势力。原先的党组织和工会组织不是骨干分子被杀害了，就是断了联络线；中央机关和党组织的办公与联络点也被破坏得七零八落，残存的一些地方，又每时每刻处在危险之中。陈延年作为中共在上海的主要负责人，必须天天去处理各种紧急情况，同时还要把断了线的党员和组织联络起来，这种工作之复杂和危险性不言而喻。有一次陈延年发现，在一条街上，竟然有好几个党的组织机构，这是非常不安全的，于是他立即着手调整和重新安排地方，这对人生地不熟的陈延年来说，很艰难，稍有不慎，便可能会落入敌人的魔掌之中。

这一天终于来了：

1927年6月26日上午，根据中共中央新的指示精神，任命陈延年为江苏省委书记。由中央派来的王若飞（陈延年留法同学，1946年飞机失事牺牲）宣布任命。会议在施高塔路恒丰里104号（今山阴路恒丰里90号）召开。在会议期间，中共获悉经常到省委机关送信的交通员被捕了，王若飞非常警惕，快速讲完话后，便宣布了会议结束。

下午3点左右，新任省委书记陈延年因为担心省委机关的安全，就和省委其他负责人郭伯和、黄竞西、韩步先等回到恒丰里，几个人先在外面观察了一下，似乎没有任何动静，便进了省委机关的90号两层小楼，并在上面开始讨论和研究起工作来。可就在半小时后，来了一批反动军警，将他们团团包围。“快跳窗！”陈延年为了掩护其他同志脱险，自己搬起桌椅作武器，与冲入房内的敌人展开搏斗……最后寡不敌众而不幸被捕。

陈独秀的儿子被捕了，这在中共和国民党方面都是“惊天新闻”！中共组织和陈独秀的好友都在努力营救，然而蒋介石的条件十分苛刻：既要陈延年“脱党”，更要陈独秀低头。这两个条件对陈氏父子而言，是根本不可能的事。

7月6日，陈延年被敌人秘密杀害于上海枫林桥，时年29岁。

与陈延年一起牺牲的是同时被捕的中共江苏省委常委郭伯和和黄竞西，秘书长韩步先成了可耻叛徒。郭伯和在前面已经介绍过。黄竞西比陈延年大两岁，江苏江都人，这位商人出身的革命者，早年参加了国民党，后在恽代英和刘重民介绍下加入了中国共产党。国共合作时期的1925年，黄竞西被推选为国民党江苏省党部执委后，罗亦农调他到上海工作。第三次武装起义前，黄竞西不顾反动军警在大街上乱杀行人的危险，装扮成商人，带着装成阔太太的妻子，经常自己驾着小汽车或拉黄包车来运送武器和弹药，因此他被同志们称为“地下运输队队长”。1927年4月初，他冒着极大风险跟着侯绍裘到了南京，从事地下工作。四一〇惨案发生前，侯绍裘委托黄竞西回上海向党组织报告南京形势。回到上海的黄竞西，正赶上四一二大屠杀。根据党的指示，由他代替已经牺牲的侯绍裘，主持重组的国民党江苏省党部工作。那是一段腥风血雨的日子，黄竞西带着妻子、孩子和陈延年一家住在一起，两家亲密无间。怀有共同的理想，身为同一条战壕里的战友，黄竞西、陈延年在同一天被捕，同一天遇害。后来据军警说，当时他们在抓捕陈延年、郭伯和与黄竞西时，三人与军警拼杀了一个多小时，最后在筋疲力尽、头破血流的情况下才被捕。狱中的黄竞西，任凭诱惑和严刑拷打，始终没有动摇他的革命信仰。6月29日晚，黄竞西在肮脏昏暗的牢房里，给爱妻、母亲和同志们写下遗书：“我终觉得死于今，比死于昔，使人们可觉悟中国是需要继续革命的，我之死也无遗恨,……死是一快乐事，尤其是为革命的”，望同志们“继续前进，万勿灰心”。

陈延年、郭伯和、黄竞西三位烈士牺牲得气壮山河。这是真正革命者的本色。

时隔不到一年，陈延年的弟弟陈乔年在出任中共江苏省委领导没多少天也英勇牺牲了。中国共产党正在经历一段黑暗的岁月。

陈乔年比哥哥陈延年小四岁，13岁到上海后，陈独秀亲自教乔年功课。但后来乔年跟着哥哥到了法国和苏联，一直到回国，陈独秀几乎没有管过他们——当然，作为总书记，陈独秀确实把自己的多数精力放在了党的事业上。那是个复杂而多变的时代，弱小的政党和个性强大的陈独秀之间本身就是一种不平衡，而他受到的内外批评与打击，几乎常常使他窒息。北伐战争开始之前，陈独秀与李大钊多次商议同孙中山领导的国民党进行合作，但孙中山突然逝世，骨子里反对共产党的野心家蒋介石篡夺了大权；陈独秀以为可以假借汪精卫的力量制衡蒋介石，但是很快汪精卫又叛变了革命，陈独秀瞬间无回天之力；

当他再想寻找抗衡国民党的势力时，受到了党内同志们的批评。南京的四一〇惨案和上海的四一二反革命政变相继发生后，陈独秀在上海的寓所和中共中央的机关几乎全部被蒋介石破坏，刚刚搬到武汉的中央机关又在一夜间被汪精卫出卖了……

这还不是致命的。致命的是中国共产党党员一下成了旧军阀和新军阀共同屠杀的对象，那惨遭残害的情形和一份份血的报告，让陈独秀“彻夜不眠”“悲歌长哭”。也就在这个时候，他的长子陈延年也出现在长长的牺牲的共产党骨干名单之列。此外，陈独秀最痛心的是失去了与他一起建党的李大钊，李大钊是1927年4月6日被捕，4月28日被奉系军阀张作霖勾结帝国主义所杀害，与李大钊一起在北京被处绞刑的还有另外19名革命者。

“不能因为反动派今天绞死了我，就绞死了伟大的共产主义。共产主义在中国必然得到光辉的胜利！”这是李大钊临刑前的慷慨陈词。

陈独秀与李大钊是共产主义道路上的一对并肩战斗的战友。所以在二儿子陈乔年回国后，中共中央就派陈乔年到李大钊领导的北京地区党组织担任组织部长，那时陈乔年才23岁。

陈乔年虽然年轻，但能力和素质出众，成为李大钊的得力助手。1927年召开的中共五大上，年轻的陈乔年被选为中央委员，出任中共中央组织部副部长，代不在任的部长李维汉主持日常工作。

1927年8月7日，中共中央政治局根据当时的形势和党内的情况，召开了一次特别重要的会议，批判和纠正了陈独秀的右倾错误，并将陈独秀从党的领导岗位上撤了下来，重新选举了以瞿秋白为首的新的临时中央政治局。毛泽东在此次会议上提出了“以后要非常注意军事，须知政权是由枪杆子中取得的”这一重要革命论断。作为党的年轻一代代表，陈乔年在此次会上也毫不留情地对父亲陈独秀的错误进行了深刻批判。

从1920年初在上海筹建中国共产党开始，陈独秀一直是中共的领袖和中心人物；八七会议之后，他在党内的影响力逐渐减弱。而他的二儿子陈乔年在此次会议后，被派到上海，出任江苏省省委组织部部长。

陈乔年到上海担任江苏省委组织部长时，省委书记是邓中夏。在王若飞任书记之前，江苏省委已经更换了四任书记，第一任书记陈延年，上任不久就被捕并在一个多星期后被敌人杀害。赵世炎马上接任江苏省委书记，哪知没出一个星期，与陈延年等一起被捕的原省委秘书长韩步先就把赵世炎出卖了，17天后赵世炎被敌人杀害。

在上海的江苏省委，一直是中共中央最重要的地方组织，它的工作范围不仅包含了上海及周边地区，而且还延伸到了国民党蒋介石的老巢——南京。所以江苏省委的工作至关重要。赵世炎牺牲后，王若飞任代理书记。

1927年8月，邓中夏出任江苏省委书记，王若飞、项英、陈乔年、刘伯坚等任常委。

1928年1月，邓中夏又被调到广东省任书记。这时，项英担任代理江苏省委书记，陈乔年是组织部长，王若飞是宣传部长，李富春担任军事部长。

作为新任省委组织部长的陈乔年，在省委处于半瘫痪状态的极端困难环境下，不顾个人安危，出生入死，与敌人巧妙周旋，深入斗争一线，秘密联系和恢复组织，使江苏省委机关和管辖地区的党组织获得重新开展工作的条件。然而不幸的是，1928年2月16日陈乔年正在租界北成都路刺绣女校秘密召开各区委组织部长会议时，由于叛徒的告密，敌人将会场团团包围，陈乔年和数位干部被捕，江苏省委机关又一次遭受惨重破坏……

陈乔年被捕后第二天就被押解到上海龙华国民党淞沪警备司令部看守所，关进这里的“要犯”，基本上没有出得去的。陈乔年被敌人严刑逼供、劝降，而这对陈乔年来说并不起作用。

1928年6月初的一个夜里，上海枫林桥畔，又响起一阵恐怖的枪声，这一次倒在敌人枪口下的是26岁的中共中央委员、江苏省委组织部长陈乔年。与他一起被敌人枪杀的还有两位烈士：郑覆他（牺牲时24岁，浙江诸暨人，曾任上海总工会委员长）、许白昊（牺牲时29岁，中共二大、五大代表，曾任中央监察委员，著名工运领袖）。

陈独秀对延年、乔年两兄弟要求十分严，甚至严到不可思议。陈独秀不让兄弟二人在家过平稳日子，非逼他们"独立自主"。于是两兄弟生活完全靠自己打工糊口，有了上顿无下顿。陈独秀的妻子实在看不下去，要接兄弟二人回家住，被陈独秀喝住，并斥道："妇人之仁，徒贼子弟，虽是善意，反生恶果。少年人生，听他自创前途可也！"

可天下父母之心，哪个父亲不爱自己的儿子？尤其是两个儿子既是骨肉又是重要的革命同志，陈独秀怎能不悲痛呢？

延年和乔年两个儿子牺牲后，年近五十的陈独秀悲切异常，常默默落泪。

1927年前后，尤其是在蒋介石反动集团制造四一〇惨案、四一二反革命政变后的那几年里，中央机关多次遭受毁灭性的破坏，同在上海的江苏省委受到的破坏也是当时全国省区级党组织中最严重的，江苏省委与党中央机关及干部上的交叉，又使得江苏省委几乎成为反革命势力疯狂袭击的主要对象。敌人也明白，要想把中国共产党彻底"铲除"和"端掉"，首先要"捣毁"和"消灭"江苏省委。

四一〇惨案、四一二反革命政变之后的一段时间，蒋介石反动集团对共产党人和革命者所采取的措施，就是"杀"！抓住后只要证明其与"共产党"和"革命"有关，便是杀。按照蒋介石他们的说法，就是"宁可错杀一千，不可放过一个"。

刘伯坚是1920年就去法国勤工俭学的留学生，就在那个时候他走上了革命道路。1926年刘伯坚回国，他被派往国民党的西北军任总政治部主任。大革命失败后，接受党的安排到了中共江苏省委，化名为“王大年”，任宣传部长，不久他的职务由李富春接替，而刘伯坚去苏联学习。1930年回国。其后，他先后出任中革军委秘书长和中华苏维埃共和国政府执行委员，1931年参与领导和指挥了宁都起义，任红五军团政治部主任。红军北上抗日时，他与陈毅等留守在赣南根据地坚持斗争。1935年刘伯坚不幸被俘，当年3月21日被敌人杀害。

聂荣臻元帅这样评价刘伯坚：“伯坚同志是留法勤工俭学时期的老党员，著名革命家”，“伯坚和我同在法国、比利时学习、做工，并进行工人活动，以后又同在苏联学习。1926年他回国后并肩战斗于中央苏区，关系殊深。我读过许多诗，大多慢慢地淡忘了，唯独伯坚的这一首《带镣行》始终铭记不忘。每念及此，总是勇气倍增……”

元帅特别喜欢的那首《带镣行》，是刘伯坚在监牢里写的。1935年3月4日他带伤被捕后，敌人将负伤的刘伯坚游街示众，但刘伯坚面对敌人的拷打和羞辱，昂首挺胸，大义凛然，表现出了共产党人和革命军人坚不可摧的豪迈气概。当日，他写下了一首诗，题为《带镣行》——

带镣长街行，
蹒跚复蹒跚。
市人争瞩目，
我心无愧怍。

带镣长街行，
镣声何铿锵。
市人皆惊讶，
我心自安详。

带镣长街行，

志气愈轩昂。
拼作阶下囚，
工农齐解放。

我们熟悉的大型音乐舞蹈史诗《东方红》中的《带镣行》就是刘伯坚所作。

在中国国家博物馆中，有一封刘伯坚在狱中写给妻子王叔振的兄嫂的家书。刘伯坚与王叔振1927年在上海结婚，之后他们因革命工作需要，聚少离多。但是刘伯坚没有想到，在他就义之前，其妻王叔振就在福建西部游击区牺牲了，已先他一步去了。狱中的刘伯坚不知道这一情况，所以怀着对亲人和孩子的挂念之情，写信给妻子的兄嫂说：

弟不意现在尚留人间，被押在大余粤军第一军军部。以后结果怎样，尚不可知。弟准备牺牲，生是为中国，死亦是为中国，一切听之而已。

“生是为中国，死亦是为中国！”多么气壮山河的誓言！

妻子王叔振在牺牲前并未看到刘伯坚留下的遗嘱，而是身负幼儿在枪林弹雨中与敌军拼杀。因为自己的处境十分危险，她迫不得已将刚刚出生不到四个月的三儿子刘熊生送给了当地一个姓黄的家庭。

刘伯坚与王叔振结婚后共生了三个儿子，大儿子刘虎生、二儿子刘豹生和三儿子刘熊生。在他们去往中央苏区前，夫妇俩先将长子刘虎生送给了大嫂，之后大儿子虎生就再也没见过父母。年幼的虎生从小就被舅妈教育不许与别家的孩子接触，不许跟别人说自己的家事（被敌人知道会被抓走）。1938年，虎生被党组织找到送往延安，他才将父亲生前在狱中寄给舅妈的两封家书（缝在贴身的衣服里），交给了周恩来同志。周恩来同志十分珍视，一直收藏在身边，直到中华人民共和国成立。

二儿子刘豹生，是刘伯坚在被俘前的一次战役中寄养给他人的。因为所在的部队走得很急，他就将刘豹生放在一个竹筐里，他和战士们翻山越岭，行走于山路竹林之中，轮流挑着装着孩子的担子。当来到一处河边时，刘伯坚将装着刘豹生的竹筐交给守候在那里的郭婆婆，对郭婆婆说："如果我牺牲了，我这儿子就做您的孙子。"郭婆婆是当地的船户，她为了保护刘豹生，给他改名换姓叫"邹发生"。直到中华人民共和国成立后，党组织根据周恩来同志保存的刘伯坚在狱中写的家书，才找到了他。这一年，刘豹生14岁。

因为挂心三个年幼孩子的未来，刘伯坚在生命最后时刻写信给亲人嘱咐两件事：

> 一、你们接我前信后必然要悲恸失常，必然要想方设法来营救我，这对于我都不须要。你们千万不要去找于先生及邓宝珊兄来营救我。于、邓虽然同我个人的感情好，我在国外叔振在沪时还承他们殷勤照顾，并关注我不要在革命中犯危险，但我为中国民族争生存争解放与他们走的道路不同。在沪晤面时邓对我表同情，于说我做的事情太早，我为救中国而犯忌险，遭损害，不须要找他们来营救我，帮助我，使他们为难，我自己甘心忍受。尤其是须要把我这件小事秘密起来，不要在北方张扬，使马二先生（指冯玉祥。——笔者注）知道了，做些假仁假义之事对付我，这对于我丝毫没有好处而只是对我增加无限的侮辱，丧失革命的人格，至要至嘱（知道的人多了就非常不好）。
>
> 二、熊儿生后一月即寄养福建新泉芷溪黄荫胡家；豹儿今年寄养在往来瑞金、会昌、雩都、赣州这一条河的一支商船上。有一吉安人罗高，廿余岁，裁缝出身，携带豹儿。船老板是瑞金武阳人叫赖宏达，有五十多岁，撑了几十年的船，人很老实，赣州

的商人多半认识他。老板娘叫郭贱姑，他的儿子叫赖连章（记不清楚了），媳妇叫梁照娣（招弟）。他们一家都很爱豹儿，故我寄交他们抚育。因我无钱，只给了几个月的生活费，你们今年以内派人去找着，还不至于饿死。

我为中国革命，没有一文钱的私产。把三个幼儿的养育都要累着诸兄嫂。我四川的家听说已破产，又被抄没过，人口死亡殆尽，我已八年不通信了。为着中国民族就为不了家和个人，诸兄嫂明达当能了解，不致说弟这一生穷苦，是没有用处。

诸儿受高小教育至十八岁后即入工厂做工，非到有自给的能力不要结婚，到卅岁结婚亦不为迟，以免早生子女自累累人。

读刘伯坚烈士的家书，想到父母双亡的三个流落在民间的幼孩时，不禁潸然泪下，同时也为一个革命者高尚的品质而感叹。

从1927年6月到1935年1月上旬中共江苏省委被上海中央局命令“终止活动”的八年中，省委遭受的摧毁性破坏不下七八次，在这过程中，有多位干部牺牲，而他们都是我们党早期杰出的精英人物。

我们今天只能以崇敬的心情去仰望这些闪耀在天际的群星——

罗登贤，曾任江苏省委书记、中央临时政治局委员，也是中共六大的政治局委员，牺牲时只有28岁。

在上海龙华和南京雨花台两个革命烈士纪念馆里，都有罗登贤的照片：短发，瘦削脸型，一双大耳朵，眼睛有神，一副铁骨铮铮的工人形象。罗登贤是南海人，早年在香港英商太古船厂做工，是邓中夏、陈延年和周恩来在广东时从工人中发展的中共党员，在省港大罢工中是冲锋陷阵的勇士。1927年，罗登贤成长为广州起义的工人领袖，他直接带领的工人赤卫队在这次起义中发挥了“铁军”和“尖刀”的作用。

1928年，中央将罗登贤从广东调到上海。他在江苏省委书记岗位上在任8个月时间，这在1927年后的中共江苏省委历届书记中算是在任时间比较长的一位。罗登贤后来又被中央调回广东省任书记。九一八事变之后，他受党的指派，以中央驻满洲省委代表身份，赴东北工作。

两年多后，罗登贤再度回到上海，任中华全国总工会上海执行局书记。在1933年3月出席在上海召开的全国海员工人会议时，被叛徒出卖入狱。当敌人知道罗登贤是中共的“大官”，立即将其从上海押解到南京。对其威逼利诱不见效，就施以毒刑：压断其腿，狠抽下体……宋庆龄不顾国民党的威胁，专门到监狱去探望罗登贤，并想方设法营救他出狱。蒋介石怕夜长梦多，密令手下“立即枪毙”罗登贤。

这年8月29日，罗登贤被押到雨花台刑场。行刑者问罗登贤有什么遗言，罗登贤一声冷笑，道：“我个人死不足惜，全国人民未解放，责任未了，才是千古遗憾！”

一位工人运动领袖、杰出的革命军事家罗登贤牺牲时，年仅28岁。

我们来说说另一位江苏省委书记的事迹，他叫许包野。

他从厦门市委书记的岗位上被调到上海出任江苏省委书记时，为了防止敌人再度破坏省委，所以化名为“保尔”。

1900年出生于泰国的许包野，原名叫许金海，取这样的名字，大概是父母希望他长大后发财致富成为侨民中的富商。但对中华传统文化格外推崇的父亲却在他7岁时，将整个家都搬回了广东澄海老家。幼年时许金海就进了私塾读书，后来又进了新式教育的澄海中学。

1919年，中学毕业的许金海经历了五四运动，明白了“救国”的意义。也就在那一年，他听说北京大学的蔡元培校长正在组织招考赴法留学的学生。许金海听说后心潮澎湃，立即报了名，改名“许包野”，意在雄心与志远。

汕头一考，澄海的许包野名列第三，成了公费留法学生。

许包野在留法时，遇上了中国革命初期的一批才俊，如周恩来、蔡和森、向警予、陈毅、李富春、邓小平等，他们影响了这位原本抱定“科学救国”“实业救国”理想的澄海青年。当时的欧洲，马克思主义和共产主义学说正风靡一时，特别是在留法的进步学生中广为传播，许包野作为哲学和法律专业的学生，对《共产党宣言》《国家与革命》这类书的学习与研究自然比一般人更方便和深入。

1922年，周恩来等在巴黎成立“少共”时，许包野已经从里昂大学转学到了另一个大学——德国哥廷根的奥古斯特大学继续学哲学，兼修军事学。在革命队伍中，他是海外学习时间最长（11年）、学历最高（双学位博士）、外文最好（懂英、德、法、俄、奥、西班牙等多国语言）的一位革命者。1923年10月10日，许包野遇上了一位举止稳重的军官出身的中国留学生，他叫朱德。许包野觉得朱德是位可以信任的“大哥”。这一年，许包野在朱德的介绍下加入了中国共产党，而朱德自己则是由周恩来秘密介绍入党的旅欧支部负责人——他的公开身份是国民党驻德支部执委。

其后，许包野开始与朱德等进步留学生从事革命活动，引起了德国政府的不满。1925年初，朱德去了苏联，许包野也被德国政府驱逐出境，到维也纳继续完成哲学博士学位。次年，许包野在获得哲学和法律“双博士”学位后，受组织派遣，到了莫斯科，在专门培养革命家的东方大学和中山大学“中国班”任教，同时还兼任莫斯科地方法官。

1931年九一八事变后，应共产国际要求，许包野回国。就这样，出国11年，带着哲学和法律两个博士学位以及莫斯科东方大学、中山大学执教资格的“红色教授”许包野，秘密回到了久别的祖国。

为了隐蔽革命身份，他特意绕道回到了澄海，与家人亲密团聚，尤其是见到已经长到与他齐肩高的儿子和孝养老人、操持家务的妻子叶雁蘋后，更是百感交集。

在家仅待了半个月，党组织就派他到厦门组建地下党组织。

为了不引起敌人的注意，许包野脱下西装，化装成一名海员，先乘轮船到了新加坡，再转至厦门。此番厦门之行，让许包野大感意外的是，因为当时厦门形势十分严峻，与他接头后的党内同志不敢轻易认他。无奈之际，许包野说："我听说我二弟许泽藻在你们这儿工作，他若在场可以为我做证。"

"听你的描述这个人好像是我们这儿的许依华同志。以前他在省委工作，现在转到我们厦门来了，是我们的宣传部长。"厦门的同志说。

"快叫他来吧！"许包野赶忙说。他与弟弟11年没见，早已思念不已。"哥！真是你呀！哈哈……我的好大哥啊！你让我们想死了呀！"不一会儿，一位年轻利索的小伙子突然出现在许包野面前，他一个箭步上前抱住了许包野，大声道。

他就是许包野的二弟、共产党员许依华，即许包野口中的"许泽藻"。一对共产党员亲兄弟，相隔11年相见于他乡，十分令人感动。

然而许包野虽为中央特派到厦门，可厦门党组织需要与苏区的中央对接并证明他的市委书记身份。这个过程非常漫长复杂，因为蒋介石此时正全力以赴在江西指挥"剿共"，苏区形势极其危急，加之福建龙岩一带也是重点"剿共"区，厦门与苏区之间的地下交通线也就变得十分不稳定，所以许包野有半年时间只能在厦门协助工作。

当身份被正式确认后，仿佛为了补上以前的工作，许包野立即全身心投入建党组织以及厦门地区的对敌武装斗争中。他的工作能力在任中共厦门中心市委书记期间得到了充分发挥。至1934年6月他受命离开厦门的两年多时间里，他不仅在白色恐怖中恢复了厦门党组织，而且在厦门发展了17个支部，150多名党员。厦门中心市委所属的闽南地区10多个县、市党员发展到近千人，正是这支力量，让厦门和闽南地区的武装斗争风起云涌，有力地配合了苏区中央革命根据地的斗争。

现在，"保尔"来到了上海。革命形势远比他想象中严酷。

身为江苏省委书记的他竟然只能与党内一个同志接头和见面，因为敌人放出的大批叛徒，几乎已经渗透到了中共中央局和江苏省委的每一个要害机构和联络线上，这就是当时国民党当局实施的所谓“细胞战术”。

这种“细胞战术”非常厉害，对党组织造成严重破坏。国民党特务机构一旦发现是中共嫌疑对象便实施逮捕，关押后便派出特务对其进行威逼和恫吓，劝其叛变。在严刑拷打和特别手段的诱骗下，当时有相当一部分意志不坚定的人就叛变了。这些人就成了敌人对我党进行“细胞战术”的武器，敌人让他们或直接寻找残存的组织人员，或若无其事地重新回到组织“继续革命”，像“癌细胞”似的注入党组织内部。这些“癌细胞”对党组织破坏和同志的生命安全危害极大，因为叛变者有时装得比革命者更“马克思主义”。由于地下党一般都是单线联系，于是甚至有叛变者假冒自己是中央或上级新任命的“某某书记”，既骗下级，又骗上级，稍不留神，党组织就被“一窝端”……

“保尔”就是在这个时候出任江苏省委书记的。中央特别指派原江苏省委秘书长杨光华作为许包野在上海的接头人。杨光华别名子才、老周，湖北人，1927年入党，参加过组建洪湖地下党组织，曾在贺龙领导的工农革命军任党代表、在中共湘鄂西临时省委任书记。后调到上海互济总会工作，1934年3月任中共江苏省委秘书长。此人革命立场坚定，所以中央派他协助“保尔”重建江苏省委。

杨光华比初来乍到的许包野更了解上海的敌情，所以他建议新的江苏省委领导之间实行“一个人只知道一个地方”的组织方案，即杨光华只知道宣传部长的家，宣传部长只知道书记“保尔”的家，书记“保尔”只知道组织部长的家，组织部长只知道宣传部长的家。但敌人也狡猾，他们得知中共江苏省委又新来了一位书记，便利用埋伏在党内的叛变者诱捕杨光华和许包野。

一日，一位姓龚的叛变者突然跑到杨光华住处，说他是中共上海中央局的人，想见江苏省委新书记，有“中央精神”要传达，想以此诱骗“保尔”。由于实施了“一个人只知道一个地方”的制度，杨光华还真的不知道许包野的住处。此人走后杨光华马上联系“上线”——中共上海中央局高文华。

但高文华也不知姓龚的到底是不是真正的中央派来接头的“上级”人物。

杨光华和高文华只能一边接触一边观察，不敢贸然行动。

又是一天，杨光华的住处突然来了一个陌生人，和杨光华对上暗号后，急促地说：“我是特工队的，老高让你赶紧离开此地！现在什么都不要带，直接跟我走！”杨光华只得跟着此人走。不一会儿遇见高文华，高文华又将杨光华带到法租界的一个文件印刷处。这时，一位工人模样的人对杨光华说：“龚有问题！敌人已经查到你的住处，中央局要求你转移时，龚建议你去新疆饭店，但正是这一点使我们发现了龚的可疑之处，因为中央特科早知道那个饭店正是敌人埋伏抓我地下党人的地方。所以虽然现在我们尚不能判断龚到底是否叛变，但必须对他采取必要措施了……”

此时的省委书记“保尔”，每一分钟都处在危险之中，但他的工作仍在秘密中进行着。他以其丰富的经验，凭借严明的组织纪律，尽可能确保在遇到不测之时损失最小。这个环境考验着他，也考验着所有革命者。

“龚被组织隔离起来了，但他又偷偷溜跑了……”有一天高文华告诉杨光华这一消息。

“这不是危险更大吗？”杨光华警惕万分。

“所以，我们估计他会迅速与敌人取得联系，从而实施对‘保尔’书记和省委的再一次袭击！”高文华继而说，“而且从我方掌握的情报看，敌人已经注意到‘保尔’书记，只是他太机灵，始终掌握不了他的具体行踪。你要尽快把这一情况告诉‘保尔’书记，让他特别小心。”

杨光华照办。

有一天，一个店员打扮的人出现在杨光华面前，神情异常紧张地告诉他："高文华可能出问题了，你马上跟我到新的地方。"

杨光华也不知真假，只得跟此人走。

到了新地址，杨光华一看是龚某人，不由内心大吃一惊，但立即故作镇静地问："你怎么跑来了？听说你环境不好，不能外出了。"又故意道，"像你这样重要的党内负责同志，一旦出事，会给党组织造成极大的损失啊！"

龚一听，马上哭丧着脸，说："是啊，我的环境不太好，现在又与中央局失去了联系，连个住的地方都没有。你看是不是带我去江苏省委那里暂时住一段时间，以便同中央局接上关系？"

露马脚了！杨光华心头"噌"地一颤：这小子真的当叛徒了！他是想利用自己找到江苏省委，找到"保尔"书记，甚至找到更多的线索……

太危险了！杨光华心头想到这些，马上想到了应对措施，说："我现在也和中央局失去了联系，老高又出事了，我们现在也不住省委机关了，只能今天住这里，明天住那里。这样吧，现在又到了我去接头的时间，你在这儿等我，等我把新地址要到了，马上来告诉你。"

说着，杨光华就抬腿要走。"慢着，"龚某拉住杨光华的袖子，说，"你等一下，我给你写个地址，你把新地址找到后，就马上到这个地方来找我。"

"行！"杨光华这下更确定龚某是彻底地变节投敌了！可耻！

"红队"开始行动了。这是周恩来亲自组织的专门为除掉叛徒而设立的一个特别行动队。它隶属中央特科。

除掉龚某的行动，比计划的要复杂得多，因为此人的后台是国民党特务机关——中统。

"红队"的行动开始了。杨光华先给龚写个条子，告诉他："中央局在找你，请于9月15日到四马路谦吉旅馆以熊国华的名义开个单间，届时有人来找。”龚接到这个纸条后，心里很紧张，他狡猾地说道：“我现在环境不好，我另派人去与中央局的人见面。”

许包野等人看出龚某害怕，但又知他“立功”心切，于是又让杨光华写纸条说：“中央局领导是不允许一般人认识的，你若不去，则取消此次见面机会。”龚一想也是，既然是中央局重要负责人见他，不可能随便见个生人。

“那行，同意安排！”龚某终于上钩了！

许包野等人立即报告“红队”。

当晚，两个黑影闪进谦吉旅馆后，从登记簿上得知“熊国华”住在二楼34号房间，于是悄声上楼，与里面的龚某“对上号”后被邀进屋，随即只听得“砰砰”几声枪响，一时间旅馆内乱成一片。

黑影趁机消失在夜幕中……

许包野和“红队”方面以为“万无一失”，哪知身负三枪的龚某，竟然死里逃生，活了过来，并被中统安排进仁济医院治疗，且有巡捕严密守护着。

怎么办？此人实际上已经知道中共上海中央局书记的情况，并对“保尔”书记及江苏省委的基本情况也有所了解，现在，一旦负重伤的龚某意识清醒过来，必给中央局和江苏省委带来无法弥补的损失。

形势紧迫！必须立即再作计划，干掉龚某。

什么办法？“强攻！绝杀！”许包野亲自和“红队”负责人制订方案。9月26日下午3时左右，仁济医院的探视时间到了。四名化装成病人“家属”的“红队”队员，手持鲜花，向大门紧闭的病区径直而去。

“哎哎，你们有探视证吗？”门卫拦住询问。

“有啊！你看这个……”两支手枪对准门卫的胸口。一瞬间，门卫吓得举起了双手。

这时其他“红队”队员将医院的电话线切断，随后直奔龚某的病房。“你们……”未等龚某反应过来，一阵枪声在病房内响起。

龚某当场断气，绝杀成功。等大批巡捕和便衣特务赶到医院病房时，“红队”队员早已远走高飞。

“熊国华被杀事件”一时轰动上海，沉重地打击了国民党反动派的嚣张气焰。

中共江苏省委“保尔”书记的工作暂时相对安全，曾屡遭毁灭性打击的中共江苏省委又重新恢复工作……

化名“保尔”的许包野在上海度过了三个多月惊险、紧张的“江苏省委书记生涯”。1934年9月，由于信阳县委书记被捕叛变，整个河南省地下党的活动基本处于停滞状态。中央得知后，急令许包野赴河南出任新的省委书记。

这回“保尔”变成了“老刘”。然而此次中原行，许包野没能逃过敌人的眼线，在一次与当地党组织负责人接头时，因被当地的叛徒出卖而在旅馆内被捕。

这回许包野的身份彻底暴露在敌人面前，敌人对他采取最严酷的毒刑，企图从他嘴里“撬”出中共中央核心情报……敌人将十根竹签一根根地插进他的手指甲内……

许包野直到被敌人折磨至死都没有吐出一个字。因为伤势过重，他牺牲在牢房内……时年35岁。

远在老家的妻子——叶雁蘋一直不知丈夫到底在何方！即使到了中华人民共和国成立后她仍不知丈夫去向……没有人知道“许包野”是谁。曾在江苏省委任职的同志只知道曾经有个“保尔”当过他们的书记，但时间不长，而且又是化名，并且同志之间单线联系，所以到了中华人民共和国成立后一直不知他到底是谁。澄海老家的叶雁蘋，从青丝少妇一直等到1982年重病在身、自知没有多少日子时，才提出要找找自己的丈夫。这事立即惊动了当地政府和党组织，于是寻找叶雁蘋的丈夫成了几个省、市党组织的一件大事。

1985年，关于许包野就是“保尔”的事终于得到证实。广东省正式追认许包野为革命烈士，并举行了隆重的纪念仪式。然而，苦等了丈夫52年的妻子没能到现场。几个月后叶雁蘋与世长辞，终于与她离别了半个多世纪的丈夫团聚……

许包野的名字，也被列在了上海龙华烈士纪念馆和南京雨花台烈士纪念馆内，受到人们永远的纪念。

类似“保尔”这样，为革命英勇献身后连名字都不为人所知的，并不止许包野一个人。就在他离开上海出任河南省委书记之后，新的江苏省委班子成立不到三个月，又遭敌人的破坏，省委书记、组织部长、宣传部长一起被捕……至此，中共江苏省委的活动中止。

与江苏省委相似的还有浙江省委。江浙两个省委本属一个“江浙区委”，1927年6月分离后，浙江省委的主要领导也都是从上海中央局派到杭州的。

杭州与上海相近，许多活动在上海的早期马克思主义者都来自杭州。

1927年四一二反革命政变后，浙江的革命也面临极其复杂和严峻的形势。这一年4月至7月中，国民党反动派仅在宁波、杭州两地就逮捕共产党员和革命群众400余人，杀害117人，到年底，浙江全省有1805人被捕，932人被杀。浙江共产党人没有被白色恐怖所吓倒，他们在上海的中共中央领导下，继续与国民党反动派作坚决的斗争。然而当时的斗争环境极其险恶，尤其是在1927年6月至1929年4月，先后更换了10位省委书记和代理书记，其中有8位书记牺牲，平均年龄不到30岁，最小的仅为21岁，最大的36岁。由于他们都是英年早逝，多数人甚至连名字都不被后人所知。如一位叫王家谟的省委书记，是9任书记中年纪最小的一位，就义时只有21岁。他牺牲后，其遗骸是由母亲独自运回宁波象山老家，安葬在丹城西门外大坑门口的山麓上。

另一位浙江省委书记张秋人是位老资格的共产党人。这位被毛泽东称为“很有能力、很会宣传、很有群众基础”的“好同志”，是浙江诸暨人，1898年出生在一个农民家庭，1920年便到了上海，在这里他结识了陈独秀、李大钊、恽代英等人，并很快成为中国共产党最早的党员之一。1926年，张秋人到广州接替沈雁冰，任《政治周报》主编。那个时候，张秋人与毛泽东、杨开慧夫妇住在一栋楼里，相互之间结下深厚的革命情谊。张秋人不仅到毛泽东等主持的广州农民运动讲习所讲课，而且还担任了黄埔军校的政治教员。当时张秋人与恽代英、萧楚女并称“广州三杰”，是位非常有影响的青年革命者。

1927年3月17日，国民党右派开始在广州“清党”，屠杀共产党员和革命群众，黄埔军校下令通缉中共党员张秋人。张秋人接到中共的指示，立即离开了广州，先到武汉，随后又随中央机关回到上海，与邓中夏等一起在党中央宣传部工作。

这年9月，中央决定派遣张秋人去杭州任浙江省委书记。此时的张秋人刚与女青年团员徐镜平在上海结婚，但他没有丝毫犹豫，立即带着新婚妻子前往。临行前，对形势有充分估计的张秋人对身边的人说：“此次赴任，我的头看来是要被砍在杭州了。但为了完成重建浙江省委的重任，我必须去！”

到杭州的第一天，王若飞代表中央在浙江省委内部宣布中央决定。第二天，省委召开正式会议，宣布张秋人为首的新省委成立。

第三天，是张秋人上任省委书记后第一次外出工作。为了掩护，他特意穿着西装，携新婚妻子来到西湖边准备与党内同志接头。这时，他发现身后总有两个人跟着，怎么甩也甩不掉。无奈，张秋人只得停下，等几个人走近一看，原来是认识他的原黄埔军校两个反动学生。

“不太妙！”张秋人轻轻对妻子说了一声，想甩掉“尾巴”，但那两个黄埔军校反动学生则要无赖，拉住张秋人不放。

“你们想干吗？”张秋人火了。

“张先生别紧张嘛！我们是想请你演讲去呀！”那两人依然不放过

他，这更加让对敌斗争经验丰富的张秋人预感到问题的严重性。

必须摆脱这两个家伙！张秋人迅速用眼神暗示妻子，并用英语说："我们遇上危险了，保持镇静，不要慌张，速将枕套拿走！"然后做出了一个让在场的人谁也想不到的动作：他迅速脱下鞋子和身上的西装，纵身一跃，跳进了旁边的西湖之中……

"喂喂——"那两个家伙完全慌了神地站在岸边不知如何是好。原来他们并不会游泳，而张秋人在黄埔军校时就知道此事。

张秋人在水中潜了很长时间——他在这个过程中做了一件极其重要的事：把藏在内衣里的一份浙江省组织机构和党员名单塞在湖底的淤泥里……

"快快把船划过来！"就在这个时候，那两个反动学生叫来了一直在西湖边潜伏的便衣特务并借来一只船，一起将张秋人从水中捞了上来，用麻绳死死地捆住，押到岸边。

妻子趁敌人慌乱中逃脱了魔掌，迅速回到了所住的华兴旅店，收拾好重要文件，离开了危险区。

张秋人被关押到浙江陆军监狱，很快被宣判死刑。当时与他关在同一监狱的一位青年好奇地发现已被判处死刑的张秋人竟然还在天天学习，便问："你既然自知必死无疑，为什么还要每天读书呢？"

张秋人笑笑，回答道："共产党人活着一天，就要为党工作一天，在牢里既然不能革命，就要天天学习，岂可坐以待毙？"

张秋人的一席话让这位青年感触万端，从此立下誓言，要以张秋人为榜样，在狱中三年半里天天坚持学习，这位青年后来成了我国著名的经济学家，他就是我们熟悉的薛暮桥。

1928年2月8日，张秋人就义前，狱方要对他"验明正身"。当被问到姓名时，张秋人拍案而起，一声"老子张秋人"后，抢上几步抓起案上的石砚便向法官砸去，"法庭"顿时大乱，刽子手手忙脚乱地将张秋人推出门外杀害。张秋人牺牲时年仅30岁。

还有多位浙江省委书记，他们也都像张秋人一样，长期在上海从事党的地下工作，而后被派到浙江，最后英勇牺牲。

如今在杭州云居山浙江革命烈士纪念馆入口处，有一块巨型花岗石，上面镌刻着革命烈士裘古怀留下的一句醒目遗言：“同志们，胜利的时候，请你们不要忘记我们！”

是的，我们怎么能忘却这些烈士的英名呢?

然而，残酷的斗争岁月里，我们许多党的好儿女牺牲后，他们真实的姓名，甚至他们牺牲在何处，至今仍然不为人所知……

上面我说到过，“保尔”离开江苏省委不到半年，新的江苏省委三位主要负责人全都被捕，从而造成省委中止工作数年。

我知道，在上海龙华烈士纪念馆和南京雨花台烈士纪念馆，其实还有相当一大批的英烈，人们至今仍不知道他们到底是谁。

他们都是为革命牺牲的无名英雄。

第六章
敌人诡计，叛徒，“路线”错误：腥风血雨的日子

写完前一章，我的心情异常沉重，因为包括陈独秀的两个如此优秀的儿子在内，江苏和浙江两省的中共党员，竟然牺牲了那么多，他们又都那么年轻……我不忍回顾！

他们不该牺牲！他们的牺牲虽然很悲壮，但相当多的人牺牲得太突然，甚至有些莫名其妙！在许多难以想象的瞬间，他们以许多不可思议的方式轰然倒下了……实在不应该！

扼腕痛惜之余，我更想追寻一下他们为什么牺牲。在战争中牺牲的英烈面对的是敌人的枪林弹雨，这种牺牲毫无疑问，因为战场本身就是你死我活。然而在白色恐怖的地下工作中，“革命烈士”的产生，只有两种原因：敌人的诡计和“同志”的出卖。而中国共产党在自身成长的过程中还有一个原因导致了这种悲剧的出现，那就是错误路线。

革命者曾经因此血流成河……

我有些无法控制内心的悲情。

在1927年四一〇事件、四一二反革命政变后，蒋介石为首的国民党反动集团对共产党人和革命者的做法是“宁可错杀一千，也不放过一个”，想以此扼杀和毁灭中国共产党人的革命和斗争意志。然而他们

错了。中国共产党人不仅没有丧失革命的坚定性，反而迅速行动起来，在全国各地的城市和乡村，进行着一次又一次的武装起义，并且“以牙还牙”地与国民党反动集团进行了你死我活的斗争，比如南昌起义、秋收起义、广州起义等大大小小一百多次武装起义和武装暴动，沉重打击了敌人的嚣张气焰。面对“野火烧不尽，春风吹又生”的现状，国民党内像陈立夫等一些“高人”便给蒋介石出了一招：以诱骗和软化手段，让一些共产党人“为我所用”。于是，他们很快出台一个所谓的《共产党人自首法》。此“法”一出，有人曾经形容它是“中共的心腹大患”，一些本来就革命意志不坚定、缺乏信仰的人开始动摇，这就造成了一些被捕共产党员在诱骗下，不知廉耻地当了革命的叛徒，甚至有的人主动“自首”。于是，我们在翻开一本本“革命烈士传”时，就会发现很多人的牺牲是“因为叛徒出卖被捕”。无数次听党史专家这样说：一个烈士的身后，总是“站”着一个叛徒。

其实，情况常常是：一批革命烈士后面，“站”着一个叛徒。也就是说，通常是一个人叛变了，就会有一批人因被出卖而牺牲……

从1927年6月份任江苏省委书记的陈延年到后来的“保尔”（许包野），前后牺牲了20多位省委主要负责人，他们几乎都是被当了叛徒的同一班子的“自己人”出卖后遇难的。如省委书记孔二（化名）、组织部长徐锡根、秘书长韩步先这些组织里最关键的人物当了叛徒，其结果可想而知。

一个省委内出一个叛徒，整个省委组织机构被破坏是必然的，而后也会危及整个地区的组织机构。

中国共产党最高机构如果出了一个叛徒，损失将更加严重。从我们党成立的1921年到1933年，上海基本上都是中共最高机构组织和领导人集中工作的所在地。在白色恐怖下，党的所有工作都是秘密条件下的“地下工作”。然而，就在党的心脏，也出现了身为政治局候补委员、专门负责情报工作的领导人顾顺章叛变投敌的事件……

顾顺章在中共历史上被称为“最危险的叛徒”。

“顾顺章事件”发生在1931年——

这年4月，身为中共中央政治局候补委员和中央特科重要负责人的顾顺章，护送时任中共中央负责人之一的张国焘和陈昌浩等到武汉，由于顾顺章有丰富的隐秘战线的工作经验，一路平安抵达，不曾有任何差错。用张国焘后来的回忆说：“此行万无一失。”

然而，执行完任务的顾顺章却偏偏出了“差错”。据说他为了一个烟花女子，竟在武汉街头流连忘返。一时间，身上没了盘缠，他竟化名“化广奇”在汉口民众乐园登台表演魔术。哪知，他被台下一个看热闹的叛徒认了出来，并报告给国民党党务调查科驻武汉的头目。

4月24日晚，顾顺章被捕。

被捕后的顾顺章，很快就同意“自首”，但却向抓获他的武汉特务蔡孟坚提出条件：必须面见蒋介石，否则什么都不会交代。他之所以提出这个要求，有两层意思：一为从蒋介石手里拿到“免死金牌”；二为防中途情报泄露。顾顺章知道在南京的国民党特务总部有潜伏的中共党员，此人便是传奇人物钱壮飞（中共早期党员，由周恩来亲自安插潜伏在中统特务头目徐恩曾身边当机要秘书。1935年牺牲）。

关于顾顺章叛变后的故事在许多影视剧和小说中都有表现，而且确实惊心动魄。

抓获顾顺章的武汉特务机构总头目蔡孟坚为了邀功，所以并没有把顾顺章一再要求“不要给南京方面发电报”的话放在眼里，竟然在第一时间连续6次向南京方面发了电报。

这一天是4月25日，周末。武汉发到南京中央路305号挂着“正元实业社”招牌的中统特务总部的6份“绝密”“特密”电报，由中统特务头子徐恩曾的机要官送到徐的机要秘书钱壮飞的手里。

此处简单介绍几句钱壮飞。浙江湖州人的钱社飞是学医出身，1919年在北京医科学校毕业的他与同学张振华结婚，两人后来都成为中共党员，受李大钊直接领导。1927年中共北方局遭到毁灭性的破坏后，钱壮飞一家搬到上海。党组织安排钱壮飞进入新成立的由周恩来直接领导的情报机构——中央特科。中央特科下设“总务”、“情报”、“行动”和“交通”四个科，陈赓、李克农、李强和顾顺章就是当时这些科室的早期负责人。钱壮飞和他在北京认识的好友胡底（烈士，1935年牺牲，曾任苏区保卫局侦察部部长等职）一起加入“特科”。钱壮飞以优异成绩考入了当时国民党的上海无线电培训班。因其才华过人，颇受特务头子徐恩曾的器重，邀其当秘书。“中统”设立之后，钱壮飞随徐恩曾到了南京，日后利用这层关系，获悉了许多“剿”的情报，为我军反“围剿”战斗提供了极其可贵的情报支持。

我们来说4月25日这一晚发生的惊天大事：等送电报的机要官一走，钱壮飞捏着手中的6份“绝密”“特密”电报，立即开译……“‘黎明’被捕获，并已自首，如能迅速解京，3日内可将中共中央机关全部肃清。”

天哪！钱壮飞拿起译完的电报，顿时全身发颤：“黎明”即顾顺章，这是钱牡飞知道的。他叛变了，“3日内可将中共中央机关全部肃清”不是没有可能！一名负责“特科”的中央政治局候补委员叛变，对设在上海的中共中央机关和中共领导人是致命的危险！

钱壮飞不顾一切地通过机密电报机向上海方面的中共中央发去一份急电，然后扯响电铃，叫来同样潜伏在特务总部的女婿刘杞夫，令他火速连夜乘车去上海向李克农、周恩来报告“十万火急”的消息。

4月26日早饭后，中统特务头子徐恩曾带着一身疲倦来到办公室，钱壮飞镇静地把一摞文件、电报放到徐的办公桌上，然后借口回去休息，从容地离开了特务大本营。

此时，心急如焚的钱壮飞并不知道女婿是否已找到上海的中央“特科”领导以及中央是否收到他发出的急电。想到这里，钱壮飞顾不了许多，决定立即亲自去上海一趟，因为他已经获悉顾顺章将在27日下午由武汉方面的特务押解到南京……

事实上，钱壮飞的电报和他女婿都及时到了周恩来和负责情报工作的李克农那里。

26日和27日两天的上海滩上，一场惊心动魄的战斗在那些不易被外人关注的小巷和大街、码头与车站等地争分夺秒地紧张而又不动声色地进行着……

27日，南京，下午3时左右，押解顾顺章的车子到达中央路305号。

“这是你们的机关呀？”顾顺章左顾右盼地看着门牌号，大惊失色地问。而后他跺着双脚喊了起来：“哎呀，坏大了！共产党的钱壮飞就在你们的身边呀……”

“什么？钱壮飞？抓！快抓起来钱壮飞！抓他！抓！！！”徐恩曾一听就瘫了，嘴里的话都说得颠三倒四。

钱壮飞早已远走高飞。

4月28日至30日，上海像沸了的锅：大大小小的马路上、小巷内，还有码头上、各个车站内外，到处是警车和警察，以及持枪的军队与便衣特务。他们根据顾顺章提供的地址，一个一个地翻了个底朝天，然而收获甚微。这是中共中央在周恩来领导下迅速果断采取行动后的结果，自然这“第一功”理当记在钱壮飞身上，因为钱壮飞在关键时刻力挽狂澜。

然而毕竟顾顺章所知的中共核心机关和上海地下党的情况太多，即便周恩来、李克农等行动再迅速和缜密，仍然不能彻底地将所有机关和党员同志隐蔽起来。

比如，很快，原本关押在南京国民党军事监狱里没有暴露的恽代英被敌人枪杀。

比如，时任中共最高领导人之一的蔡和森，是顾顺章亲自带特务到香港将其抓捕的。蔡和森被捕后，港英当局即将其引渡给了广东军阀。在广州监狱内，军阀对蔡和森进行了严刑逼供，甚至把他的四肢钉到墙上，用刀戳破他的胸膛。不屈的蔡和森后被枪决，牺牲时年仅36岁。

比如，在上海和武汉等地的许多中共基层组织的“交通线”和“联络员”，就是由顾顺章一手建立和培养起来的，而这些地下党员是周恩来等中央领导同志不可能尽知的，顾顺章将这些共产党人全部交给了国民党特务……

不仅如此，顾顺章还特别熟悉中共组织机构和中共领导人的特性与个人生活习惯，国民党特务分子就是根据他“教”出来的这些“灭共”本领，抓获了时任中共中央总书记的向忠发。向忠发又在被捕后叛变，这给中共带来巨大破坏！好在当时上海方面的国民党当局并不太相信向忠发叛变所交代的“口供”，在抓捕两天后便将其枪杀了！

不仅如此，顾顺章从被捕到1935年被“杀”期间，为国民党培养了大批镇压和屠杀共产党员的特务骨干，由于这些“有经验”的特务们，又有大批中共党员和革命者被捕、被杀……

顾顺章因此被称为“中共最危险的叛徒”。1931年中共中央专门发出通知，号召全党对顾顺章进行“绝杀”。这是中国共产党历史上前所未有的举动。

其实，自蒋介石1927年发动反革命政变后，中共内部出现的叛徒绝非顾顺章一人，被叛徒出卖的中共领导和革命者，可以说不计其数。

写到“彭湃”这个名字时，正好是2019年的五一国际劳动节，于是我不由自主地想起了98年前，一位革命者领着学生高唱他自编的《劳动节歌》的情景——

> 今日何日？
> “五一”劳动节，
> 世界劳工同盟罢工纪念日。

劳动最神圣，
社会革命时机熟。
希望兄弟与姐妹，
“劳动”两字永牢记。

这首歌的作者就是彭湃。这位广东海丰财主家的少爷，却是一位信仰共产主义的坚定革命者。他曾在自己的老家建起了第一个县级苏维埃政权，并且带头把自己家里的土地和财产分给农民。为此，瞿秋白曾这样赞扬彭湃，称他是“中国农民运动的第一个战士”。

1924年，彭湃在广东首创农民运动讲习所。两年后的1926年，毛泽东担任这个农民运动讲习所的主任，毛泽东在课堂上对学生们如此介绍彭湃：“他是我们的‘农民运动大王’！”

1929年8月30日，彭湃在上海龙华被敌人杀害，时年33岁。第二天，中共中央立即发表宣言，对彭湃的一生作了评价：“他这样的革命斗争历史早已深入全国广大工农劳苦群众心中，而成为广大群众最爱护的领袖。谁不知广东省彭湃，谁不知彭湃是中国农民运动的领袖！”是的，彭湃是中国共产党早期著名的农民运动领袖。曾经有人这样称，他是“一个生死于理想的人，他靠理想活着、工作着，最后也为理想欣然死去”。

然而，就是这样一位杰出的农民运动领袖，却死在叛徒之手，令人特别痛心。

彭湃被捕的时间是1929年8月24日，当时身为中共中央政治局委员、中央农委书记兼江苏省军事委员会书记的彭湃与中共中央政治局候补委员、军事部长杨殷等人在新闸路经远里12号2楼开会，被变节的军委秘书白鑫出卖而被捕。8月30日，他和杨殷及颜昌颐、邢士贞等一同被敌人杀害于龙华监狱。张际春因为是黄埔军校一期学生，所以被保释，幸免于难。

此次叛徒出卖，造成了重要军事领导牺牲的惨重的后果。彭湃大名我们已熟知，军事部长杨殷的名字，今天多数人并不熟识。这位孙中山先生的同乡，由于受孙中山革命思想的影响，从小就立志要当一名为国为民谋幸福的革命党人。杨殷很早就加入了同盟会，在孙中山当选中华民国临时大总统之后，他是总统侍卫，跟随孙中山出生入死，练就一身军事本领。

1922年，杨殷加入中国共产党。之后，他毅然辞去国民政府官职，走上革命者道路，在广东各地组织工人运动，使广东革命蓬勃兴起。

上海五卅惨案后，杨殷与邓中夏等一起组织了声势浩大的省港大罢工，威震四方。后被派往上海从事工运和武装起义。上海滩上的那些帮会“大佬”早已闻知杨殷大名，多次想拉拢他“入帮”。身为革命者的杨殷，怎可能与他们同流合污！

1927年蒋介石在上海发动四一二反革命政变时，杨殷正在广州。驻守广州的国民党反动派疯狂镇压和屠杀中国共产党人，反动军警也把杨殷住处团团包围，哪知杨殷此时早已不知去向……

其实，他是受命隐蔽在另一个地方，正与张太雷、叶挺、恽代英、叶剑英和聂荣臻等策划广州起义。

起义之后，广州成立苏维埃政府，张太雷任代理主席，杨殷任肃反委员。苏维埃政府成立的第二天，张太雷牺牲，杨殷继续与叶剑英、恽代英和聂荣臻等领导赤卫队与反动军阀展开了生死搏斗。

1928年，杨殷赴莫斯科参加中共六大，在六届一中全会上当选中央政治局候补委员和候补常委，并任中共中央军事部长。

会后，杨殷再度到上海中共中央机关工作，在严酷的地下斗争中领导各省相关军事斗争。

1929年8月24日，他与彭湃等五人参加会议时，由于被叛徒白鑫出卖，同时被捕。仅隔一日，他们就被新闻巡捕房引渡到国民党上海市公安局。狡猾的敌人估计共产党方面会对彭湃、杨殷等千方百计实行营救，于是草草进行了所谓的“审讯”后便将五人押解到了国民党淞沪警备司令部。

确实，彭湃、杨殷等的突然被捕让周恩来等焦急万分，劫囚车的计划在第二天就布置并启动实施。但重兵押解的囚车中途突然改变了路线，根本就没有机会下手。

“关于营救我们的办法：一、尽量设法做到五人避免死刑；二、上条不能做到，则只好牺牲没有办法之安、揆，而设法脱免（其）余无口供之三人。”这是杨殷与彭湃联名通过监狱秘密渠道给党中央写的信。信中的“安”是彭湃的代号，“揆”是杨殷的代号。在得知营救无望时，杨殷向组织留下了遗言：“我们在此精神很好。兄弟们不要因为弟等牺牲而伤心，望保重身体为要！”

8月30日，杨殷与彭湃等四人被推出牢房，走向刑场。“朝闻道，夕死可矣！”出狱门那一刻，视死如归的杨殷拖着脚镣向前，犹如奔向新的战场……

革命既是与敌对阵营的生死决战，也同样是对革命者们的价值观和理想信仰的考验，彭湃、杨殷，还有陈廷年、赵世炎、邓中夏、许包野等革命者也都是在担任中共中央领导或江苏省委负责人的岗位上，遭到敌人的逮捕或叛徒的出卖后英勇牺牲的。他们的革命情操高尚而忠贞，给了后人无价的精神遗产。然而，也有同样高职务、同样曾在党内风云一时的人，却经受不住敌人的诱惑与刑罚而变节成可耻的叛徒。

江苏省委连续多位省委书记被捕和牺牲，是因为一个叛徒供出了一批共产党人导致他们被捕，然后其中又有人变节，又导致另一批人被捕和下一届组织的严重摧毁。

化名“孔二”的江苏省委书记被捕后就当了可耻的叛徒，不仅造成了江苏省委本身的损失，也波及上海中央局……

“孔二”真名叫赵林，天津人。想当年他也算是“热血青年”，但当敌人将他关押，逼其在生与死的问题上作出选择时，赵林投降了，双膝跪下，乞求小狱警“给条生路”。于是便成了敌人随时可以使唤的“野狗”，用敌人的话说，那是“放回共产党内部随时可以引爆的一颗臭弹”。

变节后的赵林，被特务机构放回中共党内，依然扮演着上接上海中央局、下连江苏省各地的“省委书记”角色，而且给党内同志的感觉是他的“革命劲头”比过去似乎更足了。

赵林在会上会下比以前更多地强调纪律和安全问题，省委的许多同志觉得这位省委书记的警惕性比历届领导都要强。

但一连串事件发生了：一日上午9点左右，公共租界工部局警察根据密报，在静安寺路附近，将从事地下宣传工作的中共江苏省委宣传部长李默农和他的部下汪铁民逮捕。

翌日中午12点30分左右，位于昌平路677号的江苏省委临时机关又突然被大批军警包围，并现场逮捕了中共中央局委员杨一林、中共江苏省委“书记”赵林、省委组织部领导张子云、刘贵乡及其妻子等10余位江苏省委机关的重要干部，而且搜寻到大量中、英、俄文共产党运动资料。而被捕的杨一林，实际上是上海中央局组织部长黄文容，张子云则是原满洲省委书记、时任江苏省委组织部长的李实。

两天时间内，江苏省委主要机关基本上被敌人“一网打尽”。中共中央非常着急，一时又不知问题出在谁的身上。三天后，经一番“审讯”，包括赵林在内的几位同志又被释放了。

但奇怪的是省委宣传部长李默农却并没有被释放，而是被押解到南京。李默农，在烈士名录上的真名叫“李少石”，他是廖承志的姐夫，一腔革命豪情，又擅长诗词，于是在从上海被押往南京的途中，吟出了一首非常铿锵响亮的革命诗：“丹心已共河山碎，大义长争日月光。不作寻常床箦死，英雄含笑上刑场。”这位有诗人气质的浪漫革命者，后来在监狱里仍然宁死不屈，脚被打断，肺部也被打坏，却没有吐露一个不利于组织的字，体现了共产党人对党无限忠诚的风范和英勇无畏的英雄气概。全面抗战爆发后，李少石作为政治犯被释放。1945年毛泽东赴重庆谈判期间，李少石以周恩来的英文秘书名义，先行到了重庆，公开身份是《新华日报》记者。一天，他代周恩来送柳亚子回家途中与国民党军队相遇，被敌人扫射身亡，牺牲时39岁。

江苏省委这一次被破坏，也让中共上海中央局遭受严重打击。

中共上海中央局的建立，是在1933年中共临时中央政治局撤离上海到苏区后，中共中央决定在上海成立一个党中央的派出机关，代表中央指导领导上海等白区党的工作，并负责同共产国际联系，其全名叫中共上海中央局，简称上海中央局。

由于上海中央局在组织形式上代中央“领导”江苏省委，但另一方面上海市区又隶属江苏省，所以中央任命江苏省委主要领导时，其实很多人的职务是交叉式的，比如他可能是江苏省委组织部长，同时又在上海中央局担任职务，而江苏省委其他领导则并不知道其担任的上海中央局职务。这种交叉职务也是由中共上海组织和中共江苏组织之间的特殊性所产生的，另一方面也可以达到相互监督与支持的作用。

然而，隐藏在党内的“臭弹”赵林这回对江苏省委的“一爆”，竟然使中共上海中央局遭受了成立以来的第一次大破坏。

赵林这颗“臭弹”很快被清除。新的上海中央局立即决定组建以赵立人（别名赵跃珊、郑玉龙、黑大汉）为代理书记的中共江苏临时省委。可此时的上海党组织内已经十分混乱，因为一个重要的角色被捕后变节，必然会引起新一轮的中共组织的大破坏。

1934年6月下旬，上海的国民党警方在阜民路茂兴坊将英美烟草罢工委员会总指挥——中共重要干部周光成逮捕。此人经不起敌人的毒刑，马上声明与组织脱离关系。周光成叛变后，立功心切，便穷凶极恶地带领特务们像疯狗似的到处寻找他所知道的中共组织和相关党员，于是引发了一场震骇上海滩的恶性事件——

6月26日晚，警察在公共租界里的康脑脱路廖州路角，逮捕了李文碧、中华总工会负责人张文清和江苏省委书记郑玉龙。当天夜里8点，在另一处住宅内，逮捕了化名“余淇全”的上海中央局书记李竹声及利月英、王陈氏。9点40分左右，租界警察又在武定路槐荫里74号，逮捕上海工会联合会委员长刘志刚。当夜10点左右，又将化名“林子明”的中央局秘书处负责人李德钊逮捕。11点，逮捕前来此处的中央联络员吴炳生。

27日午夜1点半，警察在康脑脱路长康里12号，逮捕了上海中央局党员李锦峰、陈在葛、王根生等人。

至此，上海中央局完全陷入极端被动的险境。

更要命的是，在这种形势下，已经被捕的上海中央局书记李竹声、江苏省委书记郑玉龙及吴炳生、秦曼云等又相继叛变革命，而且加入了特务组织，并向中共组织发动了更疯狂和彻底的破坏……顿时，上海城内反革命的阴霾密布，大批共产党人不是被抓，就是被杀。

血流成河！

这里要提一下的是，李竹声叛变后，不仅导致了身边的很多同志被捕，而且关联到了远在苏区的革命战线的安全。

这是中共上海中央局再次遭受的毁灭性破坏。

然而，上海的中国共产党人并没有因此而放弃继续革命的旗帜，即使在如此艰难的环境条件下，他们仍然表现出了赤胆忠心和顽强不屈的奋斗精神，虽屡遭国民党的严重打击，却又在被敌人扑灭的烟火堆里重新燃烧起新的革命火焰。

黄文杰接任上海中央局书记后，进行着艰苦卓绝的恢复工作。尤其是在文化界和知识界不断发展新的革命力量、形成了革命的左翼文化总同盟团体，其革命活动一时十分活跃，令国民党当局十分惧怕。于是国民党反动集团也在想办法，他们在特务科训练了约30名特工潜入上海，这些人被称为“红帽子特务”，也读点马列主义和进步书刊，看上去也对革命很积极，用这种伪装手段秘密混进左翼文化队伍，打进中共基层组织。

1935年2月19日，认为时机已到的国民党特务机构，突然向中共上海地区的新组织再次发起进攻。当天夜间至20日清晨，公共租界和法租界共同进行了围捕行动，对设在福煦路的中共密设总机关及其他场所实施包抄围剿，一下逮捕26人且抄获相当多的文件。

同一夜，公共租界工部局新闸巡捕房警员又突袭了公共租界山海关路安顺里11号，逮捕了陈哲生和他的妻子陈林氏。这位“陈哲生”其实就是左翼文化总同盟执行委员田汉。警察又在武昌路广兴里56号逮捕王志忠，在德兴里47号逮捕了陈之超。王志忠即欧阳继修，又名华汉，就是文化总同盟党团书记、上海中央局文委书记阳翰笙。

这一晚，法租界的警方也在另一处逮捕了另一位中共重要人物、自称“朱子明”的男子和同行的女子“李月梅”。这位名叫“朱子明”的男子，就是时任中共上海临时中央局宣传部长朱镜我。与此同时，警察又冲进新永安街三鑫坊1号，逮捕方子平、方谢氏和方子国，方子平就是中共文化界的重要人物许涤新。

中共上海中央局秘书处机关的王抚芝、李文敏、李光林等人也被逮捕，其中“李光林”就是上海中央局书记黄文杰的化名。

一个又一个机构如拔萝卜似的被拔出，更多的革命者和共产党人被押上囚车……

18日夜间，黄文杰（广东兴宁人，曾任上海临时中央局书记，1939年牺牲，时年37岁）和朱镜我（浙江鄞县人，中共江苏省委宣传部长，1941年皖南事件中牺牲，时年40岁）、杜国庠、田汉、阳翰笙等一批共产党人，被国民党特务作为要犯在滂沱的大雨中押解至南京。这些革命者像奔赴战场的勇士，一路高唱《国际歌》和自编的战斗诗篇——

平生一掬忧时泪，

此日从容作楚囚。

——这是田汉在唱。

而许涤新则高歌：

团结如磐石，

斗志似火流。

怒目对狱吏，

狱底不知秋。

军棍与镣铐，

一一身上来。

最后胜利在，

有谁感悲哀！

遭多次毁灭性破坏的中共上海中央局，就是在这样极端艰难的前行之中，依靠革命者高举战斗的火种一次次前仆后继，才使共产主义的信仰之火没有熄灭……

而那些企图通过出卖同志从敌人那里获得苟且偷生机会的背叛革命者，最后没有一个得到好下场——

这是漫长的中国革命历史过程中血与火的另一种景观。我们还是要回到那个革命年代——

在中共党史上，一是李立三“左”倾冒险主义错误，二是王明路线，它们都曾经在1931年前后给中国革命造成巨大的损失，然而这两次错误其实也有本质上的很大不同，前者更多的是造成城市武装斗争过程中革命力量的损失，后者则造成革命全局性的破坏与损失。李立三“左”倾冒险错误尽管也曾对党内同志有过严厉批评与批判，但王明路线对党内持不同政见者采取的是排斥与无情打击，甚至是杀头的极端错误做法。

说到这“两条路线”，不能不说到这两个人：李立三和王明。两人相比，李立三虽有错误，但仍是忠诚的无产阶级革命者和著名的中国工人运动领袖；王明则不同！

李立三是一个革命激情特别旺盛、革命斗志异常坚定的“坦克车”式革命领袖（党内同志对他有过这样的称呼）。他最后是在“文化大革命”中被诬蔑为“里通外国的大特务”，含冤自杀而死。

湖南人李立三从小就很有斗争精神。他在中学时代就给自己起过一个笔名：忧国子。在与一个同学的合影照片上他写下如此一段话：“天下英雄唯使君与吾耳。虽不必有此事实，亦不可无此志气。非敢自负，实自勉也。”从这段话中，可以看出李立三是个什么样性格的人。他后半生曾经对此做过自我批评，说：“那个题词充分反映了我少年时期狂妄自大的坏习气。我在这上面吃过不少亏，后来犯错误，更是与此有直接关系，思之痛心。”正如中央后来给李立三平反时评价的那样，他是个有着“服从真理、谦虚诚恳、勇于自我批评、注意汲取历史经验的高尚品质”和“顾全大局、坚持原则、为人坦率的优良作风”的人。

1917年，比李立三大6岁的毛泽东在长沙发了一则在进步学生中“征友的启事”，结果只来了三个半人，这其中的“半个”就是李立三。事情是这样的：毛泽东的好友罗章龙要介绍刚到长沙读书的李立三给毛泽东认识，毛泽东答应了。于是有一日约定两人在省立图书馆见面“一谈”。见面后，毛泽东像位大先生似的滔滔不绝地讲了一通。李立三一言未发，像个小学生一样，听完就走了，这给毛泽东的印象就是“半个朋友”。

五四运动时，李立三到了北京，进了留法勤工俭学预备班学习。当年10月，父亲卖掉了祖上留下的16亩地，为李立三筹足了200块大洋学费，从此李立三从上海出发赴法勤工俭学，踏上了革命的道路。

李隆郅是李立三原来的名字。因为他做事仗义，所以在留法学生中威望很高，而且他的思想一直比较进步和前卫——

我是一个断梗的浮萍，
随着那风波儿上下飘零。
也到黄浦江头，
也到过潇湘水滨，
也到过幽燕，
也到过洞庭，
今又吹我西天来了。
呼吸那自由的空气，
瞻仰那自由的女神。
我还要唱那自由之歌，
撞那自由之钟，
唤醒可怜的同胞，
惊起他们的酣梦……

这是李立三在旅欧初期写的革命诗篇。他给同学的印象是：为人坦率直爽，襟怀开朗，雷厉风行，但做事有些急躁，说什么事就会立即行动，绝不犹豫和拖泥带水。他对旧世界和反动军阀与无耻政客，从来都是用“打倒”“推翻”“杀掉”等比较激烈的话语，可见他的斗争精神。然而，当留法学生中对勤工俭学出现分歧和过激行为时，李立三又似乎变成了“温和派”，与蔡和森为首的“斗争派”不同，他与赵世炎、陈延年、刘伯坚和陈公培等人坚持勤工俭学是留法中国学生的“主要出路”，尤其强调到工人中去学习的必要性。他自己也身体力行到法国工厂当工人，亲自体验法国工人对革命的热情，并加入蔡和森、周恩来等发起的“旅欧共产党”组织，成为最早的一批中共党员。

1921年秋，因参加抗议法国政府的活动，李立三和蔡和森、陈公培、陈毅等14名中国留学生被法国政府遣送回国……

“他们不要，我正需要！”在上海，陈独秀见到李立三、蔡和森等回国青年们，异常兴奋，留下蔡和森在党中央机关工作，其余人多数被派往全国各地从事工人运动。李立三被派到离自己家很近的安源煤矿搞工运。从此李立三成为中国工人运动的一名杰出领袖，尤其是安源罢工，在毛泽东的领导下，他与刘少奇并肩战斗，威震四方，甚至在罢工胜利后，他的名字被工人们编入“罢工歌”中：

> 工人受苦难尽表，有一英雄天下少。
> 名号隆郅李先生，出洋法国转回程。
> 年纪只有二十四，祖籍湖南醴陵住。
> 他从长沙到萍乡，要救工人出牢墙。
> ……

工人如此爱戴和拥护他。之后，李立三奉命到武汉搞工运，又是干得轰轰烈烈。上海五卅运动爆发时，他是上海总工会委员长，成为让敌人“最记恨的六人”之一。

作为从工人运动中成长起来的革命“坦克车”，在以城市武装斗争为革命中心任务的大上海，李立三在党内的政治地位自然迅速提高，尤其是四一二反革命政变后，革命队伍惨遭破坏，大有被斩草除根之势。为了扭转陈独秀的右倾机会主义，以领导工人武装暴动著称的李立三，在党的六大后，逐渐成为中共中央核心领导之一。当时革命形势十分严峻，加之共产国际的错误指导，针对一些人的畏难情绪，李立三指出：“现在革命果真没有办法了吗？不，不，完全不是的。很明显，中国革命问题一个也没有解决，帝国主义正厉害地压迫我们，封建势力仍然存在，广大群众的生活比以前加倍的痛苦，这种局面能够安宁下去吗？就是没有共产党，恐怕洪秀全、杨秀清之流也要起来造反……单纯的白色恐怖之上，绝不能建设长期的统治，所以客观上证明革命是一定要来的。只怕我们不努力，坐待世界大战及世界革命的爆发。若只是坐待，那就恐怕到了爆发的时候，还是没有办法。‘睡在树底下毫不动手，只说果子不到口里来’，这是极可耻的懒汉。果子生在树上快要成熟了，赶快准备我们的梯子，上树去摘吧！”

八七会议后，党内也有相当多的同志认为“最黑暗时刻已经过去”，“革命将爆发新的高潮”。作为决策层的党中央，此时也都是些三十来岁的青年人，特别是敢干好动的李立三，在这个时候更容易接受革命冒进主义的影响，而当时共产国际正在反右倾，在这样的主客观条件下，李立三发表了《准备建立革命政权》，号召全党“去建立革命政权将要成为策略路线的中心问题”，并“要首先建立一省或几省的革命政权”，而且“只要产业区与政治中心爆发了一个伟大的工人斗争，便马上可以形成革命的高潮”。

之后，李立三又连续在中共中央机关刊物上发表了《准备建立革命政权与无产阶级的领导》《怎样准备夺取一省与几省政权的胜利的条件》《中国革命与世界革命》《论革命高潮》等一系列文章，好似阵阵激昂的战斗号角，向全党和全体革命者发出了夺取政权的战斗命令。

此时以李立三为首的中共中央完全进入了革命大高潮前的狂热情绪，但这些不切中国革命实际的狂热革命情绪对革命造成了更大的损失：上海罢工再度惨败，完全没有了当年五卅运动时能够发动八十多万工会会员参加的气势，执行具体任务的江苏省委又对中央号令抵触，李立三发怒，干脆自己兼任江苏省总行委书记，接掌省委行使领导权力，老资格的何孟雄、林育南站出来反对李立三的做法，遭到李立三的严厉批评和打压，上下级发生严重分裂。此时，国民党特务机构利用共产党内部分裂，又屡屡破坏在上海的中共中央机关和各区组织，逮捕大批共产党员，使得革命中心的上海革命烽火再度遭受毁灭性的打击。

上海的罢工没有成功，李立三又去南京组织士兵暴动，结果更坏：不仅士兵暴动未获成功，党组织和共产党主要负责人公开暴露之后，敌人立即反扑，中共南京市委机关连续遭到破坏，市委主要负责人及基层负责人共100多人被捕，多数被杀害。南京地区的党组织惨遭史上第六次大破坏。武汉的暴动命运同样，本来此时的武汉革命力量已经非常薄弱，只有300多人和150来位工人赤卫队员，但这些人还是按照李立三的指挥，组织起义，结果被反动武装镇压，60名共产党员被捕，最后36人被杀害。

李立三“左”倾冒险错误对革命造成的损失不仅在城市，还使各地的红军在强行攻打城市过程中屡遭失败。比如攻打长沙和武汉的战斗，都损失了大量红军有生力量。

城市街头无数共产党人的头颅和前线红军将士的鲜血，让李立三和中共中央开始清醒，中国共产党内部对错误采取了及时的纠正措施。然而，尚且年轻的共产党却在这个时候，接受了更严重的错误路线的指导——共产国际的插手和王明篡夺中共中央的最高权力，这造成的危害比立三“左”倾冒险错误更严重。

1931年元旦前后的上海异常寒冷，呼啸的北风，刮得黄浦江上的水面浪涛滚滚……

1月7日一大早，常委何孟雄怀着几分复杂的心情，披上大衣，匆匆从家里赶到武定路修德坊6号（今武定路930弄14号）的中共中央秘密开会地。

风雪之中的何孟雄看上去脸色阴沉，但斗志不减，脸庞上泛着一股永不屈服的刚毅。没错，他就是这样一个人，党内同志一直称他是“屡战屡败而又永不言败”的斗士。

“是的，我从参加革命的那天起，就是革命的斗士。”何孟雄多次自喻。只是，近期的他，内心十分压抑和悲凉，一则因他在党内第一个站出来反对立三“左”倾冒险错误，结果让不少同志对他有看法；

二则妻子去世，留下年仅5岁和3岁的两个孩子。但这些不重要，对一个职业革命者来说，何孟雄最痛苦的是，他自1927年夏奉命来到上海之后，在党内与中央领导之间出现许多观点和决策上的分歧。

何孟雄怀念在北方时的工作。有时他经常这样想，那个时候多爽啊，即使今天不知明天的生与死，但“朋友”和“敌人”的概念非常清晰，要么是反动军阀和资本家，要么是亲爱的“工人之友”。

“诸位朋友！我们又很久未相见，今夜得聚一堂，我心内觉得快乐！”瞧，这是何孟雄作为北京地下党的负责人之一，在工人俱乐部演讲。

> 今日我的讲演题目是《谁是工人之友？》。是的，诸君不要误会：谁也是朋友，认得的就是朋友，即时常破坏工人团体的坏蛋，也可以说是朋友。然，我今说的朋友的意思，却有点不同，我要下个定义：凡对工人运动具极大的热忱，首为工人的利益牺牲地位，牺牲生命，不论经历什么痛苦都不退却，没有一点利用的心思，不骗工人，这种人才是工人之友。
>
> 这其中世界上最出名的莫过于马克思，外国工人没一个不知道他。他是大学毕业生。他看见工人的苦，他从事社会革命，他找出很多的办法，要工人得到满足的生活，并且著有很多的书，能当为工人革命的圣经。
>
> ……
>
> 诸君，你们一定要认清你们的友人！总之，无论何人，他肯为你们的利益，牺牲时间，金钱，大则生命，那么你们就要表示相当的敬意，并极力地援助！因为他们就是你们的友人！

那个时候的何孟雄意气风发。这位爱吃辣椒的湖南人生来就有一种斗争天性，但他的目标清晰，尤其是跟随李大钊之后，从直接参与五四运动，到参与第一个北京共产党早期组织建设，何孟雄三次被关进敌人的监狱，然而每一次出狱，他的革命意志就更加坚定，而且斗争的经验也比前一次更丰富。之后，他与李大钊、邓中夏等革命者，在长辛店、唐山（何孟雄曾任唐山市委书记）及天津等地点燃了许多革命火种，也正是这些实际斗争的革命经历，让何孟雄更注重革命的实践性。

1927年8月，何孟雄到中共江苏省委工作时，正值江苏省委遭严重破坏的关键时刻。他与妻子，也就是中共历史上第一位女共产党员缪伯英（1929年因革命工作过度劳累而病逝于上海仁济医院，时年30岁）一起来到上海，从此一直在江苏省委工作。

初来乍到的何孟雄，似乎不太适应上海的政治环境，于是他选择到农村去从事革命。他假借“夫妻吵架”之名，三次“出走”到了苏北淮安去开展那里的农民运动，重建了四个县的党组织，并亲自领导了那里的武装暴动。虽然暴动仅三天就失败了，但何孟雄很快认识到了由他自己制订的第一次江苏农民运动计划的错误性，并着手起草了后被江苏省委通过的《江苏省关于接收共产国际执委二月会议中国问题决议案的决议》。在这个决议中，他对当时党中央的盲动主义进行了尖锐批评，党史上称之为“五月决议”。以一个党员和一个省委名义向中央提出严厉批评，这是何孟雄的首创，从此也让何孟雄这个“老倔头”的名称传开了。

那一段时间的江苏省委工作，特别是由何孟雄和李富春主持的农村革命运动取得了很大胜利，并且对农村工作总结出了许多有益的经验。如何孟雄指出：“散乱的飘袭的离开群众的发动失败的游击战争固应反对，但必须说明乡村斗争的形式与城市不同，一发动就容易很快地走到武装冲突，不能以一般城市暴动的条件来范围乡村的斗争。乡村武装斗争只有采取游击战的策路，这种游击战争绝不是脱离群众的离开本地争斗，而是努力使争斗的区域布置成一作战的形势。用分成细小的武装去包围袭击敌人，努力使零星部分的争斗能够汇成总的争斗。”这是1927年历史条件下的关于农村革命斗争的总结。他根植于中国农民运动土地革命的战略策略思想，与毛泽东当时在井冈山建立革命根据地的“农村包围城市”经验完全吻合。

何孟雄是位具有独立政治主见和斗争思考的革命家。也正是由于这个原因，他到任后的江苏省委工作有了不同以往的突出成绩，这也让当时党的总书记向忠发承认江苏省委是“有成绩的”，江苏省委是全国“最强”的省委。但不久，中央突然对江苏省委进行了“改造”，由中央领导直接兼任江苏省委及上海的领导。这让很多同志大为震惊。

后来，由于多种原因，中央没有继续“改组”江苏省委，但却来了个更大动作：解散江苏省委，除了保留原来两名省委常委外，其余全部调派到上海，从事上海工运。何孟雄也没例外，他被调任至上海沪西区委工作。

受到排斥的何止是何孟雄一个人？恽代英、邓中夏等都是这样的命运。于是倔强的何孟雄在中央会议上，公开站出来同李立三等争辩，并直接写信给党中央，一次又一次地陈述自己的意见。

由于李立三“左”倾冒险错误的影响，何孟雄差点被开除出党。然而何孟雄很快发现，新的省委领导比李立三还要命，这位新领导就是王明。

“为什么撤掉我的职务？”在沪中区委书记岗位上才几天的何孟雄，突然有一天接到“省总行委”通知，说他被撤职了！对中国共产党早期革命家何孟雄来说，并没有多少在乎职务，问题是：他到底错在哪里？

倔强的何孟雄在区委办公室的那个小房间里，以忧党忧国的赤子之心，疾书两万余字，写下了著名的《政治意见书》，以一名老党员的名义，向党中央表述了他长期研究和积累的中国革命理论观点与策略主张。何孟雄所述的问题，都是当时中国共产党面临的重要理论问题和实践问题。在《政治意见书》的最后，这位年轻的中共老战士难掩激动道：“十年来我为无产阶级革命为党工作，没一天不是站在最前线，当这紧张时期使我不能站在最前线与阶级敌人拼死，到亭子间来，说不尽我苦痛和难过，这是要对党表示出来！”

然而，以王明为代表的中央，并没有理会何孟雄的一片赤子之情和对党的忠诚之心。他们漠视他的意见，而此时何孟雄接到中央发的“第96号通告”，说是要召开一个中央紧急会议——他认为会议就是讨论他所写的《政治意见书》，所以兴冲冲地赶到会议地址。

何孟雄在去会场的路上，是满怀信心的，因为在1930年底召开的中央会议上，就何孟雄的问题，中央专门作出了一个《关于何孟雄同志问题的决议》，该决议肯定了何孟雄的意见一般是正确的，取消了对他的错误的组织处分，并公布了他的意见书。

这是我们党内少有的为一个同志而专门作出的决议，可见何孟雄问题当时在党内是一件非常大的事。

然而当他一到会场，发现自己的判断全错了。党的总书记向忠发突然宣布：“今天的会议是经过共产国际批准的”六届四中全会。何孟雄等一听与“通告”上所说的会议不一样，便立即表示反对。

会议现场顿时出现混乱。时任全总执委的张金保后来这样回忆那次会议：“我到会场时，很多人已经先来了。我记得参加会议的有王明、博古、王稼祥、向忠发、周恩来、瞿秋白、沈泽民、史文彬、陈郁、陈原道、顾顺章、肖道德、徐锡根、罗章龙、张闻天、王凤飞、徐蓝芝、袁乃祥、王克全、何孟雄、沈先定、许畏三、余飞、韩麟会及国际代表米夫等三四十人，翻译是徐冰。从这些会议参加者可以看出，王明从中搞鬼，他把自己同观点的人拉来参加会议。而按照召开紧急会议通知，已到达上海的六届中央委员、满族省委的唐宏景同志一直住在旅馆，根本就没派人去领他到会场，使他无法出席这次会议。此外，会议开始前还发生了一场冲突：有一个铁路上的党负责人，突然闯进会场，大声说，为什么不通知他参加这个会议？我想他大概应当参加这个会的，而且还知道这个秘密会场，可能王明故意不让他参加。后来此人被强行拉了出去……”

由于会场出现混乱，无法继续下去，最后只好就所谓的“六届四中全会”的合法性进行投票，结果19：17，王明那边多了两票。显然何孟雄他们根本不服这种被操纵的会议议程。但王明在共产国际代表米夫的支持下，总算强行当上了实际上的中共最高领导。

1931年1月7日的这次临时改变了会议内容的“六届四中全会”，对在上海的中共组织内部产生了巨大的冲击：一方面，代表共产国际的王明实际上掌握了中共中央领导权，原领导瞿秋白等实际上靠边站；而何孟雄等反对立三“左”倾冒险错误的人，则被诬蔑为“反对中央”（实际上是反对王明）的“右派”。

此时出现了让许多党内同志无法理解的形势与局面。“代英、中夏的命运，就是我们这些人明天的命运了！”“不行，必须制止这种不正常的错误路线！”

林育南和李求实听了何孟雄传达的中央会议精神后，义愤填膺，因为他们都曾是恽代英的战友，他们亲爱的战友、中国的青年领袖深陷敌牢之中，命运未卜（当时恽代英还没有牺牲）。林育南、李求实，都是五四运动时与恽代英在武汉从事学生运动的骨干，也是中共创建初期的中共党员，具有坚定的革命信仰和丰富的斗争经验。他们与何孟雄等有着共同的忧国忧党情怀，尤其是对李立三“左”倾冒险错误和王明那一套脱离中国革命实际的做法很反感。

“他们的做法是错误的，我们应当向全党同志表明态度，大家一起来帮助我们的党纠正错误，不能再犯这样的严重错误了！”

“对，写一封《告同志书》吧！”

“我赞同！”

于是，就在1月8日这一天，何孟雄、林育南、李求实等18位反对六届四中全会的中共党员在党内发表了一份《告同志书》。

这对王明和共产国际代表米夫来说，犹如头顶轰雷！这还得了？

1月13日，米夫以共产国际代表身份，出席了反四中全会的干部会议。会场气氛极其紧张。米夫挥舞着双拳，指着何孟雄等人的鼻子，高喊着：“你们反对共产国际代表，就是反党！”“反对共产国际同意召开的六届四中全会，就是反对共产国际！”

“帽子”一顶顶地压过来。何孟雄这些中国共产党的老党员们才不怕米夫这一套呢！于是，党内的斗争也到了白热化的程度。

这也导致了1931年1月17日至18日发生在上海的“东方旅社事件”——

老上海的“东方旅社”在汉口路、浙江路的西南角，门牌号为“三马路222号”，即现在的汉口路613号。这所在当年属中等规模的西式旅社，据说在当时的上海也算是比较时尚的旅店了。该旅社始建于1923年，有110间房间。因为时尚，所以中共上海地下党为了遮掩敌人耳目，由一批著名的文化人出面租下了这家旅店的几个房间，筹备召开中华苏维埃第一次全国代表大会。地下党组织就利用这一地方，定期到这儿“聚会”，借此研究讨论和交流时局形势与传递情报、传达党的精神。以前的日子似乎都还平静。然而，自中共“六届四中全会”召开之后，这里变得再也不平静了。

17日，一些预先约好的反对王明、米夫把控的“四中全会”的中共干部——主要是以原江苏省委的中共党员们为主准备在此开会讨论相关问题。谁也没有想到的是：这一天中午过后的1点40分左右，大批警察包围了东方旅社，之后又在中山旅社、华德路小学等连续“守株待兔”，共抓捕共产党人和左联人士共36人，这就是轰动上海的“东方旅社事件”。

何孟雄、林育南、李求实、欧阳立安、恽雨棠等中共高级干部及柔石、殷夫、冯铿等左联著名人士共36人，被敌人“一网打尽”。

之后，残暴的敌人将何孟雄、林育南、李求实、恽雨棠以及柔石、殷夫、胡也频、冯铿等24名共产党人，秘密地枪杀于龙华国民党淞沪警备司令部看守所后院的那块草地上……

这就是我们今天所知道的“龙华二十四烈士”。它像一块异常沉重的铅石，一直压在中国共产党人心头，也让许多活着的革命者想起它时感到特别悲凉——

这是自四一二反革命政变后残暴的敌人第一次如此大规模的屠杀革命者，且是秘密屠杀；据说是一个《红旗报》记者把他们出卖了，但根据当时地下党的规矩，如此多的且在不同战线上的共产党人被抓捕，绝不像一个普通记者党员所能做得到的。那么又是谁出卖了这些革命者呢？

令人气愤的是，就在何孟雄等被捕的第二天，王明竟然在上海活动分子会议上又点名骂何孟雄是“反四中全会的右倾机会主义分子”。在何孟雄入狱的第三天，他5岁的儿子和3岁的女儿连同保姆一起被抓进监狱。监狱地下党支部通过秘密渠道就如何营救何孟雄等人向党组织征求意见时，王明不仅丝毫没有同情心，反而通知狱中党支部，说何孟雄等新进去的人都是“右派”，不许他们与党组织接上关系，意思是：不用营救他们。这如同正在战场上与敌人搏杀的将士突然背后被“自己人”猛捅一刀！

与之相反，被关在同一囚室的何孟雄、林育南、李求实三人仍在忧党忧国忧民，他们在极其艰苦的监狱条件下，思考着如何纠正党内的左倾机会主义路线，联名向共产国际写信：一、反对国际代表不是反共产国际；二、国际代表处理问题不符合中国国情。米夫无视中国已有大批德才兼备的干部队伍，犯了教条主义和宗派主义的错误，以一小撮亲信作为改造中国党的唯一干部来源，这是危险的。何孟雄等革命者以对党的赤胆忠心，在生命的最后时刻，将这封“意见信”交给狱中邻室的一位叫黄理文的难友。而他们则在1931年2月7日那个寒冷的夜晚，同其他革命者一起，被敌人拉到离监狱不到400米的一块荒草地上残忍地杀害了……

那年——

林育南，33岁；

何孟雄，33岁；

李求实，28岁；

龙大道，30岁；

欧阳立安，17岁；

恽雨棠，29岁；

罗石冰，35岁；

王青士，24岁；

蔡博真，年龄不详；

伍仲文（蔡博真妻子），28岁；

段楠，23岁；

李文（恽雨棠妻子），21岁；

柔石，29岁；

胡也频，28岁；

殷夫，21岁；

冯铿，24岁；

费达夫，24岁；

汤士佺，26岁；

汤士伦（与汤士佺是兄弟），24岁；

彭砚耕，35岁；

刘争，31岁；

贺治平，年龄不详。

……（至今仍有两名烈士不知姓名。）

龙华千古仰高风，壮士身亡志未穷。
墙外桃花墙内血，一般鲜艳一般红。

1933年，时任中共沪西区委书记的张恺帆被捕后住在何孟雄住过的牢房，听说了“龙华二十四烈士”的故事，于是感慨万千地写下了这首诗，并将它写在囚室的墙上，以激励战友们的革命意志。

何孟雄等24位“龙华烈士”是个悲剧，它既是国民党反动派犯下的罪行，同时也是立三“左”倾冒险错误、王明路线所留下的一个恶果，是值得全党铭记的历史教训。

好在1945年党的六届七中全会上，在毛泽东主持下作出的《关于若干历史问题的决议》中称：“林育南、李求实、何孟雄等二十几个党的重要干部，他们为党和人民做过很多有益的工作，同群众有很好的联系，并且接着不久就被敌人逮捕，在敌人面前坚强不屈，慷慨就义……所有这些同志的无产阶级英雄气概，乃是永远值得纪念的。”

陈毅元帅曾经有过对何孟雄的一段评价，他说何孟雄是他在北京中法大学搞国民革命运动的直接领导，他特别敬佩何孟雄的英勇斗争精神，曾无限钦佩地说：“孟雄一生坎坷，宗旨不改，不仅不改，还一再向党要工作。孟雄是真英雄！”

何孟雄幼年父母双亡，与兄长相依为命，五四运动时，他营救32位“北大”难友时就是位冲锋陷阵的勇士，这是他第一次被捕；1920年他带领7名工读互助团员上街游行，第二次坐牢，他带头绝食7天才获释放，为此被人称为“在中国第一次为五四运动而入狱的少年领导者”；1920年，他赴俄国伊尔库茨克出席远东大会，行至黑龙江时又被反动军阀逮捕；1924年，他与李大钊等又被反动军阀列入黑名单……这是一个年轻共产党人在敌人那里的遭遇。

当年小吏陷江州，今日龙江作楚囚。

万里投荒阿穆尔，从容莫负少年头。

这是当年何孟雄在黑龙江被捕后在狱中的题壁诗。何孟雄是共产党少有的历经无数磨难而从不减革命锐气的钢铁斗士。他的妻子缪伯英，中国共产党第一位女党员因劳累致病，去世前，曾握着丈夫的手，关切和担忧地说：“我走了，以后谁还能为你挡风遮雨？”当时何孟雄为妻子的这句话泪流满面，说：“我们一起相信党吧！”作为中国共产党早期的一对革命者夫妇，他们就是这样紧握着双手，完成了生死分别。

何孟雄是中国共产党早期的一名高级领导干部，他以党性原则向组织提出自己的不同见解之后却屡受打击与歧视，然而他从未因此颓废消极，而依然心怀纯真和激情。入狱后，何孟雄的身份已被敌人知晓，而且由于叛徒的“交底”，敌人知道了他在党内受排挤的事，于是不怀好意地跟他说：“你们党内闹宗派，有人告密出卖了你们。像你这样有本事的人，何必再为一个不信任你的政党卖命呢？”何孟雄理直气壮地回答说：“我们党是有缺点、有错误，但经过斗争可以克服，你们抓住这一点是没有用的。我们共产党不像你们国民党，你们是反人民，我们党光明正大，越斗越坚强。你们才是这一派、那一派，相互争权夺利，根本不可能有希望。你们希图我们共产党因一些缺点、错误就会失败于你们？那是痴心妄想！国民党终究灭亡，共产主义必然胜利！”这就是铁骨铮铮的何孟雄。

这样的共产党人，他们的英灵，永远闪光，并且不断照亮后人的前行道路……

第七章
革命者只求生命之花的美丽绽放

我在很小的时候，就读过鲁迅的《为了忘却的记念》一文，那个时候只知道是鲁迅的文章，而并不理解文中提到的那些人被敌人杀害后的那种悲愤——现在知道了。他们曾经在鲁迅那里，时常像一团团炽热的火焰，给鲁迅带去很多很多的青春活力，所以当这些有志向、有朝气又能做事的青年突然被人残暴地杀害后，鲁迅先生气愤至极，导致了他两年以来，“悲愤总时时袭击”其心，这对勇于斗争、善于斗争的鲁迅来说，是少有的事情，于是这位文坛斗士便有了下面这些激愤的文字（选段）：

一

我早已想写一点文字，来纪念几个青年的作家。这并非为了别的，只因为两年以来，悲愤总时时来袭击我的心，至今没有停止，我很想借此算是竦身一摇，将悲哀摆脱，给自己轻松一下，照直说，就是我倒要将他们忘却了。

两年前的此时，即一九三一年的二月七日夜或八日晨，是我们的五个青年作家同时遇害的时候。当时上海的报章都不敢载这件事，或者也许是不愿，或不屑载这件事，只在《文艺新闻》上有一点隐约其辞的文章……

四

可是在中国，那时是确无写处的，禁锢得比罐头还严密。我记得柔石在年底曾回故乡。住了好些时，到上海后很受朋友的责备。他悲愤的对我说，他的母亲双眼已经失明了，要他多住几天，他怎么能够就走呢？我知道这失明的母亲的眷眷的心，柔石的拳拳的心。当《北斗》创刊时，我就想写一点关于柔石的文章，然而不能够，只得选了一幅珂勒惠支（Kathe Kollwitz）夫人的木刻，名曰《牺牲》，是一个母亲悲哀地献出她的儿子去的，算是只有我一个人心里知道的柔石的记念。

同时被难的四个青年文学家之中，李伟森我没有会见过，胡也频在上海也只见过一次面，谈了几句天。较熟的要算白莽，即殷夫了，他曾经和我通过信，投过稿，但现在寻起来，一无所得，想必是十七那夜统统烧掉了，那时我还没有知道被捕的也有白莽。然而那本《彼得斐诗集》却在的，翻了一遍，也没有什么，只在一首《Wahlspruch》(格言）的旁边，有钢笔写的四行译文道：

生命诚宝贵，
爱情价更高；
若为自由故，
二者皆可抛！

又在第二叶上，写着“徐培根”三个字，我疑心这是他的真姓名。

五

前年的今日，我避在客栈里，他们却是走向刑场了；去年的今日，我在炮声中逃在英租界，他们则早已埋在不知那里的地下了；今年的今日，我才坐在旧寓里，人们都睡觉了，连我的女人和孩子。我又沉重的感到我失掉了很好的朋友，中国失掉了很好的青年，我在悲愤中沉静下去了，不料积习又从沉静中抬起头来，写下了以上那些字。

要写下去，在中国的现在，还是没有写处的。年青时读向子期《思旧赋》，很怪他为什么只有寥寥的几行，刚开头却又煞了尾。然而，现在我懂得了。

不是年青的为年老的写记念，而在这三十年中，却使我目睹许多青年的血，层层淤积起来，将我埋得不能呼吸，我只能用这样的笔墨，写几句文章，算是从泥土中挖一个小孔，自己延口残喘，这是怎样的世界呢。夜正长，路也正长，我不如忘却，不说的好罢。但我知道，即使不是我，将来总会有记起他们，再说他们的时候的……

鲁迅这篇文章是在“龙华二十四烈士”遇难两年后的1933年2月7日至8日写的，这样一篇只有几千字的文字，鲁迅却用了两天时间才写完，足见当时他心头的悲愤至极。正如他所言，那些年里，他“目睹许多青年的血，层层淤积起来”，将他“埋得不能呼吸”，这是一位文坛革命斗士对无产阶级革命者的手足同志情。

鲁迅文章中提到的殷夫，是“左联”的一位重要成员，也是20世纪二三十年代有重大影响的革命诗人，生前受到鲁迅的热心关怀与指导。殷夫出自编诗集《孩儿塔》时请鲁迅为他写序，在这篇序言中鲁迅这样评价：殷夫不单是一个诗人，他首先是一个革命战士。

的确，殷夫首先是一位革命战士。这位出身于小资产阶级家庭的知识分子，后来成为一个革命战士，是有一个过程的——殷夫本名徐柏庭，他有三个哥哥、两个姐姐，大哥还是国民党的高级军官，是位留德知识分子，当过国民党航空署长。哥哥曾经力图按自己的模式“塑造”弟弟，但殷夫并没有按照哥哥的意愿去做，而是悄悄地参加了革命。他的行动，被母亲看在眼里，然而母亲并未阻拦，只说“一切你要自己小心”。殷夫为此十分感激母亲，创作了重要的诗篇：《东方的玛丽亚——献给母亲》《给母亲》。

殷夫牺牲时才21岁，但他已经是位影响很大的诗人和坚定的革命者了。1923年，13岁的殷夫用“徐白”的名字考上了上海民立中学，之后又上了浦东中学。在这里，他开始参加革命运动，并加入了共青团。四一二反革命政变期间，17岁的他被人出卖关进了监狱3个月，差点被枪杀，是当国民党高级军官的大哥保释才脱险的。

“你小子以后不要胡闹了！好好念你的书便是！”出狱后，大哥生气地教训弟弟道，“我告诉你，时局马上要变，你们胡闹下去非吃大亏不可！”

殷夫反问哥哥：“时局要变？变成啥样？你怎么知道？”

大哥不便把“老蒋”对付共产党的底牌告诉这倾向“共产党”的弟弟。于是大哥只能蛮横地教训弟弟道：“你别管这些！以后啥地方都别去了，就在我身边待着！”

大哥将殷夫软禁起来，并把他送到老家浙江象山，让他准备报考大学。上了枷锁的殷夫并没有放弃对革命的追求，他写下了很多诗歌，期待着重新回到火热的革命运动中去。同时他又借这个机会学习了英文、德文、俄文，并且达到了自译的程度，这对他后来翻译许多苏联革命文学起了很大帮助。这时的他，一直在关注上海的革命文学刊物。他把自己写的一首长诗《在死神未到之前》寄给了《太阳月刊》后，得到著名诗人蒋光慈和文艺理论家阿英的极大欣赏。阿英后来回忆说：“我立即被这诗篇激动了，是那样充满着热烈的革命感情，从附信里也证明了他是‘同志’，于是我情不自禁地提起笔，约他到上海见面。还很快的，以非常惊喜的心情告诉了光慈、孟超和其他同志。”

殷夫后来如约又到了上海。他确如鲁迅在《为了忘却的记念》中写的那样“年青”“面貌很端正，颜色是黑黑的”，中等身材，留着短发。阿英与殷夫交谈时确实发现他说话声音低低的，像在秘密会场似的，并且每一句话很短，很明快，但很诚恳，“显示了革命的朴素风格”，但“他的诗句里又如团团喷射的火焰，是一个完全的理想主义革命者”！阿英对年轻的殷夫如此评价。

殷夫从此正式成为革命文艺战线的一员，他被吸收为“太阳社”成员。1928年秋，他在参加一次革命活动时，被混入同济大学内部的特务抓捕，再次坐牢。此时他的大哥到了德国留学，是其嫂子出面保释了他，但条件是“必须回到象山老家待着”。在哥哥姐姐眼里，殷夫总像个“缺少管教的孩子”，打发回老家是对他的“惩罚”。然而此时的殷夫已被革命浪潮所激荡，故乡的山水和路途的距离怎能压制得了他渴望革命的热情与战斗豪情？同时他又一边反省自己内心的“非革命性”，正如他在《“孩儿塔”上剥蚀的题记》中所自我剖析的那样：“我的生命，和许多这时代中的智识者一样，是一个矛盾和交战的过程，啼、笑、悲、乐、兴奋、幻灭……一串正负的情感，划成我的生命曲线。”“现在时代需要我更向前、更健全。”那革命的渴望他更是强烈，如他在《归来》的诗篇中吟唱道：“归来哟！我的热情，在我胸中燃烧，青春的狂悖吧！革命的赤忱吧！我、我都无限饥饿！归来哟！我的热情，回复我已过的生命！”

当后来又与“组织”联系上后，他在《我醒时》里高喊起来：“我醒时，天光微笑，林中有小鸟传报，你那可爱的小名……只有你的存在，我的生命才放光芒！”

1929年底，殷夫在姐姐的帮助下，离开象山，回到上海，这次他与家庭断绝关系，开始了真正的革命职业生涯。从此，一个革命诗人在上海闪闪发光……

血液写成的大字，
斜斜地躺在南京路，
这个难忘的日子——
润饰着一年一度………

……
我是一个叛乱的开始，
我也是历史的长子，
我是海燕，
我是时代的尖刺。

“五”要成为报复的枷子，
“卅”要成为囚禁仇敌的铁栅，
“五”要分成镰刀和铁锤，
“卅”要成为断铐和炮弹！
……

他的《血字》在上海街头成为学生和工人们纪念五卅运动的战斗檄文。

让死的死去吧！
他们的血并不白流，
他们含笑地躺在路上，
仿佛还诚恳地向我们点头，
他们的血画成地图，
染红了多少农村，城头。
他们光荣地死去了，
我们不能向他们把泪流。
敌人在瞄准了，
不要举起我们的手！
……

《让死的死去吧！》的诗篇里，我们看到了一位青年革命者的爱憎分明的立场。此时的殷夫，已经不仅仅是只会站在革命的岸头振臂高呼的人了，他已经带着他的战斗武器——革命诗篇，去街头领着无产阶级战士去战斗了——

在今天，
我们要高举红旗，
在今天，
我们要准备战斗！
怕什么，铁车坦克炮，
我们伟大的队伍是万里长城！
怕什么，杀头、枪毙、坐牢，
我们青年的热血永难流尽！
……
杀不完的是我们，
骗不了的是我们，
我们为解放自己的阶级，
我们冲锋陷阵，奋不顾身。
……

20岁的殷夫的这首《五一歌》，不仅成为当时上海人民纪念五一劳动节、与敌人战斗的号角，而且还在诗风上突破了五四时期抒情诗的格调，创造了音律铿锵、意境高昂、笔触粗犷而富有无产阶级革命激情的战歌，达到了殷夫本人的创作高峰，与其他革命文艺工作者的作品共同起着动员群众和鼓舞革命的作用。

就在这个时候，殷夫也走进了鲁迅的“圈子”。尤为当今青年人喜欢的那首匈牙利革命诗人裴多菲的“生命诚可贵，爱情价更高。若为自由故，两者皆可抛”的光辉诗篇，就是当时殷夫以“白莽”的笔名翻译并亲自带着译稿找到鲁迅门下的。

革命者殷夫，此时正如鲁迅所言，更多的是“一位革命战士”。1927年7月，19岁的殷夫因参加丝厂的一个罢工，被捕入狱。囚禁一段时间后获释的他，身上什么都没有了，从朋友那里借得一身长衫后去见鲁迅，不好意思地在老师面前说：“这回是第三次坐牢了。自己出来的，前两回是哥哥保出的，他一保出，我就失去自由，这回我不通知他了，想得个自由……”

鲁迅听后哈哈大笑，此后更加喜欢这个浙江小老乡。然而这一回也是鲁迅与殷夫最后一次见面，鲁迅给了当时身无分文的殷夫一些经济上的帮助。

殷夫第四次坐牢，是接到“组织通知”，说是到“东方旅社”开会……他和其他同志一起刚刚坐下不久，就被持枪的敌人逮捕，并再也没有出狱，被敌人杀害在龙华那座地狱里。他曾写过一首《梦中的龙华》，描述里面是“魔鬼和血”的地方。

与殷夫一起被鲁迅写入纪念文章的柔石，应该是鲁迅真正意义上的学生，而且鲁迅特别喜欢他。正如鲁迅所写的那样，柔石与鲁迅一起出门，柔石总是像照顾自己年长的父亲一般，生怕他的脚踩空，生怕他被什么东西绊倒，总之格外小心，关怀备至。这些都让生活能力颇弱的鲁迅很是感激，因此在听说柔石被害后，他像失去自己的亲儿子一般痛苦，甚至亲自为柔石写传记，这在鲁迅一生中是极少见的。他俩关系深到柔石为了革命需要，不能用自己笔名投稿发表文章时，干脆直接用鲁迅的名字。之后有人将这些文章一起收入鲁迅的作品出版，鲁迅也并没有反对，可见两人的师生情谊超越了一般人。

也正是因为如此，柔石之死让鲁迅悲愤不已。

出生于宁海的柔石，或许骨子里也有一种铁骨铮铮的性格，所以让鲁迅一见如故。当然，这也跟柔石在认识鲁迅之前就走上革命道路的经历有关。

柔石的原名叫赵平福。16岁那年考上了浙江省立第一师范学校，那是1918年的事。年少的柔石第一次走出大山，从宁波港乘船先到了上海，再奔杭州。第一次出远门，就见到了三个大城市，尤其是上海和杭州，让柔石从此知道了"外面的世界更灿烂"。他上浙一师时，正逢这所"浙江革命熔炉"的鼎盛时期，尤其是后来受到被称为浙一师新文化运动"四大金刚"的陈望道、刘大白（后在复旦大学执教，是复旦校歌词作者，1932年去世）、李次九和夏丏尊（因受日本侵略者迫害，于1946年去世）的影响，柔石在入学的第二年就接受了五四运动的洗礼，原本只想"好好念书"的他，看到自己尊敬的经亨颐校长和陈望道等"四大金刚"被解聘，以及他十分欣赏的同学、进步刊物《浙江新潮》主编施存统被开除等触目惊心的事件后，柔石有了"现今中国之富强，人民之幸福，非高呼人人读书不可"的全新认识。

然而，生活在那个时代的柔石，像绝大多数青年一样，他们一方面在接受进步的思想潮流，另一方面又受到来自家庭和社会等各方面的旧势力干扰，他们的追求仍受到束缚。柔石在省城上大学，他家人为了"锁住他的心"，在老家给他找了个"门当户对"的农村媳妇，让身处新潮生活中的柔石陷入了一种矛盾的境地……这与他革命战士的人生追求发生了严重的冲突，他的许多作品中都流露出这种挣扎又不能摆脱的痛苦。五四时期的许多人都经历过这种人生过程，包括鲁迅、茅盾、陈独秀等。

这种痛苦与挣扎，是那一个时代的青年所面临的一场人生搏杀——

活着要活的痛快，
死了便死个清确，
平复！莫忘人生真正的意义，

你立身的价值！

柔石用自己的诗句来激励自己，并对自己说：“你应当知道你自身的宝贝之宝贵和爱情。你应当高飞你坚决的意志之艇，以达到环行地球的目的。…… 你应该去喜马拉雅山脉而俯视太平洋的宽阔呀！从今后，决愿你明白夜和月，明白生存和死亡，生存和死亡所拴系的切要意味！”

有道是，愤怒出诗人。压抑者，也容易成为作家。柔石便是在这种心境下越来越爱好文学，并用文学释放内心的痛苦。

1925年，他带着短篇小说集《疯人》到北京大学当旁听生，这让他人生又有了一个全新的飞跃。就在此地，他结识了冯雪峰，认识了在这里上课的鲁迅，尤其是听鲁迅的课，使他感到是“平生之最大乐事，胜过了十年寒窗”。

这一年，上海的五卅运动给了柔石思想上巨大的冲击与影响，让他从一个进步青年，一跃成为革命者。也就是在这场反帝革命斗争的浪潮中，他发表了著名的战斗诗篇《战》，让他成了声名鹊起的革命诗人。95年过去了，让我们重新读一下这首战斗诗篇，感受一下那个峥嵘岁月里的战斗激情吧——

尘沙驱散了天上的风云，
尘沙埋没了人间的花草；
太阳呀，呜咽在灰黯的山头，
孩子呀，向着古洞森林中奔跑！
……
真的男儿呀，醒来罢，
炸弹！手枪！
匕首！毒箭！

古今武器，罗列在面前，
天上的恶魔与神兵，
也齐来助人类战，
战！
火花如流电，
血泛如洪泉，
骨堆成了山，
肉腐成肥田，
未来子孙们的福荫之宅，
就筑在明月所清照的湖边。
呵！战！
剜心也不变！
砍首也不变！
只愿锦绣的山河，
还我锦绣的面！
呵，战！
努力冲锋，战！

在北京的一年，是柔石想得最多、写得最多的时候，他写小说，写诗歌，也写独幕剧，并且继续从事他擅长的散文写作。这个时候的柔石，有一种“拜伦式的英雄”追求，这很符合他的性格：外表少言少语，内心却异常丰富激昂，常常失眠于黑夜里，而黑夜里又是他最富激情的时刻。许多作品，都是他在彻夜不眠中完成的。“黑夜是他光明的追求时刻，也成就了他革命的烈焰熊熊燃烧的最美好的时光。”友人这样评价他。

1926年，柔石回到故乡宁海办校，后来还成了县教育局长。而由他主持工作的宁海中学也慢慢成了宁海革命大本营。可惜，后来在党内“左”倾路线影响下，一场“暴动”葬送了这个学校，也葬送了柔石在家乡的教育救国之路。

故乡的一场革命的失败，也粉碎了柔石内心曾经想过的开辟“宁地之文化”的梦想。残酷的现实，更让他明白革命的唯一出路，是推翻反动统治。

“门前拴着晨风中高嘶的白马，声音正激荡着壁上深思的宝剑呀！”柔石又一次离开故乡，而这一次他就再没能回来……

他的目的地是上海。以革命者的战斗姿态，他正式到了鲁迅麾下，成为一名巨人身边的战士。

这是1928年初秋的上海，桂花飘香的季节。鲁迅住在闸北横浜路景云里23号。第一次见面，柔石虔诚地捧上自己的《旧时代之死》书稿，并且向导师介绍了自己的创作动机与修改过程。鲁迅当即就喜欢上了这位浙江小老乡，因为在北京他就多少听说过“宁海有位文学青年”。鲁迅接下书稿之后的一番鼓励，让柔石心潮激荡，夜不能眠，于是他把这喜讯告知了远方的家人：

> 福已将小说三册，交与鲁迅先生批阅。鲁迅先生乃当今有名之文人，如能称誉，代为序刊印行，则福前途之命运，不蹇促矣！

可见，鲁迅的鼓励在柔石内心激起了巨大的波澜。说来也巧，不多时，鲁迅因所居的景云里23号靠近宝山路，行人嘈杂，加上邻居时有小孩吵闹，恰好同胡同的18号有房空出，于是决定租下。鲁迅请他在商务馆当编辑的三弟周建人一起搬到18号居住，又念柔石等几位青年无居所落脚，便把腾空的23号让他们住。柔石听后开心得快跳起来。更让柔石感动的是，鲁迅还让他们到自己家搭伙就餐。

这些都让柔石内心充满感激与感动。他在日记中这样说，“自己的心底有异常的不舒服”的时候，“在先生家中吃了饭，就平静多了”。先生“他的坚毅的精神，清晰的思想，博学的知识，有理智的讲话，都使我惭愧”，“先生慈仁的感情，滑稽的对社会的笑骂，深刻的批评，更使我快乐而增长知识”。鲁迅还帮助柔石将他的《旧时代之死》发表在《奔流》杂志上。

鲁迅的提携无疑为柔石走上革命文艺道路拓出了条宽阔大道。不久，柔石得知自己的好友冯雪峰在老家浙江义乌受国民党反动派通缉而到上海，便把这位有才华、有见识的青年文学理论家介绍给鲁迅。

“请请，快请他过来认得认得！”鲁迅一听“冯雪峰”的名字，便兴奋起来，说，“看过他翻译的俄国文学作品，我们的《奔流》上刊登过，这是人才！”

当柔石把这个消息告诉冯雪峰后，这位后来成为共产党重要文艺领导者的浙江义乌青年激动得连声高呼。

冯雪峰和鲁迅的见面，形成了联结中国共产党人与鲁迅这位文化巨人之间的纽带，而且鲁迅特别欣赏才华横溢的冯雪峰，并视为又一个真正的“知己”。夫人许广平最了解鲁迅的内心，她称冯雪峰是“在中国最了解鲁迅的人”。1933年冬，冯雪峰调往苏区担任中共中央党校教务主任时，是他第一个向毛泽东准确、全面地介绍了鲁迅，从此也使毛泽东对鲁迅有了感情上的共鸣。所有这一切，柔石无疑是起着重要的“桥梁”作用。同样，柔石也在冯雪峰的介绍下，成为一名真正的中国共产党党员。他们俩从此如双星拱月般地生活在鲁迅身边，既是鲁迅的学生，又是鲁迅与中国革命阵营之间的纽带和桥梁，而他们三人本身又是并肩战斗在文化战线的亲密师生与战友。尤其是柔石与鲁迅之间的个人感情，随着时间推移，越发变得难舍难分。鲁迅自己承认，柔石是他在上海的“一个唯一的不但敢于随便谈笑，而且还敢于托办点私事的人”。采访过鲁迅的美国著名记者史沫特莱曾经这样回忆说：“其中有一个以前曾当过教员叫柔石的，恐是鲁迅的朋友和学生中最能干最受他爱护的了。”

柔石的出现不仅让向来办事不求人的鲁迅日常生活中方便了许多，最主要的是，让他渐渐结识了许多革命文艺青年，包括胡也频等。而柔石在鲁迅身边，获得的则是更强大和彻底的革命精神与革命信仰。柔石完全成为一个激情澎湃的革命理想主义者，他的笔和情随着革命理想燃烧，不再是单纯的借男女青年之间的“爱情”来抒发革命热情和对共产主义的向往，而是真正的“革命”与“革命者”的胸怀了！

看一看他此时发表的一篇题为《一个伟大的印象》的纪实散文，就能深切地感受到作为一个革命者的柔石那满身涌动的革命烈焰……

> 这是最后的斗争，
> 团结起来到明天，
> International，
> 就一定要实现！
>
> 悠扬的雄壮的《国际歌》，在四壁的红色的包围中，当着马克思与列宁的像前，由我们唱过了。我们，四十八人，密密地静肃地站着，我们的姿势是同样地镇定而庄严，直垂着两手，微伛着头；我们的感情是同样地遥阔，愉快而兴奋；恰似歌声是一朵五彩的美丽的云，用了“共产主义”的大红色的帆篷，装载着我们到了自由、平等的无贫富、无阶级的乐园。
>
> 我们，四十八人，同聚在一间客厅似的房内，围绕着排列成一个颇大的“工”字形的桌边，桌上是铺着红布，布上是放着新鲜的艳丽的红花。我们的会议就在这样的一间浓厚的重叠的如火如血的空气中开始了。
>
> “同志们！苏维埃的旗帜已经在全国到处飘扬起来了！”我们的主席向我们和平地温声地作这样的郑重的开会词。

我们的关系都似兄弟，我们的组织有如家庭；我们依照被规定的“秘密的生活条例”而发言，讲话，走路，以及一切的起居的行动。一位姊妹似的女同志，她有美丽的姿势和甜蜜的感情，管理着我们所需要的用品底购买和接洽，并在每晚睡觉之前，向我们作“晚安”。

“谁要仁丹么？”在会议的长时间之后，她常常向我们这样的微笑地问。

为了减少椅凳的搬动的声音，我们是和兵士一样站着吃饭的。有一次，一个同志因等着饭来，这样说笑了：“吃饭也和革命一样的；筷子是枪，米是子弹，用这个，我们吃了那些鱼肉；快些罢，革命，吃饭，可以使我们的饥肠不致再辘辘地延长！”

晚饭以后，没有会议的时候，或不在会议的一部分人，就是自由谈天，——互相找着同志，报告他自己的革命的经过的情形，或要求着别人报告他所属的团体的目前的革命形势，用着一种胜利的温和的声音，互相叙述着，讨论着。

“这位同志是代表哪里的？”

这句话是时常普遍的被听到。

从各苏维埃区域及红军里来的同志他们是非常急切地要知道“关于上海的目前的革命的形势”。

“上海的工人，市民，小商人，对于革命怎么样？不迫切么？不了解么？”

“除了工人，一般市民小商人，大约因为阶级的关系，对于各种革命的组织与行动，只是同情，还不很直接地起来参加。”我回答。

“上海的工作是紧要的呀！”他们感叹道。“农村的革命日益扩大，日益紧张的时候，上海的工人，市民，非猛烈地起来不可！”

…………

有一位辽东的同志，身体高大，脸孔非常慈祥和蔼的人，他在和我作第一次的谈话时，——我们是同睡在一间寝室的地板上的——他就告诉我他对于革命的最初的认识和行动：他说他之所以革命，并不是为了“无产阶级”四字，他是大地主的孩子，钱是很多的，而他却想推翻“做官阶级”——这四字是他用的；他说他自己是“平民阶级”——的专制，就从家里拿了一支枪，空身逃出到土匪队里去，因为土匪是“做官阶级”的唯一的敌人。可是第一次受伤了，子弹从上臂的后部进，由背上出，——同时他脱了衣服，露出他的第一次的两处伤痕给我看。他是受过几次的伤的（以后我知道他的精神也受过颇深的伤痕），第二次是在面的后部，耳朵的下面，银元那么大的云的一块。——同时，他觉到土匪是没有出息的，非进一步作推翻封建社会的行动不可，于是加入了无产阶级的革命团体。

…………

威武的，扬跃的，有力的口号，在会议的胜利的闭幕式里，由一人的呼喊，各人的举手而终结了。我们慢慢地摇动着，心是紧张的，情感是兴奋的，态度是坚毅而微笑的。在我们的每一个人的背后，恍惚地有着几千百万的群众的影子，他们都在高声地庆祝着，呼唤着，手舞足蹈地欢乐着。我们的背后有着几千百万的群众的影子，他们在云霞之中欢乐着，飘动地同着我们走，拥护着我们的十大政纲，我们这次会议的五大决议案与二十二件小决议案，努力地实行着这些决议案的使命，努力地促进革命的迅速的成功。我们背后有着几千百万的群众的影子。我们分散了，负着这些工农革命重大使命而分散了，向全国的各处深入，向全国的工农深入；我们的铁的拳头，都执着猛烈的火把。中国，红起来罢！中国，红起来罢！全世界的火焰，也将由我们的点着而要焚烧起来了！世界革命成功万岁！我们都以火，以血，以死等待着。我们分散了，在我们的耳边，仿佛响彻着胜利的喇叭声，凯旋的铜鼓的冬冬声。仿佛，在大风中招展的红旗，是竖在我们的喜马拉雅山的顶上。

这是一篇至今我所看到的在描写20世纪初革命青年在一起谈论革命、加入组织、畅想爱情等方面最直观和形象的、具有强烈现场感的作品节选。

1931年1月17日的前一天，也就是柔石被捕前的那个傍晚，他去了一趟鲁迅家问有什么需要办的事，鲁迅便托他就自己先前与北新书局签订的一份合同的抄件带给明日书店。柔石接过鲁迅的抄件，就匆匆与鲁迅告别，说明天要去参加一个“重要会议”。

第二天上午，柔石先到了永安公司右面隔一条街的一个小咖啡店，出席了左联一次执委会议。会后他到友人王育和家吃中午饭。之后，柔石带着一直被他称为“梅”的革命同志冯铿一同去东方旅社开会。

他们走进旅社的31号房间，坐下没多久，军警和特务便包围了他们，柔石、冯铿、林育南、胡也频等8人同时被捕……

三天之后，也就是1月19日，江苏高等法院第二分院刑庭开庭。那天，已经被折磨了三天的柔石连眼镜都掉了，仍穿着西装，脸部十分浮肿。年轻的女党员冯铿的脸颊浮肿得有些让人认不出。

“怎么都在这儿了？”柔石一看何孟雄等30多名共产党人都被抓，不由吃惊。

蹊跷！肯定是被叛徒出卖了！

“现在开庭——”一场早已安排妥的法庭庭审装模作样地开始了。法官走过场式的一个个询问姓名之后，便由审判长宣读拟好的判决书：

被告等于民国二十年一月十七日下午一点四十分时，串通在汉口路111号东方旅社31号房间内秘密会议，意图串同之方法，颠覆政府，犯刑律第一〇三条。被告等再于民国二十年一月十七日下午一点四十分，犯禁止反革命暂行条例第六条。被告共犯共产党之嫌疑及疑与共产党有关系，华界公安局当局请求上海特区法院将伊移交。谕知准予移提，搜获文件等交公安局来员带去……

“来人，把犯人押解走！”

柔石等立即抗议：“我们不服判决！”“我们无罪！”法庭乱成一片。法警们不由分说，用枪托和警棍，威逼柔石他们上了停在门口的警车。

此时的柔石脚铐18斤重的“半步镣”。显然在敌人眼中他是和何孟雄等人一样的“重犯”。

“你应该知道那个鲁迅住在哪儿吧？”敌人想从柔石嘴里知道更多的东西，以撒开更大的逮捕之网。

柔石冷笑，道：“我哪知道？”

到淞沪警备司令部监狱后，柔石与小弟弟欧阳立安等同关在二弄九室的囚房。囚室里有10个人，除了6个政治犯外，还有4个军事犯。晚上，柔石与老共产党员柴颖堂睡在一张双层铺的上面。柔石没有棉被，只能钻在柴同志被窝中。因为两人都戴着脚镣，睡觉时常被冰冷的刑具惊醒。于是两人就在每晚睡前相互用干毛巾裹住脚，再轻轻入睡……

监狱的生活是异常艰苦的，然而柔石依然乐观。他想到了鲁迅的安危，于是通过狱中秘密渠道悄悄写信给冯雪峰，向他通报监狱情况：

雪兄：

我与三十五位同犯（七个女人）于昨日到龙华。并于昨夜上了镣，开政治犯从未上镣之纪录。此案累及太大，我一时恐难出狱，书店事望兄为我代办之。现亦好，且跟殷夫兄学德文，此事可告大先生；望大先生勿念，我等未受刑。捕房和公安局，几次问大先生地址，但我哪里知道！诸望勿念。祝好。

赵少雄

“赵少雄”是柔石狱中的化名。其实如果不是叛徒出卖，他们许多人的真实身份敌人并不知道。从此短信中我们可以看出，身陷牢狱的柔石仍然一心惦记着“大先生”鲁迅的安危，这份情谊实让人感动。后来左联同志都唤鲁迅为“大先生”。

外表看起来很柔弱的柔石，其实骨子里非常坚强，尤其是他的斗争精神，很像鲁迅先生。当2月7日那天晚上他和难友们突然被押到二楼的“法庭”时，敌人欺骗柔石他们是去“南京”，需要他们一个个在纸上“画押”。轮到柔石时，他仔细看了一下那个“公文”，原来是“执行枪决书”！

柔石愤怒了，大声对难友们说：“同志们，这是执行书！我们不能按手印呀！”

“啊？他们要枪毙我们呀！”

“打倒狗日的国民党反动派——！”

法庭内顿时大乱。“快把他们押下去！快快！”愤怒的口号声和持枪宪兵们的吆喝声交织在一起，使得龙华的那个夜晚格外凄凉和血腥……

野蛮残暴的敌人怕“事出意外”，草草地将柔石等24位共产党人押至警备司令部旁边的一块荒地，就立即端起枪，一阵猛烈扫射，惨无人道地将24名共产党人杀害于此。

啊，这是龙华历史上最悲惨的一幕。后来也有人说，龙华的桃花之所以特别红艳，就是因为有太多的革命烈士的鲜血染浸了它……或许是吧。

“我失掉了很好的朋友。中国失掉了很好的青年。”鲁迅闻知柔石和胡也频、冯铿等被敌人野蛮杀害，悲愤难忍。三天之后，他见到冯雪峰，一边落着泪，一边拿出刚刚写下的那首“吟罢低眉无写处，月光如水照缁衣”的悼诗。

两年后，他再度挥泪写下著名悼文《为了忘却的记念》。

鲁迅在这篇悼文中提到的“冯铿”，是个革命女青年，而且是位非常有个性的女性，她对柔石最后两年有过很大的影响，所以柔石称她为“梅”。

这枝“梅”，在鲁迅笔下，是“体质是弱的，也并不美丽”之人，但确是一枝带着几许革命“刺”的梅……

冯铿的性格与她给自己起的名字一样，是位铿锵的青年革命者。牺牲时冯铿只有24岁，她的丈夫叫许峨。两人是同学，爱人是其父亲的高足。冯铿小时候的名字叫“岭梅”，是她大哥从唐诗“四时不变江头草，十月先开岭上梅”中取的二字。“冯铿”则是她走上文学革命之路后的笔名。

也许是家里的男孩太多的缘故，冯铿从小就有一股男孩子的脾气和性格，长得也是浓眉大眼，不爱修饰，又爱辩论，从小常说“敢打老虎的才是武松，欺弱小的不算好汉”一类话。中学毕业后，她与许峨自由恋爱，一起在汕头老家邻县潮安县一乡间小学教书。爱文学的她，开始看不惯当时的旧社会恶势力，所以拼命学习与写作，曾发誓：“我要赶紧学习，掌握文学这种武器，替我所敬爱的人复仇，实现我的理想。”当时她创作的作品中，就显示了一种革命精神，如中篇小说《最后的出路》中的主人公郑若莲，冲出封建家庭束缚，喊出“为自己为群众努力奋斗”的妇女解放的心声，其实这正是冯铿自己追求新生活的心灵写照。

1929年，正是中国共产党人困难的岁月。就在这一年农历元宵节过后，冯铿与许峨冒着生命危险，投奔到了被称为“东方莫斯科”的上海。很快，她与汕头籍的革命者接上头后，便与上海地下党建立了关系，并在汕头籍著名翻译家、共产党员柯柏年的介绍下入了党，成为

“左联”屈指可数的年轻女作家。作为职业革命者的冯铿，从此胸怀共产主义理想，手持两种武器——传单与革命文学作品，向黑暗的社会发出阵阵怒吼，“冯铿”这个名字也由此在上海滩上不时引起人们的关注。甚至在革命战斗中，冯铿也常常把自己的女性身份忘记了，只要组织交代的任务，无论多么危险，她总是义无反顾地冲在前面。许多次她怀揣革命传单，在大街上遇见巡逻搜身的反动警察，而毫无惊慌之色地避过敌人的耳目，总令同志们刮目相看。

冯铿还在忙碌之余，利用每天乘电车的时间，亲手为爱人织了一件蓝色羊毛背心。

“你常外出，还是你穿吧！”许峨把深深的爱留给了年轻妻子和战友冯铿。

正是这件羊毛背心，在解放后寻找龙华烈士过程中起到了关键作用。

历史的镜头应当转到1949年12月6日，一位革命幸存者写的一篇怀念牺牲的战友的文章在《人民日报》上发表后，立即引起中央有关领导和时任上海市长的陈毅同志的重视，之后民政部门和公安部门联手寻找鲁迅笔下的“龙华二十四烈士”。然而因为敌人是秘密杀害这些烈士的，时间又比较久了，当事人基本找不到，龙华附近的百姓所说的也不那么清晰。最后，公安和民政部门的人在原国民党淞沪警备司令部后面的一个烟囱旁挖出了一堆已经腐烂的尸骨，由于时间过长，死者的模样根本没有了，唯有一些残留的遗物，其中一个死者身上的一件蓝色羊毛背心颜色依旧，没有腐烂（此物今天仍在上海龙华烈士纪念馆）。之后，有关部门请烈士亲属去辨认，冯铿的爱人许峨一眼就认出了这件毛衣。这样，“龙华二十四烈士”的惨案终于获得证实。

这二十四位烈士，他们个个都可以写成一本书，不仅因为他们牺牲得突然，更是因为这些烈士生前的革命理想和信仰的境界胜于一般人。其中那位在柔石笔下十分可爱又充满革命热情的纯真的17岁少年——欧阳立安，更令人心生敬意。

欧阳立安是长沙人，他一家都是革命者，父亲欧阳梅生是早期的共产党员。母亲陶承在1958年通过口述的方式，出版过一本回忆录《我的一家》，这本书后来成为我们那一代人都知道的红色经典传统教育读物。陶承17岁时嫁给了在长沙第一师范学校读书的欧阳梅生。婚后不久，欧阳梅生便走上了革命的道路，陶承也渐渐跟随丈夫一起进行地下革命活动。两人一共生育了立安、应坚、本双、稚鹤、本纹、双林六个子女，一家人在兵荒马乱的岁月里几度分分合合。首先是欧阳梅生因局势变化前往汉阳工作，陶承不久后也带着部分子女前往汉口，从事地区机关掩护工作。1928年欧阳梅生积劳成疾去世，陶承又带着孩子们先后辗转于上海、武汉、延安等地工作，其间女儿本双、双林病逝，大儿子欧阳立安在上海牺牲，“老四”稚鹤在延安牺牲。

在家中排老大的欧阳立安，生性活泼，也比较淘气，曾因惹事害怕被父亲责骂，竟跟陌生人跑出去到湘潭当兵，后被母亲找回。在父亲的影响下，欧阳立安在小小年纪就加入到了革命的浪潮之中，并逐渐变得成熟。1926年北伐军进入长沙时，省会各界在教育会坪召开欢迎大会，欧阳立安被推选为学生代表到台上发言。当时，只有12岁的他，因身材矮小，只能站在凳子上宣讲。省工人纠察队成立后，父亲带着他去看纠察队的训练，之后他成了“秘密小交通员”，帮助父亲传递各种秘密文件。在汉阳时，他再次当起小交通员的角色，每天把向警予、谢觉哉编辑的《大江报》分发到汉阳各地的联络点。因为年纪小，所以欧阳立安常常能瞒过敌人的眼睛，成长为一名出色的红色小交通员。

父亲去世后，欧阳立安到了上海，继续他的“小交通员”地下工作。之后他被派去苏联学习，由何孟雄介绍入了党，虽然他只有16岁，是中共党员中的特殊小党员，但资格不算小，已经从事革命工作好几年了。归国后，欧阳立安担任共青团江苏省委委员兼上海总工会青工部部长。1931年1月17日，欧阳立安按照组织的通知，来到天津路的中山旅社开会。后会场被敌人包围。被捕后，敌人从他的住处搜出参加少共国际会议的证件及党内文件，至此，我们的红色小交通员已经无法隐藏自己的身份，2月7日晚，一个仅有17岁的年轻生命，倒在了敌人的枪口之下……

“龙华二十四烈士”牺牲至今，已有80余年了，然而我最近从一则由湖南媒体记者写的报道中得知，仍有像刘争和段楠这样的烈士，他们到上海从事地下工作时都是用的化名，所以牺牲后很久没人知道他们是哪儿人，家里的亲人又是谁，他们的真实名字又叫什么，而且他们牺牲时没有留下只言片语……刘争和段楠等湘籍英烈，就是在80余年后才魂归故里。

呵，这就是为我们共和国成立献出年轻生命的革命者，他们只有理想和热血、信仰与忠诚，别无其他。

在“龙华二十四烈士”中，还有一个故事感天动地，这就是一对在囚车上举行婚礼的年轻夫妇，他们的名字叫蔡博真和伍仲文。

有关这两位烈士的资料几乎都只有几百字，尤其是蔡博真，到今天仍不知道这位烈士到底是哪年出生，只知道他的生命最后时刻是1931年2月7日晚。有关他的简历也十分简单：广东梅县人，曾参加过1927年12月广州起义，后被派往苏联学习。回国后，任上海青年反帝大同盟党团书记和中共江苏省委沪中区委书记。

妻子伍仲文，原名伍杏仙，广东南海人。1903年出生。曾在县城唯一的女子高等学校求学。在大革命浪潮影响下，成为爱国学生运动的积极分子。1924年到广州，入何香凝领导的妇女职业学校，接受革命的熏陶。1925年参加了邓中夏、陈延年领导的省港大罢工，在妇女部工作。同年加入中国共产党。翌年冬赴苏联学习。1928年秋回国，在上海中共法南区委工作，负责指导青年运动。后在吴淞区委、闸北区委工作，领导丝厂、纱厂的女工运动，曾担任共青团闸北区委书记。

这是位把革命工作放在第一位的女共产党人，在那个时代，一位28岁的女性还没有结婚，是很少见的。

如果没有猜错的话，那么他俩应该是在苏联学习时相识或者相爱的。来到上海从事地下工作时，正值革命最困难的时候，或许这对相爱的同志根本没有时间考虑自己的婚姻大事。然而命运却让他们在生命的最后时刻，以一种完全不可想象的方式，在囚车内举行了一场特殊婚礼——

1931年1月17日，蔡博真和伍仲文被一起逮捕后，于19日一起被押往龙华淞沪警备司令部。就在从租界到龙华的路途上，囚车里的同志们听蔡博真在念叨，说："我和仲文同志刚才在敌人的审讯时承认是夫妻，其实我俩因为工作太忙，根本没有来得及考虑结婚，更不用说举行婚礼呢！"

"哎呀，你们既然夫妻一场，不能没有一个仪式呀！"于是囚车内就有人提议说，"这回我们的案情很复杂，还能不能出去都说不准。我们何不在这里为你们举行一个特殊婚礼呀！"

"对对，革命夫妻一场，不能没有一个仪式嘛！来，我们就给你们来个囚车上的婚礼……"

"太好了！囚车上的婚礼！"全囚车的"犯人"顿时欢呼起来，情绪激奋而又高涨。

蔡博真用深情的目光征询伍仲文。

秀美的伍仲文脸颊一红，以温情的眼神作了一个回应，继而将头贴在蔡博真的胸前……

"好——现在我宣布：革命战士蔡博真和伍仲文女士的婚礼开始——！"

"夫妻对拜——革命拥抱！"

在同志们的欢呼声中，蔡博真和伍仲文紧紧地拥抱在一起，尽管铁镣锁住了他们的手脚，然而这对为了革命工作还没有来得及生活在一起的恋人，此刻紧紧地相拥在一起，紧紧地……

“干什么？干什么？不许吵吵……”押车的军警人员不知囚车内发生了什么事，一个劲儿地用枪托和警棍敲击着车厢。

而此刻，囚车内的革命者们为了让婚礼上的这对新人能有更多时间相拥相爱在一起，他们集体高唱起《国际歌》……

那一刻，沿途百姓，惊愕地目送着一路歌声的囚车……

那一刻，依偎在爱人胸膛前的伍仲文抬起一双泪眼，仰首凝视着她的新郎蔡博真，而她的爱人则将炽热的双唇轻柔而又坚定地贴向她的双唇……

第八章

青春，你轻轻地来此，匆匆地远去……

写这章节时，恰逢纪念五四运动一百周年之际，翻阅着一本本革命英烈传记，看着一张张稚嫩而青春的烈士脸庞，我的耳边回响着习近平总书记在人民大会堂说的话："青年最富有朝气，最富有梦想。""近代以来，我国青年不懈追求的美好梦想，始终与振兴中华的历史进程紧密相联。在革命战争年代，广大青年满怀革命理想，为争取民族独立、人民解放冲锋陷阵，抛洒热血……"

是的，因为梦想和朝气，才让一代又一代年轻人为了理想和信仰冲锋陷阵、抛洒热血。在推翻旧世界、建立新中国的时代，年轻的革命者，就是怀揣理想来到上海，来到党的身边，来到革命的中心。他们许多人放弃了舒适的生活和家庭，甚至是学业，离别了亲人和故乡，只身一人，或结伴而行。

曹顺标烈士便是这样的一位青年。他是1932年上海的"共舞台事件"13位牺牲者中最年轻的一位，牺牲时只有17周岁。但他内心的革命火焰与他青春的热血一样炽烈，当他和其他10多位"重犯"一起被敌人从上海押至南京监狱后，得知自己被判处死刑，他表现得大义凛然。在漆黑的夜晚，他对同室的难友低声道："我已经做好准备牺牲了。我死后，请你设法带信给我哥哥，他也是共产党员，叫他把我的尸体埋在大路旁，我要睁着眼睛看到红军打进南京城才闭上眼！"

这位从萧山来到上海的小伙子，在家里排行最末，上面有三个姐姐、两个哥哥。12岁那年，他像哥哥一样，怀着对大上海的憧憬，考上了上海八仙桥国法堂，第二年又转到立达学园。15岁时他就加入了共青团，第一次上街参加游行就被关了一个多月，后来又因为阅读进步报刊，被学校开除。之后在家人的帮助下，他重新在复旦大学高中部和大夏大学高中部读书，而这个时候的曹顺标，虽小小年纪，但已经是一位革命队伍中的活跃分子，凭借着“小囡”的身份，散发革命和进步报刊。两年之后，革命形势发生深刻变化，17岁的他，走上了职业革命者道路，成了中学学生联合会负责人之一。

1932年5月5日，国民政府与侵华日军签订了《淞沪停战协定》，中国政府军队从上海撤军，把上海定为所谓的“非武装区”，然而日本军队却可以在上海租界驻扎。此举引起中国共产党和全国爱国进步人士及上海人民的坚决反对，蒋介石国民党政府为了讨好日本侵略者，竟然对中国共产党和进步人士的反对浪潮进行镇压。于是在这种形势下，在上海的中共江苏省委做出决定，通过上海民众反日救国联合会、上海反帝大同盟和上海大中学联等数十个抗日团体，发起成立了上海民众反对停战协议援助东北义勇军联合会，继续组织和领导上海人民的抗日斗争。因为复旦大学负责这项工作的青年团支部书记温济泽是在校生，平时走不开，所以组织将小职业革命家曹顺标调到云南路会乐里的抗日“民联会”青年部担任专职干事，协助温济泽主持日常工作。

这个时候，中共中央做出一项决定，将在这年8月1日，成立全国反帝大联盟。在上海的中共江苏省委，根据中央的这一精神，立即行动起来，并在7月2日的上海《时事新报》等报纸上公开登出筹备联盟的一则通告，说是在7月15日召开江苏省民众援助东北义勇军反对上海自由市代表大会，并公布了“筹备处”的地址，以供全市市民一起“共商国是”。

“坏了坏了！怎么把这秘密的事情让敌人也知道了呀？”曹顺标年龄小，但革命意识很强，当他看到省委的这则“通告”后，立即跟温济泽说。

“对啊，这事怎么能亮底牌嘛！”温济泽也认为这太危险了。于是两人决定向“上面”反映，可是没有得到回复。

年轻的曹顺标他们并不能理解“上面”的意思，他们回过头来，继续忙碌着联盟大会的“筹备”工作，并且获悉已经敲定在7月17日，正式在沪西胶州路与长寿路交叉口的沪西共舞台（又称共和大戏院）召开大会。

“这个地方好找，十字路口有座大钟，代表们到这儿好认。你们布置会场的要早点去！”“上面”的领导跟曹顺标等筹备处的工作人员说。

7月17日一大早，曹顺标带着一大卷传单和标语等来到会场与温济泽会合，就在这时他们发现会场附近有几个可疑人，于是把手中所带的宣传材料和会场标语等悄悄藏在一个墙洞里，然后找到担任大会主席团主席的省委负责人，提出应该马上更换会场，免遭不测。

“哎呀，现在怕是来不及了嘛！”大会负责人为难地指着陆续来到会场的代表们说道，“要不我们派三个代表到公安局，希望他们保护我们的会场。”曹顺标与温济泽面面相觑，不知“领导”的意见到底是否正确。

随即有三个代表被派到附近的公安局去了，但他们再没有回来——本来就想来抓人的公安局立即将其扣押，同时又派出早已准备好的大批武装警察，向曹顺标他们正要开会的沪西共舞台那里开赴过去……

“警察来抓人啦！赶快疏散——”别看曹顺标个头不高年岁小，但眼睛机灵反应快。他在看见戏院外整队持枪的警察黑压压地朝戏院拥来的那一瞬间，立即高喊起来。

“警察来了！大家快跑——”温济泽也大声喊道。

顿时，会场内那些先到达的代表们慌乱成一片，有的想跳墙，有的想往门口跑，但门口已被警察堵死……“快蹬到我身上往墙外跳啊！”这时，只听一个高个子的结实壮汉在喊。他叫蔡疾呼，人高马大。他这一招呼，许多人踩在他的身上跳出了院墙。

“快快！快跳呀！”就这样，足有五六十个人安全脱险。然而蔡疾呼已经累得连站都站不起来，当他自己想往外跳时，几支黑洞洞的枪口已经对准了他的胸口……

在前院的曹顺标和蔡疾呼等共88人被反动警察抓获。第二天，上海滩上所有的重要报纸都刊登了这一消息。

敌人将曹顺标等88人每两人用一根麻绳子绑在一起，用汽车押到上海公安局。

经过三天“审讯”，曹顺标等又被移押到龙华淞沪警备司令部看守所。约一个星期后，因为“案情重大”，曹顺标等88人全部被押解到了南京的国民党宪兵司令部审讯判决。

由于叛徒出卖，曹顺标被敌人确认了真实身份。“是的，我就是大会的组织者之一，上海民联的青年部长，共青团员！你们有事找我，条件是把无辜的人放了！”曹顺标知道自己的身份暴露后，为掩护其他同志，干脆把责任揽到了自己身上。

“共党”的“要犯”判决很快下来，包括曹顺标在内的13人被判死刑。第一位被拉出去枪毙的是位姓肖的老同志，也是被枪毙的13人中年岁最大的一位。肖先生名万才，为江苏阜宁人，这位老同志全家四口人被捕，女儿肖明只有14岁，是共青团闸北区妇女部长，反帝联盟的积极分子，本也被判处死刑，但因年龄太小，改判18年徒刑；大儿子20岁，被判12年；肖先生的夫人也是从事革命工作的，因为没有暴露身份，又加上双目失明，所以被判交保释放。

肖万才的英雄气概让曹顺标十分敬佩。临将行刑的前一个晚上，曹顺标对与他同牢房而没有暴露身份的好友温济泽无比深情地吐露了自己的心声："革命能不牺牲人吗？入狱的那天，我就准备牺牲的。如果我现在死了，只有两件事感到遗憾：一件是我再不能革命了；还有一件事是，我只活了18岁，还没有恋爱过呢！"

温济泽轻轻地问小弟弟曹顺标："你有没有爱过哪个姑娘？"

曹顺标立即就不好意思起来，说："我有爱过，爱过一个一起工作的女同志……我看她对我也有点意思，可是我们谁都没有说出口。现在只能永远埋藏在自己心里了……"

说到这里，曹顺标轻轻地吟诵起匈牙利诗人裴多菲的诗：

生命诚可贵，
爱情价更高。
若为自由故，
两者皆可抛！

"我现在只有两者皆抛了！"曹顺标在好友面前轻轻地抹了一把热泪……

"曹顺标！出来！"行刑的宪兵在叫着他的名字。

"号什么？"曹顺标横眉看了一眼凶神一般的宪兵，利索地把身上的长裤和罩衣脱给了同室的难友，然后坦然地走出牢房，走向刑场……

"砰！"一声罪恶的枪声，扑灭了一炬青春的革命火焰。

17周岁的曹顺标倒在雨花台的那一天，是1932年的10月1日，如果再过一个17年，正好是新中国成立的日子。

啊，我们年轻的烈士，为了革命，他的生命在17岁时便永远地画上了句号。

让我们借这个机会，记住与曹顺标、肖万才一起牺牲的另外11位烈士的名字吧：许清如（25岁）、杨小二子（20岁）、徐阿三（24岁，又名潘阿二）、许金标（24岁，又名徐子明）、崔阿二（43岁，又名崔四）、钟明友（28岁）、邱文知（23岁，又名邱文治）、陈山（28岁，又名曾太功）、陈士生（43岁，又名陈纪盛）、王得盛（30岁，又名王明国）、柳日均（30岁，又名刘栋臣）。其实，他们都与曹顺标一样，非常年轻，非常青春……

在上海龙华和南京雨花台两个革命烈士纪念馆的烈士名录中，有两位烈士的名字一直烙在我心头，一位便是南京雨花台烈士纪念馆里遗像陈列在第一位的烈士，他叫金佛庄。这位牺牲于1926年的中共党员，有个特殊"身份"：中共第一位军人党员。1918年时，18岁的金佛庄考上保定陆军军官学校，成为军官候补生。四年后的金佛庄在浙军部队当连副，加入了共青团。也就在当年，他接受了中共上海地方兼区执行委员会负责人徐梅坤的考察，并报组织批准，正式转为共产党员，成为当时浙江省内第一个党小组——杭州小组的三位党员之一。

1924年春，金佛庄第一次作为中共党员，秘密到达上海，向中共上海区委报告杭州革命形势。之后国共合作进入"蜜月期"，金佛庄受组织指派，到广州参加黄埔军校创建工作，成为第一期第三学生队队长。其间，他受到国民党左派领袖、黄埔军校党代表廖仲恺的特别器重，升任为军校国民党特别党部五名委员之一。同时，金佛庄受中共组织指令，积极发展学员中的积极分子加入中国共产党。在两次"东征"中，金佛庄出任国民革命军第一军第一师第二团党代表和团长。中山舰事件后，金佛庄回到军校当军事教官，蒋介石对金佛庄也十分器重，又借"老乡关系"拉拢他，多次劝其脱离中共，到自己身边委以重任。经请示组织，金佛庄到蒋介石身边担任总司令部参谋处副处长兼第三科科长之职，实为暗中监视蒋介石。

1926年7月起，北伐军迅速向江浙和上海一带进军，并捷报频传，这对孙传芳旧军阀部队是极大的震慑。11月底，北伐军总司令部召开军事会议，研究进攻上海和江浙一带孙传芳部队的计划，其中拟派熟悉江浙和上海一带情况的金佛庄潜伏到上海，对孙部进行策反工作。

12月9日晚，带着特殊使命的金佛庄乔装成回上海的商人，从江西九江登上英国商船太古轮船，顺水东下。一路上，金佛庄心潮起伏，因为他在蒋介石身边，深知此时的蒋介石已经起了野心。金佛庄就是想趁这一趟到上海，将自己所知的重要情报，向在上海的中共组织报告。哪知，在11日船至南京下关码头时，金佛庄被孙传芳的南京宪兵司令汪其昌等"请"上了岸。

12日和13日，中共上海组织的同志一直没有等到本该在这两天到达的金佛庄，于是立即与沿途码头确认金佛庄的下落。很快，南京方面有了消息：12日晚，孙传芳已经命令他的南京宪兵司令汪其昌将金佛庄杀害于雨花台……

那年他29岁。这位出生于浙江东阳的农家子弟，在短短的戎马一生中，没能与上海第三次"亲密接触"，就匆匆地永远离我们而去，甚至他的名字也极少有人提及。而当我站在那张他穿着北伐军戎装的照片前时，深深地被一张意气风发的青春脸庞所感染。我在想：倘若他那一次顺利到达上海，是否会是又一个共和国的元帅呢？

与金佛庄相比，另一位叫俞秀松的烈士，与上海的"关系"则非同一般。他一生中有10余年是在苏联度过的，最后因为王明和康生的诬陷，俞秀松在苏联肃反运动中被冤杀，时年39岁。十三四年之前（即1925年至1935年在苏联的10年，以及之后被联共中央派往新疆做督办军阀盛世才的统战工作的3年，又从新疆被转押苏联入监至被执行死刑的七八个月），26岁前的青年俞秀松，可是上海滩红色革命阵营里一位了不得的革命者！

是的，二十四五岁时的青年俞秀松，确确实实是上海革命阵营里的一位老资格的中共党员，因为在上海筹建共产主义小组的几个人中，他是最年轻的一员。

“自古以来，得国者在于民心服。民心服，即得天下矣。不得民心，即失天下矣。”

“自古成大业者，虽难而惧，何也？盖其志坚耳。愚公移山事，以残年余力而欲移山，其志可谓不坚乎？……呜呼，中国少年岂不及愚公乎？若人人有愚公之毅力，则中国何患不强乎？”

“列国富而中国贫，列国强而中国弱，其故何哉？曰：无进取思想而已矣……故进取者，人生之重要事也。”

这些话，都是少年时代的俞秀松所说。出生在浙江诸暨大桥乡的一个清末秀才之家的俞秀松，从小受当教书先生的父亲的影响，对读书格外上心。因为俞家子女八人，身为大哥的俞秀松为了读书和照顾家庭的生活，从小没少吃苦。

17岁时，他以优异成绩考上了浙江省立第一师范学校。在这所新思想非常活跃的学校，俞秀松受到了革命的熏陶和马克思主义学说的影响。一位叫马一浮的先生，是中国最早接触马克思《资本论》的学者，便是俞秀松的启蒙老师。

1919年5月，当五四运动在北京爆发之后，杭州的学校便迅速响应。此时的俞秀松已经是杭州学生运动的召集人。5月12日，杭州14所中等以上学校的3000余人的游行队伍中，走在最前面的就是俞秀松和另一位叫宣中华的学生领袖。

五四运动之后，俞秀松等在学长与老师陈望道等人的影响下，创办革命刊物《浙江新潮》。俞秀松在发刊词上这样说：“要本奋斗的精神，用调查、批评、指导的方法，促进劳动界的自觉和联合，去破坏束缚的、竞争的、掠夺的势力，建设自由互助劳动的社会，以谋人类生活的幸福和进步。”毫无疑问，这个时候的俞秀松已经受到苏联十月革命和陈独秀的《新青年》影响，开始由无政府主义者，向“布尔什维克”转变。

“韵琴同志……”1919年底，俞秀松看到北京蔡元培、陈独秀、李大钊等人发起了工读互助团，欣喜若狂地给父亲写信，请求路费支持，而他竟然称父亲是“韵琴同志”，气得父亲只汇了他一元钱，并回信告诉“昏了头脑”的儿子：“四万万同胞都是你的同志，每一个同志给你一块钱，岂不可能解决一切问题，何必来找家里人帮助嘛！”

最后俞秀松是从朋友那里凑钱到了北京。1920年元旦刚过，俞秀松怀着无比激动的心情，穿着同学送的一件旧大衣，特意到照相馆照了一张相，以此纪念。他对友人说：“我来的目的，就是为了实验我的思想生活，想传播到全人类，使他们共同来享受这甘美、快乐、博爱、互助、自由……的新生活才算完事。”

这应该是比较早的中国勤工俭学模式。但后来俞秀松发现，这个工读互助团无法通过劳动来维系生活和学习，更不用说通过这种形式去改造和改变整个社会。一心想改变旧世界的俞秀松，宣告结束工读互助团生活，要进行另一种他所追求的理想的人生道路。“我以后不想做个学问家（这是我本来的志愿），情愿做个‘举世唾骂’的革命家！”俞秀松大声疾呼，对着天发誓。

1920年3月26日，俞秀松乘火车从北京赴上海，从此开始了他一生中最出彩的为中国共产党的建立做出杰出贡献的青春岁月。

4月，代表共产国际的维经斯基来到中国，先到北京，再到上海，与陈独秀会面。俞秀松是这个会面的翻译者，见证和参与了建党的最初时刻。5月，俞秀松与陈独秀等人一起，发起了马克思主义研究会。8月，俞秀松参加了特别重要的建党初始工作。此后，俞秀松除了主持成立共青团组织外，一直在为各地建党发出指导性的信件，而那时，我们的这位革命青年才21虚岁，却已经是位成熟和老练的政治家了——

……九点到独秀家，将望道译的《共产党宣言》交给他，我们说些译书的事，总该忠实精细，但现在译书的人，每天以译书度生活，一天总许有八千字，才能生活，于是不能不误会的误会，杜撰的杜撰，这是私有财产制度之下，没有一件事可做了，译书度生活的人，我又何责！

……今晚被蚊虫咬得痛极，不知到什么时候才睡熟。

——1920年6月28日

今天我写了五封信。

——1920年6月29日

我现在一天到晚，只盼望朋友的来信。我接到朋友一信，我总快乐一些。今天望了一天，信箱里看了五六次，不见朋友的来信，午后只接到章法那张明片。唉，苦痛的时候，遇见什么事，总是苦痛的！

今天睡得很早，后来因蚊虫咬得痛不过，再起来写今天的日记。写好再睡，已经是明天三点了。

——1920年6月30日

俞秀松年轻时爱写日记，也正是因为他的日记后来被保存了下来，我们才有可能了解建党初期的许多历史细节和这位杰出青年的诸多真实的内心活动。

建党初期，与各地的联络都是靠信件来完成，而俞秀松的“笔头”快，又年轻，几乎成为陈独秀的“左右手”。1921年上半年，中国共产党开始筹备第一次全国代表大会，受到共产国际组织东方部书记格林表扬的上海共青团负责人俞秀松，被邀出席在莫斯科召开的青年共产国际第二次代表大会，所以在中国共产党召开第一次代表大会的七八月份，俞秀松不在上海，而是在莫斯科开会。

次年，俞秀松从苏联回国，接受中共中央和陈独秀的指示，主要从事各地共青团的建立工作，并在国共合作期间担任上海地区的党部负责人。五卅运动期间，俞秀松是罢工的组织者与领导者之一，并且负责召集国民党区党部联席会议，动员上海市内的国民党党员参加反帝斗争。以个人身份参加国民党的俞秀松，一腔热血地站在反帝斗争最前沿和主战场，处处表现出一位中国革命青年的朝气与锐气，以及爱憎分明的立场。

或许正是因为这种青春激情与革命锐气，俞秀松受到了一些革命投机分子的忌妒与排斥。

1925年10月，俞秀松受中共中央安排再度赴苏联学习，不想，这一回赴苏，老资格的年轻革命者再也没能回到黄浦江畔……

"同志们，坚强些！我们是革命者，革命者就要乘风破浪，我们的生命时刻准备献给革命了！海浪再大，是吓不倒我们的。大家眼望前方，我们将要去的是世界革命的中心。我们的心胸要像大海一样辽阔，一切困难都不在话下！咆哮的巨浪，会被我们战胜的……"这是俞秀松在此次前往苏联途中，在一船的革命青年们遇到海浪后有人晕船呕吐、无法支撑下去时，他即席发表的演说。包括俞秀松自己在内，谁也没有想到他日后的命运，真的是犹如海浪一股朝这位青年革命者疯狂地袭来——

先是王明诬陷俞秀松与董亦湘（烈士，江苏常州人，中共早期党员，被王明迫害，在苏联肃反时被错杀，时年43岁）等人是"江浙同乡会"反党成员，在历尽折磨后，他直至1935年才重新回到祖国。然而，当时的国内形势已经发生诸多变化，俞秀松接受苏共中央的指令，一直留在新疆从事统战工作。即使远离了由王明把控的中共中央中心的俞秀松，仍然没能摆脱政治厄运，1938年夏，俞秀松被强行押解到苏联……当时那边正进行一场比一场更残酷的"肃反"运动。俞秀松清楚自己此番被绑押到苏联的结局，离别妻子前，他坦然地勉励亲人："要坚强，不要悲伤。坐牢是革命者的家常便饭，要革命就不怕杀头，革命者是杀不完的，革命一定会成功！”

中国共产党早期杰出的革命活动家、中国共产主义青年团创始人之一的俞秀松，就这样在无人知晓的历史时刻，消失在了人们的视野里，直到几十年后才恢复名誉。

啊，这是革命者的青春，这是青春的革命者命运！他们从来都是视死如归，信仰不移——

我们是青年的布尔什维克，
一切——都是钢铁：
我们的头脑，
我们的语言，
我们的纪律！
我们生在革命的烽火里，
我们生在斗争的律动里，
……
我们不怕死，
我们不悲泣，
我们要破坏，
我们要建设，
我们的旗帜鲜明，
斧头镰刀和血迹。
……

（殷夫诗）

其实，在那个峥嵘岁月里，革命豪情万丈的何止俞秀松一个。多数革命青年，他们甚至连流星一般的光芒都没有留下，便默默地为革命事业献出了宝贵的生命。

有一位烈士一直铭记在我脑海中，他就是贵州籍小烈士袁咨桐。之所以称其为“小烈士”，是因为在我走访上海和南京、杭州等地时得知，这位烈士牺牲时年龄仅有16岁，后来敌人使了个邪招，在“死刑判决书”上把他的年龄由“16”改成了“18”……

袁咨桐既不是上海人，也不是南京人，他的老家在贵州赤水。这两年我去过4次小烈士的老家。那个小镇是当年红军“四渡赤水”的重点战役地，袁咨桐的家附近那片山冈上，红军与国民党反动军队打过一场非常著名的战役——青杠坡战役，敌我伤亡都很惨重。据当地百姓讲，当年双方死在山坡上的人“一个叠一个，堆满了整个山坡”。

袁咨桐的牺牲时间是1930年9月17日，他是历史上著名的“晓庄十烈士惨案”中的牺牲者之一。所谓“晓庄”，是当年教育家陶行知在南京郊区开设的中国第一所试验型乡村师范学校。这所学校其实是由上海地下党领导的一所设在敌人心脏区域的“青年红色革命摇篮”。时任中共江苏省委负责人之一的陈云同志曾经说过，晓庄是革命的火种。

袁咨桐之所以到与自己家乡远隔数千里的地方学习，是因为他出生在一个富豪家，两个哥哥都在外面做官，其中一个在国民党军队里当不小的官。袁咨桐10岁那年，因其舅舅张华封和近代著名教育家黄齐生私交甚深，所以被家人送到贵阳黄齐生所办的达顺学校上学。黄齐生是王若飞的舅舅，思想进步，教育有方，在当地影响力极大。不幸，其子生病夭折，于是聪明伶俐的袁咨桐被黄先生视为义子，格外疼爱和关照。后来黄齐生创办遵义省立第三中学，招收了一批进步学生。因为反对国民党黑暗统治，黄齐生多次带领学生闹学潮，后被解职。黄齐生为逃脱反动政府的追杀，逃往上海。13岁的袁咨桐不顾家人反对，跟随黄齐生到了黄浦江畔。令人意想不到的是，在上海他与中共领导人王若飞相识，从此走上革命道路……

1929年，受中共江苏省委指示，“争取在敌人心脏地带建立党的组织，积极展开革命活动”，陶行知创办的晓庄师范学校便成了主要革命基地。曾任江苏省委负责人的王若飞问袁咨桐“愿不愿意到晓庄边读书边革命”时，袁咨桐欣然表示“特别渴望”。在那里，他很快加入了共青团，不久便出任了学校的团支部书记。小小年纪的袁咨桐，对革命工作异常投入，去南京大街上秘密发传单、到工厂农村去进行革命宣传，他时时走在前头，深得陶行知的赞赏。有一次袁咨桐和同学姚爱兰一起带领200多名小学师生，到栖霞山春游并采集植物标本。为了争取让这些无钱买票的贫苦农民家庭的子女能够免费乘车，袁咨桐出面与铁路当局进行了交涉与斗争，并获得成功。

陶行知获悉此事后，赋诗赞扬道：

> 生来不自由，生来要自由。
> 谁是革命者，首推小朋友。

然而南京毕竟是蒋介石国民党的老巢，晓庄学校袁咨桐等共产党人和青年团员的革命活动，很快被国民党特务注意到，并引起蒋介石关注，于是国民党南京政府下令停办晓庄学校。

陶行知得知后，立即组织师生进行抗争，成立学生团上南京游行抗议。这更激起蒋介石国民党政府“灭晓庄”之心，并且借机欲“彻底捣毁共党窝点”，派出大批特务追杀晓庄共产党员、共青团员等革命者。在袁咨桐第一次被捕后，在国民党军队里当官的哥哥，亲自出面保释了他。哥哥生气地对袁咨桐说：“你再去参加共党活动，枪毙你也不管了！”

袁咨桐并没有听从哥哥的话，照样继续从事紧张的地下革命工作，并时常受组织委托向王若飞汇报“南京形势”和工作情况。

“现在形势非常紧张，陶先生也到了上海，要不你暂时留在我身边吧！”王若飞等党内领导非常关心袁咨桐的安全，跟他这么说。

“正因为陶先生不在了，那边学校里的党员和团员更危险了，至少要等我去安排好他们后才可以放心回上海来……”袁咨桐真诚而恳切地说道。

“也好。速去速回吧！”

袁咨桐就这样重新踏上了充满危险的“北上”之路。此时的南京，黑云压城，山雨欲来风满楼，尤其是晓庄学校，被捕人员已经达30多人。国民党特务为了“斩草除根”，到处布满了眼线，当袁咨桐再次出现在南京街头联络地下革命者时，藏在暗处的敌人已经把枪口对准了他……

袁咨桐再次被捕。

“这小赤佬是给共党彻底赤化了！不可救药。”国民党特务用尽毒刑，企图降伏这位少年革命者。然而袁咨桐铁心不悔，在法庭上与敌人激烈争辩，惹得大刽子手、国民党南京公安局长谷正伦恼羞成怒，于是大笔一挥：不释，枪决！

袁咨桐的义父黄齐生得知后火速赶到南京，直接找到谷正伦（谷的夫人也是黄齐生的学生），说：“看在都是贵州老乡面上，这孩子尚年幼，其有爱国之心，实则可贵。虽有冲动之处，但也不至死罪。更何况他才16岁，怎可判为死刑？”

“这个……”谷正伦知道黄齐生的威望和厉害，便道，“那就让他写个悔过书，登报声明脱离共产党，这样可保他一命。”

谷正伦亲自拿着“悔过书”去让袁咨桐签字，并对他说：“你小小年纪，别太任性。抓你进来，就是因为你足够判死罪。知道人死了后不会复生吗？”

袁咨桐将头一扭，回答道：“我虽年纪小，但懂得做人的道理。有的人活着，跟狗一样。有的人虽死犹荣，我们革命者就是这样的人。”

“活见鬼！”谷正伦气得扭头就走。回到办公室，他就把判决书上袁咨桐的16岁年龄，改成了“18岁”。

亲爱的二哥：……我们各有着不同的处境，有的人忍辱顺受，有人在观望徘徊，有人在勇往直前。一个人到了不怕死的地步，还有什么顾忌呢？有了这种舍己为公的奋斗精神，还怕理想事业不能成功吗？

残忍的敌人并没有因为袁咨桐等年少青春而放过他们，在1930年的八九月间，“晓庄十烈士”被国民党枪杀于雨花台。他们中年龄最小的是袁咨桐，还有一位也只有17虚岁，反动派采取了同样的办法——“改年龄”判其死刑。

让我们一起记下这十位年轻的革命烈士（他们中四人是共产党员，其余为青年团员）：袁咨桐（16岁）、沈云楼（17岁）、姚爱兰（女，18岁）、郭凤超（女，19岁）、谢纬棨（20岁）、叶钢（22岁）、汤藻（22岁）、马名驹（22岁）、胡尚志（23岁）、石俊（23岁）。

一个个年轻生命在斗争的征途上倒下之后，激起了无数仍在战斗的革命志士！柔石在其牺牲的几个月前得知又一批青少年革命者悲壮牺牲后，写下了这首著名的《血在沸》的长诗（节选）：

血在沸，
心在烧，
在这恐怖的夜里，
他死了！

他死了！
在这白色恐怖的夜里——
我们的小同志，
枪杀的，
子弹丢进他的胸膛，

躺下了——小小的身子，
草地上，
流着一片鲜红的血！
……
黄河的红水冲上两岸了，
苏维埃的旗帜，
在全国的山岭上飞！
伟大的革命，
伟大的斗争，
我们的小同志，
少年先锋队的队长，
就死在这里面了！
……

在这些血迹斑斑的革命征程上，我发现许多年轻的“巡视员”。这些革命“巡视员”的工作性质与危险程度是以往很少提及的。党史专家向我介绍：当年，中共中央为了监督各地党组织的工作情况和考察相关党的负责人在独立从事地下工作过程中的表现，专门派出一批对党忠诚程度高、年轻机灵且组织纪律性强的“巡视员”，奔赴相关管辖地区进行“工作巡视”。这些“巡视员”还肩负向下级传达上一级党组织和中央的指示的职责。可以说，地下工作时期，这些党的“巡视员”，既身负监督督促下级组织及负责人的特殊使命，又是我们党上情下达、下情上达的关键环节。这些“巡视员”，通常要求年轻、腿脚利索、反应敏捷，又要原则性很强，既要对下面的情况了如指掌，同时又要坚守秘密和遵守铁的纪律。

“巡视员的工作最危险。他们有时刚从上海带着任务出去，半途上就被敌人截获、逮捕。许多巡视员走的时候并不知道当地的组织被破坏了，当他们从上级那里领受任务回来，就一步迈进了敌人的牢房……”党史专家告诉我。

建党初期到解放战争前夕，上海不仅曾是中共中央所在地，还是江浙省委所在地。那时交通条件落后，为防止泄密，党对全国各地的日常党务工作部署和指导，通常就是由这些“巡视员”来完成。尤其是江苏、浙江和安徽三省，其党务工作一直是由设在上海的中央和临时中央局及江浙省委直接管辖，所以这里的“巡视员”也特别多。

而这，也让我看到了另一些革命者的形象——

1927年南京“四一〇”惨案和上海四一二反革命政变之后，共产党在沪宁线上的组织工作处在极其艰难和危险之中，江苏省委和上海地区的党团组织连连遭到严重破坏。这时，一位宜兴青年被调到上海的共青团江苏省委工作，他就是史砚芬，干练而又老成。之前他是共青团宜兴县委书记，而且作为副总指挥，刚刚参与组织了宜兴暴动。

“沪宁一线的党团组织被敌人破坏得相当严重，组织决定由你担任新的沪宁线巡视员，同时兼任南京团市委书记。有困难吗？”

“没有。”

“那好，明天开始你的任务就是走这一条线，重点做好沪宁两地的组织巡视，同时在敌人心脏南京地区积极展开工作……”

“是。”

那时，上级任命干部和交代任务非常简单，也许就是一两句话、几分钟谈话，就开始工作。而工作也许是一次与某某地方的组织接头，也许是去跟另一位地方负责人交代一件事情，在这过程中，你可能面对的就是一位已经叛变了的无耻者，等待你的是冰冷的铁镣与牢狱之灾。

史砚芬是位极有经验的年轻巡视员，而且熟悉沪宁一线的敌情，除了上海，苏州、无锡、常州、镇江以及南京，他都比较熟悉，且能在不同城市讲不同方言。这是从事地下工作的巡视员必备的能力，因为沪宁一带的人十分注意方言不对的“外地人”——那是当地特务们惯常识破一些非本地籍的地下党员的“歪招”。有一次史砚芬巡视到常州，正与当地一位地下党负责人在茶馆接头时，几个特务突然出现在史砚芬他们面前。特务问当地的那位地下党是干什么的，人家马上用常州话回答说是在本地做小买卖。于是特务立即盯住史砚芬，哪知史砚芬一口流利的常州武进话，说自己是做豆腐生意的伙计。特务无计可施，他们哪知史砚芬虽说是宜兴人，可他中学上的就是常州省立第五中学。有一次，爱看书的他一边走路一边看书，结果被一块石头绊了一跤，实实地撞掉了一颗门牙。“门牙一掉，我的常州话反而更地道了！”

史砚芬从这一年春天开始当巡视员后，没少遇见类似的惊险之事，而他也总能化险为夷。曾经与史砚芬并肩从事过地下工作，解放前担任过上海沪东、沪西和闸北共青团区委书记的原南京大学校长匡亚明，在1945年就这样评价过他的这位青年战友：“在上海期间，组织分配史砚芬在共青团江苏省委工作，任沪宁线巡视员。他不畏艰险，在尖锐的斗争中积累丰富经验。”

然而，1928年5月5日这一天，史砚芬却没能逃过厄运：他在南京中央大学附近的鸡鸣寺城墙上，出席当地的一个团支部会议，那天原定的参会人员有二十来人。“不好，我们后面有人在跟梢！”史砚芬发现有情况，立即悄声告诉了随行的两位学生团干部，并说，“想法甩掉‘尾巴’！”

但为时已晚，一群警察突然出现在史砚芬他们面前……他们被捕了。

特务的“审案”很快开始。由于史砚芬在沪宁线一带活动频繁，他在宜兴搞的武装暴动也颇有影响，所以敌人很快知道了他是“共党要犯”，于是用尽硬软兼施的那一套。

“我们知道你从小就失去了父母，自己又要照顾尚未成人的弟妹，有必要死心塌地为共产党干吗？他们给了你多大好处吗？你一死，还有谁去照顾你弟弟妹妹？有谁记得你一个宜兴小赤佬？”敌人在一次次用刑无效后，便想软化史砚芬。

史砚芬一边擦着嘴角流出的血，一边瞪着愤怒的双眼，回答道：“我们共产党人和革命者与你们的差别就在于活着不是为了自己和家庭的幸福，劝你们也别枉费口舌了，怕死的话，我就不会参加革命了！”

“又一个被赤化的小赤佬！”特务们只能摇头叹息。一张死刑判决书甩在年轻的巡视员面前。

亲爱的弟弟妹妹：

我今与你们永诀了。

我的死是为着社会、国家和人类，是光荣的、是必要的。我死后有千万同志，他们能踏着我的血迹奋斗前进，我们的革命事业必底于成，故我虽死犹存。我的肉体被反动派毁去了，我的自由的革命的灵魂，是永远不会被任何反动者所毁伤！我的不昧的灵魂必时常随着你们，照护你们和我的未死的同志，请你们不要因丧兄而悲吧！

…………

我死后，不要治丧，因为这是浪费的，以后你们能继我志愿，乃我门第之光，我必含笑九泉，看你成功。不能继我志愿，则万不能与国民党的腐败分子同流。

现在我的心很镇静，但不愿多谈多写，虽有千言万语要嘱咐你们，但始终无法写出。

好！弟妹！今生就这样与你们作结了！

你们的大哥砚芬嘱

这是一位年轻的革命者走向死亡前写给年龄尚幼的弟弟与妹妹的遗书，看后令人泪下。

史砚芬临刑前，他的同室难友贺瑞麟在《死前日记》中记录下了史砚芬生命最后一刻的英雄气概：“今日六时，史砚芬、齐国庆、王崇典几位同志……拖向雨花台执行死刑。砚芬临行时，身着到南京来的青绿色直贡呢夹长衫、汉清送给他的白帆布胶皮底鞋、白单裤。因为刚洗过脸，头发梳得光光的。他第一个先出去，神气最安逸……砚芬临去时，向我们行一个敬礼……‘再会’。”

这就是一位年仅25岁的革命者留在世上的最后一个凛然的形象！

记录下这一幕的贺瑞麟比他的战友还要年轻，才19岁。他的《死亡日记》从入狱后的9月29日开始写起，只记到10月5日，入狱仅一个星期后，贺瑞麟也不得不将《死亡日记》悄悄塞给同室的另一位难友，自己则像史砚芬一样，大义凛然地走向了雨花台……

李济平，是另一位中共上海地下党组织派往南京、镇江、常州等地负责指导工作的江苏省委巡视员。

与史砚芬的经历完全不一样的是，李济平有过被党组织派往莫斯科东方大学学习的经历。这位父亲是清末秀才的江阴才子学习成绩特别优异，所以在东方大学学习期间听说国内的广州起义失败后，坚决要求回国革命，而党组织此时已经决定让他到炮兵学校进修。“学习固然重要，革命工作更为重要，何况国内急需要人。”他这样向组织坚决请求。

“苟利国家生死以，岂因祸福避趋之！”李济平的请求获得批准后，他用先贤的诗句勉励自己投入血与火的国内革命斗争之中。

在他之前的几任巡视员已经牺牲在征途之上，李济平清楚他面临的严峻形势与危险境地。那时的巡视员不仅需要准确了解所巡视的地区党组织的基本情况和重要事情，还有一项更艰巨的任务是，按照上级要求，亲身去某个地方完成党所布置的特殊任务。如李济平在上海接受组织交代的任务是：在敌人的心脏——南京开展暴动。

这是要杀头的事。巡视员必须冲在最前面，去指导和领导当地组织实施相关的行动，同时还要把执行过程中的情况及时汇报给上级组织。经常化装成不同身份的人，短时间内奔波于几个城市之间，执行完成不同的任务……这就是那个时候的“巡视员”所要做的事。

“在白色恐怖的环境下，党对下级的指导工作，一定要及时、详细、准确，否则将成为工作进步的障碍。”这是李济平向省委提交的《巡视报告》中的观点，他用行动践行着自己曾对组织许下的承诺：“绝不做坐在空屋子里的书呆子。”

1930年，中共江苏省委总行委根据当时的中共中央指示，决定再度在南京举行武装暴动。李济平因为工作能力出众，被推荐为此次暴动的行动委员会书记。

显然又是一次凶多吉少的任务。但李济平义无反顾地从上海出发，去了南京。他化名为王仲斌，在当地的地下党掩护下，以商人的名义住进了交通旅店，开始投入紧张的暴动准备工作。

暴动定在8月1日。这之前，李济平亲自奔波于浦口、下关等地检查暴动的准备工作，协调当地地下党组织和革命的外围力量，各项工作井井有条地进行着。哪知祸从天降——7月29日，设在下关美华理发店的暴动行动委员会办公地被敌特机关发现，正在开会的李济平和其他5名党员当场被国民党首都宪兵稽查队特务抓获。

因为所谓的“证据确凿”，李济平等6名共产党员很快被敌人枪杀于雨花台。

在李济平烈士牺牲两周年的那一天，一位文弱老者，步履沉重地默默来到城南荒芜的雨花台乱山坡上，在一片杂草堆上，用颤抖的双手，凄怆地竖起一块小碑，在上面写下自己次子的名字：李维选，22岁，卒于此地。

李维选是李济平入党之前的名字。革命为民，济平救国，是这位年轻革命者立下的终身信仰。

他与史砚芬一样，在巡视员的岗位上，来得悄悄，走得匆匆，如风一样轻盈，如歌一样激奋，那是革命者的青春在闪动……

曾经听一位党史专家说，在特殊年代，中共有许多战斗在敌后一线的巡视员，他们有的已经牺牲但至今仍不知道遗体在何处，又是如何被敌人抓捕的。从事地下工作的巡视员比从事其他工作的地下革命者的危险要高出几倍，因为他们时刻都在“行动之中”。

“而且他们多数是年轻同志。”这位党史专家如此感叹。

他们是革命者中最让人敬仰的英雄。他们中还有许多人是我们至今仍不知晓的无名英雄……

第九章
“爱人”，是你用鲜血和生命所编织出的玫瑰

一位出身于戏剧世家的17岁福建少年，到了上海浦东中学读书，之后又转到海军兵工厂学习，再之后又失业流浪于上海滩……无奈的他辗转到北京。在孤独与寂寞之中，他开始喜欢文学。此时，他遇见一位同样热爱文学的女青年，于是爱情的火花猛然迸发并光芒四射。但女青年此时因心爱的弟弟刚刚夭折而陷入万分悲痛之中，又因生活窘迫，不得不返回湖南老家。他闻讯后，向朋友借了钱追到湖南……当风尘仆仆的他出现在她面前时，少女深深感动，于是原本高傲的她将爱情之门豁然开启。

这年金色的秋里，他俩一起来到上海，到了瞿秋白、邓中夏、恽代英任教的上海大学，于是都成为革命“文青”，并浪漫地步入了婚姻殿堂。

爱情从来都是炽烈与浪漫的，而地下工作却异常残酷和危险，且极端的无情。已是年轻的中共党员的他们，在刚刚踏进“暖融融的小家”之后，就因革命工作的需要而不停地分离与告别——他在危险的旅途中行进时，她在担惊受怕中思念着、期待着，于是在一个个黑夜白昼也在千万次呼唤着“爱人”“我的爱人……”

爱人：

先说这时候是11点半，夜里。

大的雷电已响了四十分钟是你走后的第二次了。雨的声音也庞杂，然而却只更显出了夜的死寂。一切的声音都消失了，唯有那无止的狂吼的雷雨和着怕人的闪电在人间来示威。我是不能睡去的，但也并不怎样便因这而更感到寂寞和难过。这是因为在吃晚饭前曾接到一封甜蜜的信，是从青岛寄来的。大约你总可猜到这是谁才有这荣幸吧。不能睡！一半为的雷电太大了，即便睡下去，也不会睡着，或更会无聊起来，一半也是为的人有点兴奋，愿意来同我爱说点话。在这样的静寂的雨夜里，和着紧张的雷雨的合奏，来细细的像我爱就在眼前一样的说一点话，不是更有趣味吗？（这趣味当然还是我爱所说的，“趣味的孤独”。）

电灯也灭了，纵使再能燃，我也不能开，于是我又想了一个老法子，用猪油和水点了一盏小灯，这使我想起五年前在通丰公寓的一夜来。灯光微小得很，仅仅只能照在纸上，又时时为水爆炸起来，你可以从这纸上看出许多小油点。我是很艰难的写着这封信，自然也是有趣味的。

再说我的心情吧，我是多么感谢你的爱。你从一种极颓废，消极，无聊赖的生活中救了我。你只要几个字便能将我的已灰的意志唤醒来，你的一句话便给我无量的勇气和寂寞的生活去奋斗了。爱！我要努力，我有力量努力，不是为了钱，不是为了名，即使为偿补我们分离的昔绪也不是，是为了使我爱的希望不要失去，是为的我爱的欢乐啊！过去的，糟蹋了，我的成绩太惭愧，然而从明天起我必须遵照我爱的意思去生活。

而且我是希望爱要天天来信勉励我，因为我是靠着这而生存的……

女人的心是水做的。女人的胆是花捏的。女人的泪就是爱的晶莹与光芒。

突然有一天，他以诗人和剧作家的气质，对腐败和丑恶的反动派的嘴脸悲愤的方式控诉道：“我忍受不了这一切，遂屹立山巅，攘臂呼喊……”

于是，他挺着革命者的胸膛，无所畏惧地唱着《国际歌》走进龙华司令部的牢房，呼喊着“打倒一切反动派”等口号，每一根愤怒的头发跟着他气壮山河的气魄，在空中飘荡……

而她，刚生产不久的她，急得满街寻找，寻找她的“爱人”——出生仅几个月的孩子他“爸爸”!

可她不知何处能找到她的“爱人”和“孩子的爸爸”……“屋外开始刮起风来了。房子里的电灯亮了，可是却沉寂得像死了人似的。我的神经紧张极了……我不知在什么时候冲出了房，在马路上狂奔。”几十年后的她这样回忆当初。

1931年1月的上海，特别湿冷。在这样的天气里，一位刚出月子没多久的女人，一边要带着婴儿，一边为自己的爱人不知去向而担忧，可想而知她有多痛苦和困难。冬天的上海，还下着霏霏雪雨，她“因产后缺乏调理，身体已经很坏了，仍一天到晚在马路上奔走，这里找人，那里找人，脚上长了冻疮，但她觉得人在跑着，希望也像多一点似的……那些日子，她真的太不容易了！”同志们这样回忆说。

后来她找了巡捕房的律师，人家告诉她，人已转到公安局。于是她又去找公安局的律师，人家又不耐烦地告诉她人已转到国民党淞沪警备司令部了。

“龙华司令部的律师对我的请求一口拒绝了，说这案子很重，二三十个人都上了脚镣手铐，不是重犯不会这样的！”她说。

她和他的好友沈从文跟着着急起来，便出面找了徐志摩、胡适，又专程去南京找了中央研究院院长蔡元培，但大家打听后，方知“案情严重，实难营救”。

这就是著名的“龙华二十四烈士”案中的胡也频和他的年轻夫人、后来成为大名鼎鼎作家的丁玲女士在上海的遭遇。

那时他们都很年轻，都是革命青年，又是年轻的革命夫妻。

那个月下旬很冷的一天，天上飘着雪花，沈从文陪弱不禁风的丁玲去龙华监狱探监，带去了胡也频的被子和换洗的衣服，但等了一上午也不见人影。丁玲后来回忆说：“我们想了半天，又请求送十元钱进去，并要求能得到一张收条。这时铁门前探监的人都走完了，只剩我们两人。看守答应了。一会儿，我们听到里面有一阵人声，在两重铁栅门里的院子里走过了几个人。我什么也没有看清，沈从文却看见了一个熟悉的影子，我们断定是也频出来领东西，写收条，于是聚精会神地等着。果然，我看见他了，我大声喊起来：‘频！频！我在这里！’也频掉过头来，他也看见我了，他正要喊时，巡警又把他推走了。”

这是丁玲最后一次见到她的爱人。20天后，胡也频与其他23位烈士被敌人残暴地枪杀，给一个刚刚建起的小家庭以毁灭性的打击，更是埋葬了一个年轻女人的爱情和婚姻，甚至累及他们那个连话都不会说的孩子背负一生的情感伤痛……

20世纪的二三十年代，在上海特别流行西式婚礼，年轻人喜欢到教堂办婚礼，就是在豪华饭店内举行婚礼时，也会学着“西洋”的婚礼仪式，新郎新娘们当着“上帝”或亲朋好友的面，如此誓言道：

……从今时直到永远，无论是顺境或是逆境、富裕或贫穷、健康或疾病、快乐或忧愁，我将永远爱着你、珍惜你，对你忠实，直到永远、永远。

然而我知道，对身为革命者的年轻夫妇来说，他们还有一句特别重要的誓言，默默镌刻在彼此的心头：

> 为了革命事业，无论你活着还是牺牲了，我都将永远、永远地守护在你身边，直到实现共产主义！

这是革命者的爱情与婚姻的庄严承诺。这是革命夫妻间最崇高和最伟大的默契与誓言。

我真地看到许多烈士的亲人这样做到了，他们一生坚贞地爱一个伟大的灵魂，感天动地——

我先要说的是一位叫丁香的烈士和她爱人之间一世的爱情故事。

我们对丁香不是太了解，因为这位22岁的年轻党员在上海仅待了半年不到，在奉命到北京与地下党接头时，被敌人抓捕，后押至南京，不久，便被枪杀在雨花台。2014年清明节，我第一次到雨花台烈士纪念馆参观，听说丁香与她爱人的故事后，给《光明日报》写了一篇题为《雨花台的那片丁香……》的文章，不成想在全国读者中引起巨大反响，于是“丁香”的故事便迅速传开……

> 是丝丝的春雨？还是涓涓的泪雨？当我踏进南京雨花台烈士陵园的那一刻，我的灵魂和思绪出现了某种幻觉……嗬，原来是一片片飞舞的花瓣贴在了我的脸上！那花瓣儿白白的，娇嫩的滴着露珠，且散发着沁人心脾的芬芳。
>
> “这不是白丁香吗？”我惊喜这冷垂玲珑、千结而生的丁香花竟然不请自来。
>
> “是。你看——这里有好多丁香树哩！”陵园工作人员小孙指着前面的那片鲜花盛开的丁香园，告诉我一件更加惊人的事：“这片丁香树就是为了纪念一位叫‘白丁香’的女革命烈士，她还是你们苏州老乡呢！”
>
> 真的呀？我无法相信，然而在烈士纪念馆的展示厅里，确实

找到了一位美丽如花的“丁香”老乡的照片。那照片上的丁香，齐肩短发，白皙的脸庞上，扑闪着一双大大的眼睛……尽管是张已有年头的黑白照片，但依然能让我感受到那是位魅力无比的上世纪三十年代的姑苏美女！

在丁香像的下面，有一段烈士的简介：

丁香（1910—1932），江苏苏州人，曾就读于苏州东吴大学，1930年4月加入中国共产主义青年团，次年转为中共党员。1932年9月，被派往平津一带秘密工作，不幸被捕，解来南京，12月牺牲于雨花台，年仅22岁。

“这是丁香烈士唯一留在世上的照片，是上世纪八十年代在她爱人的老房子里无意间寻觅到的。”小孙还告诉我，丁香和她爱人都是我的苏州老乡。

“那么巧啊？”我又一次惊诧。

“是的，在你们苏州平江区不是有一条‘丁香巷’吗？丁香就是从那个小巷来到人世的……”

嗬！我不得不再一次发出轻轻的却强烈震荡心坎的咏吟：那是一条“千结苦粗生”的小巷子，在我幼小的时候，外婆就告诉我，她三岁时有个小妹刚出生，正遇上父亲家业破落，因此外婆的小妹不得不被遗弃在小巷弄堂口，从此再无音讯……

新中国成立后，小巷因为出了个牺牲在雨花台的革命烈士丁香，所以政府将小巷改成了“丁香巷”。我的外婆在上世纪七十年代末去世，她说她的小妹或许就是那个不在了的“丁香”，外婆的理由是她的另一个姐姐后来也跟着谭震林的新四军队伍，和日本人打了许多年游击。信天主教的外婆悄悄告诉我：家里人害怕她也出去“舞刀弄枪”，所以让她信了洋教。

外婆留下的故事年代已太久远，她那位丢失的小妹是否就是“丁香”，我无法考证。然而，故乡苏州的那条“丁香巷”却是我以前常去的小巷，而我一直并不清楚在那个小巷里竟有一位牺牲在雨花台的美丽而多情的革命烈士。

烈士陵园小孙是位革命历史研究专家，她介绍，革命烈士丁香确实是位弃婴，当年被苏州基督教监理会的牧师收养。“太美了，像丁香一样美哟！”收养女婴的是位美籍女牧师，她喜欢中国，更喜欢盛开白丁香的园林姑苏，于是她给自己起了一个“白美丽”的名字，洋牧师白美丽是位精通文史和音乐的知性女士，更有一颗善良的心，弃婴由她抚养后，她给孩子起了个温馨而浪漫的名字：白丁香。丁香从此在姑苏城那条小巷内绽放美丽的人生。

“淅淅沥沥的细雨下，小巷里飘出阵阵清淡的幽香，袭得肺润心醉。我的宝贝小丁香，你睡你醉你开心。妈咪给你弹一曲《浣溪沙》……”于是，小巷的教堂里传出吉他伴洋味的抒情乐：“揉破黄金万点轻，剪成碧玉叶层层。风度精神如彦辅，太鲜明。梅蕊重重何俗甚，丁香千结苦粗生。熏透愁人千里梦，却无情。”

小巷是宁静的。宁静的小巷里总见一对天仙般的母女在丁香树下嬉戏和读书，那夜莺一般的笑声和清脆的朗朗声，伴着姑苏的小桥流水，仿佛是幅活脱脱的天庭圣母圣女图，小丁香天生丽质，又聪慧过人，白美丽看着养女一天天成长，喜上眉梢。她专门请来导师教小丁香学英语、读《圣经》和史书、弹钢琴等。15岁时，白美丽将小丁香送到东吴大学学习生物和代数。

自由而思想解放的大学校园，让美丽的小才女插上了理想和爱情的翅膀。当一场大革命的疾风骤雨袭来时，激情而又单纯的小丁香如痴如醉地倾听萧楚女关于反革命军阀统治下的中国向何处走的演讲时，她热泪盈眶，从此坚信革命是拯救中国的唯一出路。后来丁香听说所敬仰的萧楚女被国民党反动派枪杀，于是不顾养母白美丽的劝阻，挺起瘦弱的身子，跑到革命学生聚集的地方，在镰刀和锤头组成的红旗下，庄严地将理想献给了共产主义未来——她加入了共青团，次年又转正为中国共产党党员。

从此那条狭长而幽深的小巷里，总有一个美丽的身影举着“打倒帝国主义”“打倒反动统治”的小旗子，在奔跑、在呐喊。有一天，教会的大门突然紧闭，丁香挥泪告别养育她的美籍母亲，踏上革命道路。

“我们是老乡呵！”一天，东吴大学校园内的小径上，丁香被一位高大英俊的男同学挡住了道。

“老乡？谁是你老乡？”丁香抬头的那一瞬，脸红了：他长得好标致喔！

“是，我祖籍苏州太仓的，后来我们家搬到了南京。我们认识一下……”他把手伸过来，又说：“我叫乐于泓，大家都叫我阿乐。”

“你就是阿乐呀?！”丁香眨巴着那双美丽的大眼睛，羞色满面，因为她常听人说，有个叫阿乐的共产党员，不仅参加罢工闹革命勇敢，而且能拉一手好二胡。

“我就是。”两双温暖的手握在一起。两颗年轻的心撞出了爱情的火花。

从此，在东吴校园，在姑苏虎丘塔下，一个宛如青瓷质地的姑苏美女，与一个君子如玉的伟岸俊男，缔结连理，常形影不离地依偎在丁香树下，谈革命、谈爱情，也谈音乐与古今中外有关丁香花的诗篇。

“春夜阑，春恨切，花外子规啼月。人不见，梦难凭，红纱一点灯。偏怨别，是芳节，庭下丁香千结。宵雾散，晓霞晖，梁间双燕飞……”由于阿乐家境出现困难，被迫辍学，后到上海从事职业革命。这时的阿乐，年逢深夜，终将一曲曲古人的“丁香”辞赋，谱成悠长而动听的乐曲，然后通过他的二胡，借着寂静的夜光，传给远在金陵的恋人听。

“楼上黄昏欲望休，玉梯横绝月如钩。芭蕉不展丁香结，同向春风各自愁……亲爱的人，其实我更爱李商隐的这首诗。吟着此诗，丁香的心早已飞向了黄浦江边。”丁香回信说。

“丁香，在上海的地下党由于出了内部叛徒，组织惨遭破坏，党决定派你去……眼下形势非常严酷，你要做好各种准备。”在丁香毕业不久，党组织找她谈话。

“请组织放心，丁香不怕任何风霜侵袭！”那一天，她收拾箱子，连夜赶到了上海，紧紧地依偎在阿乐的怀里。在外滩码头上，他们牵手奔跑着、欢笑着，与江上的鸥鸟比赛朝霞下谁更美丽、谁更欢畅。

白色恐怖下的地下工作，异常艰辛和危险。早春的上海，阴冷又潮湿，阿乐去闸北区一工厂组织工人罢工，不料遭到反动派突然袭击，数名工人师傅在战斗中牺牲或被捕，阿乐侥幸逃脱。回到宿舍，悲愤交加的他拉了半夜二胡，直把心爱的胡弓都给拉断了。一旁的丁香则默默地为他将一根根弓丝接上……望着粉色衣裙的婀娜身姿，阿乐情不自禁地将恋人搂在怀里。

1932年4月，组织批准了丁香和阿乐的结合，俩人在简陋的小屋里秘密成婚。

新婚是甜蜜的。新婚给从事地下工作的这对小夫妻带来不少方便。以后的日子里，他们借着阁楼小巢，为党组织传送情报，召集秘密会议。而丁香的钢琴、阿乐的二胡，则成了他们向同志们传递平安讯息的工具。每当丁香的《圣母颂》响起，同志们的心情是舒坦和安宁的；每当阿乐的《二泉映月》传出，同志们便警惕地远远散去。

5个月后的一个深夜，丁香在幸福地告诉爱人自己已有了三个月身孕后，便坐在钢琴前，弹奏起了一曲贝多芬的《命运》……

“亲爱的，明天你就要到北平了？什么时候回来？我有点不放心。”阿乐抚摸着娇妻的柔软长发，摩挲着、忧心着。

妻子仰起美丽的脸庞，温情地摇摇头：“我也不知道。但丁香会早些回来，为了你，也为了他……”她轻轻地拍拍腹部。

那一夜，阿乐长久地吻着丁香的唇，仿佛要把妻子的香味永远地留在身边。

丁香走了。走了后再也没有回来。

卑鄙的叛徒把刚到北平的丁香给出卖了。

“小姐这么年轻，这么美丽，连名字都是芳香的，而且还是大学生，为什么一定要给共产党卖命呢？”敌人以种种理由诱劝她。

丁香告诉他：“因为共产党是为劳苦大众服务的，他们要推翻你们这些反动统治者。”

“可你也是由教会养大的，听说还是吃了白米饭长大的嘛！”

“但我的血管里流淌的也是穷苦人的血。”

“你知道，人的生命不可能有两次。当花朵飘落在地上后，就永远不可能再有芳香了。”

“革命者只求一次有意义的生命绽放，要杀要毙，别再啰嗦了！”丁香昂起高傲的头颅，说。

无果又无招的敌人只得将丁香押至南京，作为“共党要犯”关进铁牢。不日，又秘密将她杀害于雨花台。

这年丁香才22岁，有三个月的身孕。

“丁香！我的丁香——！”12月3日，这个日子对身在上海的阿乐来说，如晴天霹雳，悲痛欲绝。当从事地下工作的同志将噩耗告诉他后，阿乐的泪水变成了滔滔的黄浦江水，那一夜小阁楼上的二胡一夜未停，一曲悲情如泣的“祭丁香”，撼落了苍天一场冬雨……

次日，阿乐冒着异常风险，只身来到南京雨花台，他披着蓑衣，伫立在大雨中，跪伏在血迹未干的丁香就义的泥地上，紧握双拳，向苍天发誓：“情眷眷，唯将不息斗争，兼人劳作，鞠躬尽瘁，偿汝遗愿！”

“……愁肠岂异丁香结？因离别，故国音书绝。想佳人花下，对明月春风，恨应同。”失去年轻美丽的妻子丁香后，阿乐并没有倒下，他把对敌人的仇恨化作战斗的豪情。之后，阿乐被派到青岛任共青团山东临时工委宣传部部长。1935年被捕，关进国民党监狱。两年后的1937年4月21日，被押至南京晓庄的“首都反省院”。

在敌人的“反省院”里，阿乐与关押在那里的共产党人和革命志士们并肩与敌人展开特殊战斗。为了抗议国民党反动政府不抵抗日本侵略者的行径，阿乐和难友们在狱中借着“放风”的机会，进行了一场抗议当局的音乐会。阿乐借他高超的二胡艺术，给难友们鼓劲。他的二胡像战斗的冲锋号角，震撼了监狱。阿乐后来这样回忆当年的情景：“我面前仿佛站着在冰天雪地浴血抗战的战士们和脚上拖着沉重铁镣、关在黑牢里受苦难煎熬的同志们！我低着头，噙住两眶子泪水，全神贯注地听着琴弦上吐出的苍凉悲壮的颤音。抑扬婉转的琴声浮动在晚晴的草坪上，每个音符都触动着难友们的心弦，大家在肃穆无声中被深深地感染了。我拉完最后一个音符便站了起来，提议大家一起唱《义勇军进行曲》。大家要求我教唱，我虽从来没有教过唱歌，可还是清清嗓子，挥着手，领着大家唱：‘起来！不愿做奴隶的人们……’我一遍一遍地教大家唱，群情激奋，越唱越来劲，连‘反省院’的‘导师’们和院方人员都被这威武雄壮、气势磅礴的歌声所吸引，纷纷出来观赏……”

阿乐的这一表现，感动了当时许多狱中同志，其中有一位在解放后任沈阳某师范大学校长的佟汝功同志，当天在狱中专门为阿乐的表现写下一首《胡琴曲》的长诗：

“东海少年挺不群，指间微动生风云。江州司马嗟已逝，请君侧听胡琴吟。初闻涧底发幽鸣，泛泛一派秋泉清。满座屏息声不动，耳中只有胡琴声。忽觉风雷拔地起，鱼龙悲唱惊涛里。天马行空不可追，长飚一逝三千里。此是中华大国魂，江河泻出哀弦底……”

在周恩来亲自干涉和关怀下，1937年9月，阿乐和难友们终于被当局释放。重新回到革命队伍的阿乐，一直随彭雪枫领导的新四军第四师转战江南大地。然而在枪林弹雨下的阿乐，始终不减对牺牲的爱人丁香的思恋之情，且越是解放战争节节胜利时，阿乐的这份思妻之情也越发强烈。他一有空，就独自坐在一个地方，用他的二胡拉起自编自吟的一首首“丁香曲”，那情那意，无不让人感叹和感动。数年过去，朝朝夕夕如此，一生驰骋疆场的血性将军彭雪枫也为阿乐的爱妻深情所感染，写下了平生少有的一首自由体诗：一个单薄的朋友，十年前失去了他的爱人……如今啊，何所寄托，寄托在琴声里头……

1951年，当南京雨花台革命烈士陵园的奠基仪式在致敬的礼炮声中举行时，阿乐正在雪域高原的进藏部队的行军队伍中。那时，他已经是中国人民解放军第十八军宣传部长。为丁香守身18年的阿乐，让他的战友和首长们发愁：到底他还想不想成家了？

不敢有人去碰阿乐的那颗伤痛的心。但意外的事却这样发生了：有一天，阿乐兴奋地跑跳着告诉自己的几位好同事：“我要娶她为妻！娶她为妻！”

“你？没有疯吧？”战友们看着阿乐从未有过的疯狂劲，以为他神经出了毛病。

“我没事！真的没事。”阿乐笑着拉起同事的手，跑到军部通讯报道科，指着一位姑娘，说，“你们看，她长得像不像我的丁香？”

同事们惊喜地发现：真的很像呵！

这个与丁香长相十分相近的女兵叫时钟曼。阿乐为英勇就义的爱妻守身18年的忠贞爱情故事，十八军上上下下无人不晓。当钟曼得知自己的“首长”要向自己求婚的消息后，那颗芬芳的心一下颤动了……1954年5月，阿乐与比自己小23岁的钟曼结成伴侣。

阿乐后来转业到地方，先后任西藏工委办公室主任、新华社西藏分社社长。后又因工作需要举家到了安徽、东北，且与钟曼有了宝贝女儿。当妻子问他给女儿起什么名字时，阿乐的目光一下停留在桌上那盆插浸在雨花石里的丁香花……末后，他说：“就叫丁香吧！”

“乐——丁香。好，我闺女长大后一定也会像丁香那样美丽芬芳，更要学她为革命事业英勇献身的无私精神。”妻子钟曼深情地依偎在丈夫那宽阔的肩膀上，感受着一个男人的崇高而至纯的爱慰。

“苏小西陵踏月回，香车白马引郎来。当年剩绾同心结，此日春风为剪开。”妻子善解人意，常为夫君朗诵他喜爱的“丁香”诗篇，并且在每年12月3日丁香的殉难日，专门为丈夫备一瓶好酒，取出二胡，让他独自尽情地抒发对已在天国的爱人丁香的思念。

年复一年，阿乐对丁香的思念之情愈加浓烈。当年因为地下工作的特殊性，他手上没有留下一张丁香的照片，于是阿乐根据自己的印象，自绘了一张丁香像，挂在家里的客厅墙上。“墙上的丁香阿姨，跟我妈妈年轻时的照片一模一样……”女儿乐丁香这么说。其实，在阿乐的眼里，丁香就是妻子，妻子就是丁香，烈士妻子丁香和现实中的妻子钟曼就这样相似相近，更令阿乐情深意长。

1982年，在丁香牺牲五十周年的日子，阿乐带着女儿乐丁香来到雨花台，在丁香就义旁的一条小路边，亲手种下一棵丁香树。

之后，陵园的工作人员和参观的人听说阿乐和丁香的爱情故事后，感动之余，也跟着栽种起一棵棵丁香，后来便连成了我们今天所看到的一片丁香林……那丁香每逢春季，便会绽放出白色的花朵，散发出阵阵清香。阿乐先生自在雨花台种下那棵丁香后，每年清明节都要带着妻儿前来雨花台给丁香祭奠。

“行程前，他都要理发，整装一新。”妻子和女儿这么说。

1989年，阿乐最后一次来到雨花台，这年他81岁。久病的阿乐自知来日不多，看着自己种下的丁香树枝繁叶茂，不由声泪俱下。片刻定神后，他端坐在丁香树下，接过女儿递来的二胡，左手触弦，右手执弓，稍作凝神屏气后，只见高昂的头颅猛然一低，那执弦的手臂顷刻间左右开弓，胡琴顿时传出如歌如泣的万千思恋之情，让无数游人驻足拂泪……

1992年，阿乐在沈阳病逝。次年，妻子钟曼带着女儿，捧着丈夫的骨灰，在绵绵春雨中来到雨花台，将阿乐的骨灰和灵魂一起埋在了那片丁香树下。

“丁香花叶是苦的，可她的花是香的。而作为女人，丁香阿姨其实很幸福，一则她是为建立我们今天的新中国而献身牺牲的，二则她获得了一个男人一生的至贞至爱。”阿乐的女儿乐丁香，现在每年都会在清明节的时候来到雨花台吊唁她的父亲和与她同名的丁香烈士。每当有人问起她父亲与丁香的爱情故事时，她总这样说。

雨花台的丁香树如今已成片成林，那条幽长飘香的“丁香路”也成一景，每每参观者步入烈士陵园，总要在此驻足留影，而烈士丁香的革命事迹和她与阿乐的爱情故事，则更像一曲经典歌谣，在人们的口中广为流传……

…………

丁香与阿乐之间的一世爱情，最终也实现了他们在结婚时的共同承诺：为了革命事业，无论你活着还是牺牲了，我都将永远、永远地守护在你身边，直到实现共产主义！

现在，我已经知道，从上海滩飘出去的那片丁香的芬芳，已经开始重新弥漫上海滩、弥漫全中国……

现在要说的，是又一个无比壮丽的革命者的“爱人之歌”——

这个故事，我写着写着，不由泪流满面……因为，他们夫妇都死得悲壮：一个在1931年5月16日被押解到国民党淞沪警备司令部监狱，半个月后又被作为“共党要犯”押解到南京雨花台英勇地牺牲了；另一个独守42年，后来成为共和国第一任监察部部长、内务部部长和中央监察委员会专职副书记，“文化大革命”期间被“四人帮”关在一间十来平米的医院小房间内，由八个彪形大汉日夜看守着，被折磨得仅剩六十来斤的她，在病榻上气息微弱，低语着：“……为了革命事业，无论你活着还是牺牲了，我都将永远、永远地守护在你身边，直到实现共产主义！”

1973年7月26日，那是个炎热的日子，她在“四人帮”爪牙们的监视下，永远地离开了人间……

她叫钱瑛。革命队伍中都叫她“钱大姐”或“大姐”。而我则认为她应该是位“铁大姐”。

很多人并不知道钱瑛是谁，但一定知道《洪湖水浪打浪》这首歌和《洪湖赤卫队》这部电影，那里面歌颂的一位女赤卫队队长“韩英”，其原型之一就是钱瑛。

“韩英”是活在全国人民心目中的艺术形象；活在现实中的钱瑛，则是一位钢铁铸成的女战士。我总把钱瑛误读为“铁瑛”。

她丈夫走了，永远地走了。

在她与他在上海结婚的三个月后，她就去苏联学习——在那一年多的时间里，这对小夫妻爱得炽烈、爱得痛苦……380多天，他竟然给远在几万里之外的爱人，一共写了130多封信！要知道，那个时候，从上海寄出一封信，“走”到莫斯科至少需要近一个月时间。“三天一封，用特殊的暗号，把国内革命的事都要告诉我。”在黄浦江码头上，临别时，她依偎在他的怀里，提出了这样一个“要求”。“嗯，一定！”他答应了，他真地做到了，无论在多么艰险白色恐怖的夜晚，还是在组织工人进行武装起义的腥风血雨的街头巷尾，他都会想起给“远方的爱人”写封信，寄上一份深深的爱……

芳妹，我爱的你！你在梦中呼我了？怎样的呼我？你问我怎么样了？啊，我在爱你！十分的永远的爱你！难道你不知道吗？我要安慰你，我整个儿都是你的！你相信我吧！我的妹！

曼，我也爱你！我——十分、十分地爱你！我不能一刻离开你，不愿你离开我！你，你是怎么样了？啊，你此时此刻又在C城做什么了？我为你担心！为你！

他称她“芳妹”，她称他“曼”，比浪漫更富有诗意的“曼”。革命需要他出差到武汉，他便这样写信给她：

芳妹，我深爱的芳妹：

你知道不知道你爱的曼哥是处在什么境地？你不会猜我是留恋黄鹤楼头的残景吗？如果你是这般猜，那是错了。芳妹，你何时归来C城？我的肉体虽被搬到了黄鹤楼头，灵魂儿是时刻绕着你的身旁的，你的眉毛有时会怒然战动，你的心房忽然的急跳，你的精神有时会感到烦闷，都是我灵魂儿围绕你的作用。

芳妹，你相信吗？不会不相信，我也时时刻刻都觉得你的灵魂是围绕着我呢！我时时刻刻都觉得你的影子在我身旁，我每想和你握手拥抱，每想和你接吻，每想……每想……但是你的影子又突然消失了！我是若醉若狂，若痴若迷，又不是为着你的灵魂的作用吗？

你相信吗？不会不相信吧？

我的芳妹……！

她在给爱人回信时，告诉他：我们有孩子了。他简直幸福得疯了起来，甚至说“要乘上伟大苏联的火箭飞到芳妹的身边”“不然，你的曼会死的！”

他甚至这样说。

“不许你这样说！我们的生活才刚刚开始……我们不再仅是我们俩了！我们除了为革命，还要为他和他的未来活着！”

“对，为了他和未来，我们要好好地活着，活到共产主义！”他说这回他不是说“疯话”，因为他又将奔赴新的战场，去经历又一次的腥风血雨的战斗！

后来，她独自生下了他们的孩子。为了全身心回国投入残酷的地下工作，她把孩子留在莫斯科。

1931年春，她回到了上海，回到了爱人的身边……俗话说，久别胜新婚。何况，他们就是在新婚不久就分别了，一年多后的今天又重新在上海团聚。“难道不是又一次新婚吗？芳妹，我的爱！你终于回来了，你让我想得苦啊！……”

“钱瑛同志，组织决定让你到湘鄂西革命根据地去，配合贺龙的部队开辟那片新的革命战场，以缓解江西革命苏区的压力。”小夫妻似乎还没有热乎够，组织已经下达了新的指令。

“好的。什么时候走？”她问。

“明天就走。有几个同志一起去，这样会安全些。”

明天？我的芳妹，你明天就要走了？他紧紧地把她搂在怀里，怕永远失去他的“芳妹”……“为了革命，为了我们的孩子能够有个新的国家，我支持你——我的爱！我的芳妹！”

他喃喃地，在梦里也一直这样说着。第二天，她走了，他却在外白渡桥上呆呆地站了几个小时，一直到他的“芳妹”乘坐的轮船消失了很久、很久。

他转身的那一刻，上海滩上的乌云突然又厚了几层……反动派对上海地下党和中共中央机关、江苏省委机关的破坏越来越猖獗。作为中华全国总工会秘书长的他，正在按照党的指示，积极想法恢复被破坏的总工会工作时，突然有一天他被叛徒出卖而遭敌人逮捕，从此与他的“芳妹”彻底失去了联系……

作为“共党要犯”，他被国民党上海市公安局和淞沪警备司令部特务机关来回地拉来拉去“审讯”，企图从他嘴里“敲”出共产党的机密情报。

被捕的一个月里，敌人在他身上用尽毒刑。仅5月16日一天，在国民党公安局侦缉队手里，他就先后被“反上吊”两小时，又被烧红的铁条烙其胸部和腹部，昏死一回，醒来后再来一次……如此整整折腾了近十个小时。然而敌人仅从他口中得到一个“不”字的口供。气急败坏、黔驴技穷的敌人，只得用更恶毒的手段来残害他——他们打断他的手指和脚腕，直到他一直醒不过来才罢休。

我亲爱的芳妹！你此刻在哪里？我想念你，想念你是因为你能给我战胜敌人毒刑的力量，以及抚慰我钻心的伤痛……没有你，我将退缩；想着你，我将永远不屈！直至又重新回到你身旁！

在监牢里，每一次经历敌人的酷刑前，他心里总要先默默地喊几声“我的芳妹，我的爱！”，然后什么都不怕了，任凭敌人的火烙与皮鞭，更别说老虎凳和“反上吊”……你有多少刑具，我就喊多少遍“我的芳妹！我的爱”，“我就不再感知什么是疼，只感觉有爱着自己的爱人就什么都不怕，甚至是死”！

“姓谭的，要送你‘上路’了！”敌人叫着他的名字，将他从上海押解到南京，押解到雨花台……

“砰砰！”第一排罪恶的子弹，没有打倒他。

“哒哒哒……”第二排扫射的子弹仍然没有打倒他。

刽子手惊恐地拔出刺刀，连连向他腹部、头部、胸部猛刺一阵，又补上一排子弹……

中国共产党的钢铁战士、中国工人运动的领袖之一、广西中共组织的缔造者之一、钱瑛同志的爱人谭寿林，于1931年5月30日，牺牲在雨花台，时年35岁。

“我的灵魂是追随着你，追随着我们鲜明的旗帜。”这是他留给妻子的遗言。而此时他的妻子尚未从枪林弹雨的洪湖畔回来，等她化装潜回上海后听说他被敌人残暴地枪杀在雨花台时，她真的想带上自己的游击队伍，将枪杀他的仇人们杀个片甲不留！然而组织布置她一个紧急任务：江苏省委急需一位妇委秘书长，你去吧！注意，当前形势非常严峻，需要特别警惕和注意自身安全。

我不怕。洪湖边密集的子弹没有击中过我，我真想看看街头的敌人子弹是如何击向我的……自从没有了他，她的目光里少了温柔，多了冷峻；她的脸上少了笑容，多了严肃，甚至在后来几十年里同志们都以为她生来就不会笑、铁一般……

钱瑛真的变成了“铁瑛”——许多革命同志都这样认为，只有那些了解她的人才知道，其实工作之余的她，常常会捧着她和他的结婚照哭上一宿又一宿、一天又一天，但在革命工作和革命同志面前，她不再流一滴眼泪，甚至不说一句“软话”。

敌人见她怕，同志见了她也会有几分胆怯，尽管她身材弱小，说话细声细语，但从其口中吐出的每一个字、每一句话，都充满了对敌人的仇恨和对原则的铁面无私，以及对组织的绝对忠诚。

“不许动！你被捕了！”一天，她正要去参加一个地下党的活动，由于叛徒的出卖，她还未到达现场，就被几支黑洞洞的枪管顶住了腰际——如果在洪湖，她会拔出手枪，给敌人以最有力的回击，然而现在的她，赤手空拳。无奈，她只能跟着特务进了敌人的龙华警备司令部监狱。

“叫什么名字？”

“彭友姑。”

“你？姓彭？不姓钱？”敌人奸诈地瞅着她的脸，企图一层层“剥皮”。

她临危不惧，坦然回答：“就是姓彭！”

“没有在洪湖待过？”

“什么红湖绿湖！”

“你！”敌人恼羞成怒，又无可奈何，最后不得不使出毒招：让一名叛徒来与她当面对质。

“无耻！”她举起巴掌，使尽全身力气，替自己、更替牺牲的他狠狠地打了那叛徒一耳光，“你有什么脸跑到我的跟前来说话？你有什么资格像人活在这世上？滚！滚！滚滚——”

叛徒吓坏了。敌人吓坏了。谁也没有见过一个弱女子竟然会有怒火冲天的力量和惊天动地的气概！

是的，她就是有这般气概和力量。了解她的人知道，在她还没有参加革命工作之前，为了反对家人包办的婚姻，当着父亲的面，把自己的腕筋割断……最后妥协的是家人。在同党内的错误路线进行斗争时，她会毫不留情地当面指出那些比她职务高的领导的错误，铁面无私。

自然而然，她被作为“要犯”押至南京监狱，并被判15年徒刑。没有被枪杀，是因为监狱里的同志一直暗中保护她，她们知道她的丈夫已经牺牲，还有一个孩子生下后就留在万里之外的苏联……

监狱的难友们都尽一切可能来保护她，大家的心里都有一个念想：大姐在洪湖威震四方，一家人分了三个地方（一个已牺牲，一个在监狱，一个在遥远的异国他乡且生死不明），大姐太不容易，一定要让大姐活着出去。

“大姐”也从此成为她的另一个称呼。

在监狱，她以大姐的身份，给难友们鼓勇气、树信仰、增力量。

对年轻的同志，她会把爱人留下的自传体小说《俘虏的生还》，一段一段地读给他们听，让他们明白一个革命者也有情，也有义，更有意志和信仰、方向和目标。

她和监狱里的其他几位女共产党员组成“临时支部”，4次成功组织和领导“绝食”活动，并以身作则学外语——因为英文报纸上可以读到苏区和红军的一些消息，那是监狱内的共产党人唯一可以直接获取的点滴希望。

牢狱是难熬的。当皮鞭加老虎凳摧残你的时候，受伤的虽是肉体，却都是对信仰与理想的考验。女人更容易让敌人找到弱点和致命处，而她依仗着他牺牲之后对敌人的仇恨，一次次挺过了敌人的种种残忍的毒刑与诱惑，甚至让残暴的对手都不得不感叹：这个小女人，竟然会有那么强的忍受力啊！

1937年8月18日那天，当周恩来和叶剑英出现在国民党的“反省院”时，一番激情和温暖的话，让她在他牺牲之后第一次在众人面前流下了眼泪……

我自由了！我又可以为革命工作了！我可以把对敌人的仇恨化为实际行动了！亲爱的“曼”，你的“芳妹”又可以拿起武器，像在洪湖指挥赤卫队一样，去杀敌人了！

为你——我亲爱的“曼”报仇！

她出狱了，见到了太阳。她被分配到武汉，与革命家陶铸等一起参加地下党湖北省委的工作——那是一场民族抗日的战争。她唯一感到痛苦的是她必须按照党的要求去与那些曾杀害她的“曼”的国民党人打交道、搞统战！然而她向组织表示：个人的痛苦必须服从民族伟大斗争的需要，我要把个人的仇恨暂时深深地埋在心底。

国民党反动派并没有真心合作，对付共产党从不手软，甚至变本加厉。当日本侵略者的飞机猛烈轰炸武汉时，国民党不仅早早地先撤了，还狠毒地将长江上的船只封存了起来。无奈，她在李克农的带领下，雇了一艘小火轮，结果鬼子的飞机将船只炸了个粉碎……后来撤离的《新华日报》同志们发现唯独少了她——“我们不能丢了大姐呀”！那一刻，同志们都哭了，怕她有个三长两短。

然而她活了下来，被一只渔船的船夫救上了岸，到了她熟悉的那块地方——洪湖边。

“我的命跟洪湖连在一起。”这回，她流出的是感激的热泪。

一面红旗向日擎，几多鲜血染将成！
韩英已死钱瑛在，赢得英雄儿女名。

她的一位叫张执一的老战友为她写过这样一首诗。

又一次“想着他的牺牲而必须活下来”的她，新的征程是到重庆开展那里的地下党工作，于是有了《红岩》的革命故事。她是川东地下党组织的负责人，作为抗战“陪都”的重庆，蒋介石的特务遍布整个城市的每一个角落，不允许任何一个共产党分子在他们的鼻子底下从事反对国民党的斗争。斗争异常严酷和复杂，300多位忠实的共产党员都被敌人枪杀于“黎明”之前——重庆解放的前几天，敌人对包括江姐在内的革命者实施了集体屠杀，死者中有比小萝卜头还小的3岁的小烈士……

敌人从来不对我们革命者仁慈。既然你参加了革命，面对残酷的斗争和凶残的敌人，就不能有丝毫的幻想，必须对他们进行无情的斗争！这是她常说的话，既用来教育同志，也时常提醒自己。

“……英特纳雄耐尔就一定要实现。”一个女高音从破祠堂里的火堆边升起，飞入夜空，到处飘荡。

那是在一九三八年的一月，湖北省委在鄂豫皖边区七里坪的一个深山破祠堂里办的党训班快要结束了。我们这一群满怀抗日热情可是什么也不懂的青年，在近两个月的学习中，才懂得一点中国革命的根本道理，懂得一点党的知识，从远道来讲课的叶剑英同志那里，懂得一点抗战形势和战略战术。在一个寒冷的夜晚，我们在大厅里烧起熊熊篝火，几十个人随便围火坐着，训练班的负责人方毅同志带来一个身材矮小、大约三十岁年纪的大姐，向我们介绍说，她就是湖北省委的组织部长钱瑛同志，要我们都叫她钱大姐，并且说她曾去苏联学习过，又长期蹲过国民党的监狱，出来才不过几个月。

钱大姐对我们说些什么，早已不记得了。但是我却记得，她在我们的鼓掌欢迎下，给我们唱了一支《国际歌》。我们都知道这是革命者的歌。钱大姐虽然不是一个歌手，但是我们听起来，唱得真好，她昂着头，晶亮的眼睛望着前方，那么坚定而富于感情，就像眼见着在南京雨花台和上海龙华的那些烈士们拖着铁链走向刑场时唱的一样，我相信她正想着那些烈士们，或者像她在监狱里随时准备着这么唱一样。

因为听说她去过苏联，大家欢迎她用俄文唱《国际歌》，她唱了几句，然后我们大家都和着唱起《国际歌》来，是那样的慷慨激昂，那声音乘着火光，飞出祠堂，飘进夜空，飞到远方去了：

“这是最后的斗争，

团结起来，到明天，

英特纳雄耐尔就一定要实现。”

在以后的几天，钱瑛找许多学员谈话，这是她作为组织部长的分内事。她也和我谈过话，问我今后的去向，我和其他许多青年一样，都向往着去打游击，到敌人后方去，她笑一笑说：“各方面都需要人，由组织分配吧。”

……

上面这段回忆文章是老作家马识途所写。

解放前老马同志是重庆四川地下党重要成员，后任省委宣传部领导。他是钱瑛的部下。马老对这位老领导的感情非同一般。他曾回忆道：

一九三八年秋武汉沦陷前，领导叫我动员一些工人到平汉铁路南段打游击去。我想这下我一定可以一块去敌后打游击了，谁知钱大姐要我和一批同志撤退到鄂北襄樊去，不久我被派到枣阳农村去做开辟工作。我工作不几个月，清理和发展了一大批党员，建立了县委。钱大姐有一天告诉我说：“你不是想到敌后打游击吗？这下行了，跟我上大洪山去吧。”原来她要去任鄂中特委书记，枣阳县委划归鄂中了。我跟钱大姐去大洪山，参加鄂中特委，准备打游击，十分高兴。但是不到一个月，钱大姐又告诉我，她被调到湘鄂西省委工作，决定调我到恩施鄂西特委去工作。说实在的，不让我去打游击，我有点不高兴，况且在国民党地区工作，又危险又憋气，更不想去。钱大姐马上看了出来，严肃地批评了我：“一个党员哪能凭个人兴趣办事？叫到哪里，就到哪里，叫干什么，就干什么，到最危险最困难的地方去工作，才是好同志。”

我在鄂西担任特委书记工作了大半年后，国民党掀起了第二次反共高潮。一九四〇年夏天，钱大姐那时已在南方局组织部工作，她不顾长途跋涉和危险，专门从重庆到恩施来检查工作。她和我们一起挤住在一个农民家里。她和我的爱人小刘睡在一个床上，臭虫很多，睡得不好。我是一个失业教员的身份，每天粗茶淡饭，她和我们一起过着清贫日子，我们觉得很是过意不去，她却安之若素。她说：“这总比过去坐牢舒服得多了。”她给我们讲过去坐牢，臭虫多得来不及捏死，用碗水来淹，一捉就是半碗。又说吃的霉米饭，挑出的沙子装了一口袋。借此向我们进行革命气节教育。她讲雨花台牺牲的烈士多么英勇，这些对于后来小刘被捕入狱，坚持斗争，英勇牺牲，无疑是起了很好的教育作用。

钱大姐在特委会上向我们传达了中央隐蔽精干、长期埋伏的政策，并且宣布新来的何彬同志担任特委书记。临回重庆以前，她给我和小刘谈了一次话，她说了两件事：一件是我改作第二把手，绝不是因为我过去工作不好，而是为了重点转向农村工作，要我去南路川鄂湘边一带开展活动，准备武装斗争。她说共产党人从来服从组织分配，不计较名誉地位的。我一直有一种感觉，钱大姐无论说什么，不管说得多么简单，总有一股异样的方量，使你不能不欣然同意她的主张，绝无思想包袱可背。第二件事是她对小刘说，准备调她担任南方局对湘鄂西一带组织的交通员。她说交通员是上下级的纽带，十分重要，也十分危险，要随时准备牺牲。小刘也欣然同意了，并且随即跟钱大姐去重庆，第一次担任交通员，用很机密的办法带回来一些中央的指示文件。

一九四一年一月，皖南事变发生了，反共高潮达到顶点，由于叛徒的出卖，何彬和小刘连同她刚生下的孩子一起被捕入狱，这是鄂西党最大的损失。我和特委的小王同志把组织疏散后，到南方局去汇报。

那时重庆形势很紧张，随时可能发生突然事变。南方局当时设在红岩村，在敌特的严密包围和监视之中。钱大姐知道我到了，怕我人生地不熟，自己瞎闯上红岩村，被敌人拦住抓去。她派老蔡下山来找到我，详细告诉我怎样上山进红岩村。老蔡画了一张路线图给我看，叫我不要迷失了方向，落进敌人陷阱里去，老蔡和我约了口号，叫我第二天天黑后上去。大姐还不放心，又叫上过山的小何白天领我到红岩村对面的山上看一看路径。钱大姐对于同志的安全如此关心，如此仔细地安排，使我感动得要掉泪。

第二天天黑时候，我上山去，一路比较顺利，但是，快到大门却把我搞糊涂了，走到竹篱笆的后面去了，我着急地从篱笆退转来，不当心把竹篱笆碰响了，马上听到楼上有警铃响起来，接着听到许多人在楼上跑，我退回来到底找到了大门，顺石梯子走上去，看到楼上的灯光，我真是想哭，到底到了家了。

我进传达室才坐下，有两位警卫同志来问我，我说了口号，他们马上说：“钱大姐在等你呢！”他们叫我从一个秘密小门进去。才一上二楼，就看到钱大姐迎面走来，她和我一握手就责备我：“怎么搞的，教了你还是摸错了，我们以为发生大事了。”的确是这样，我看到走道里有几个警卫同志手里已经拿着手枪戒备了。

我只是负疚地笑了一下，钱大姐再没有说什么，引我进了她的房间，让我坐下来，默默地给我倒一杯水，却不发话。真是难堪的沉默呀！我像回到娘家，坐在亲娘的面前一样，有多少话想说呀，但是我又从何说起呢？当然我首先应该报告的是我们那里组织遭受破坏的情况，何彬同志和我的爱人小刘，还有不满一月的女儿落进敌人的虎口里去了。但是我才张开嘴叫一声：“大姐！”她就用手势阻止我说下去，她用悲痛的眼神望着我，轻轻地说："不用说了，我都知道了。"

我没有说下去，可是看到她那种伤悼又很柔和的眼神，我却止不住热泪盈眶，这不是因为想起自己的战友和爱人的被捕，而是看到她那像亲娘一般的眼神，我简直想扑到她胸前放声哭一场，但是我强忍住了，赶忙用手巾擦去我的眼泪，我没有权利在她面前流泪，因为我知道她的爱人在十年以前被捕后，在南京雨花台牺牲了，我为什么用自己懦弱的眼泪去刺激她呢？她似乎理解了我，只沉静地说："你今晚上早点去休息吧！明天我们再谈。"

第二天，钱大姐先给我看一些文件，再和我谈，她是那么严肃而又认真地和我检查我们出事的原因和善后的处理。何彬同志这个她一直器重的同志被捕了，难道她不难过吗？但是在检查工作时，她还是毫不含糊地批评何彬同志，说他对当前的白色恐怖警惕性不高，犯了错误（后来何彬同志通过他的父亲辗转送诀别信到南方局，也检讨了自己的不慎）。当我说我们准备汇报后马上回去时，她又严肃地批评了我："你以为牺牲得还不够吗？"于是她给我解释："根据中央隐蔽精干、长期埋伏的精神，不仅你们特委的人要转移，下面的骨干也要全部转移到别的地方埋伏起来，没有暴露的基层组织可以当作根子埋在那里，将来时机一来，自然会发芽展枝，开花结果的。"

我肯定地点一下头。

"她就是这样一个人。看上去弱不禁风，但说话办事，利索干脆，走路如风，筋骨如铁。生活上像个大姐，工作上又像大哥，总之她是个特殊材料组成的人。"马识途这样评价她。

重庆之后，她又回到了上海。

这时的上海，是一个垂死的政权企图借以苟延残喘的一块领地，因此反动当局对共产党的地下活动更加警惕，加倍追寻"苗头"，一旦发现有“共党”活动，立即残酷镇压。作为中共上海局组织部长的她，承担着更加艰巨和繁重的任务，既要发展组织，更要保存实力。一向勤俭和清廉的她，现在偏偏要天天装扮成“阔太太”，穿梭在“十里洋场”，以求在敌人眼皮底下开展党的工作——她的性情变得更加像铁一样，无论在什么场合，都很少有笑容，即使在党内，所有的话语也都是“大姐式”的。听到有人背后议论，她不以为意道：“只要少牺牲一个同志，你们恨得我咬牙切齿也无所谓。”她清楚，在革命队伍里，多数同志也是有家有室的人，失去另一半的痛苦，她已经尝够了，“我不想让其他人也去尝试这份痛”……为这，她作为党的组织部长，对人、对干部的要求就是比一般人严许多。

上海要解放了！许多在地下工作的人都渴望早一刻公开自己的真实身份，而她只身去了香港，一家一户地做工作、做动员，将滞留在香港的那些国宝级知识分子带回祖国内地……

新中国成立后，她成为第一任监察部部长。周恩来总理向毛泽东主席建议时就这样认为：她是一个没有私念的人，也是一个没有私心影响工作的人。是的，她的爱人早已牺牲在上海龙华，唯一的一个孩子在苏联再没有找到。她只剩下自己一个人，她说她除了是他的“芳妹”外，就是一个“革命的女儿”了！

生还何处寄萍踪，
骤雨狂风肆逞凶。
几度铁窗坚壮志，
千番苦战表精忠。
丹心贯日情如海，
碧血雨花气若虹。
三十一年生死别，
遗篇再读忆初逢。

1962年清明时节，她手捧她的“曼”的再版遗作《俘虏的生还》，一边拭着泪，一边写着如上诗篇，眼泪再次在无人的时候流淌起来……

3年婚姻中相守不足10天，之后就是31年的漫长永别。她也从一个年轻漂亮的少女，变成一个严肃的“老太太”——除了当年的战友们依然唤她“大姐”外。似乎，除了“女监察部长”的性别色彩，她就是一个典型的“革命老太太”！

她以对她的“曼”的忠贞坚守和对党的忠诚奉献，作为“修炼”的最高境界，一直到被江青、康生等迫害致死，她连一声叹息都没有，只留下“朝前看”三个字。

后人在议论这位革命的“大姐”时，总有几多唏嘘，因为她一家三口，为了革命，生死三地。可我想，她留在世上的最后三个字“朝前看”，难道不是一个革命者最大的希望和理想吗？

朝前看，能看到什么？朝前看，就是看到了今天的我们和我们伟大的新中国呀！

她和爱人，还有他们失落在异国的那个孩子，当看到今天我们蒸蒸日上、繁荣富强的祖国时，他们都深感欣慰……

上海人民对她感情笃深，对她和他格外敬重，将她与她的烈士丈夫——“曼”（谭寿林）一起作为革命烈士列入龙华烈士纪念馆烈士名录内。

写完钱瑛和她爱人“曼”的铁血浪漫故事后，我意外地从一个封存了六七十年之久的历史旧档里，读到了一位革命烈士写给他爱妻“文妹”的36封情书。这些“情书”里每一封都流露着对妻子“文妹”的那般如火如焰的爱，令人热血沸腾……

细心地拂去历史尘埃，这火一般的情书，原来是中共重要领导之

一、杰出的无产阶级革命家王一飞所写，我感到无比震惊和好奇：原来职业革命家的内心也有“如岩浆喷射一样的爱情”啊！

他的“文妹”，其妻陆缀雯，是位忠诚的地下党党员，不到20岁就到上海读书，五卅运动中一直站在学生运动的前列，是青年女学生中颇为活跃的人物，由早期革命家宣中华介绍入党。中共负责人罗亦农出任上海区委书记时，陆缀雯就在区委机关担任机要员。那个时候，王一飞是中央军委秘书长，由于军委机关还没有建立完备，所以王一飞常把一些重要的机要文件交陆缀雯保管，就在这期间，年轻的王一飞也悄悄把爱情“存放”在这位秀美端庄的江南女子那里——1926年2月7日，这对年轻的革命者在上海结婚。在地下斗争的特殊环境下，他们的结婚仪式异常简单，没有盛宴，没有喜糖，没有任何繁文缛节。王一飞曾在一封家书中如此形容他们这些革命者的婚姻：“一桌，一椅，一张单人床，两个人睡到一起，就是一个家……两个共产党员的结合，除了志同道合，就不需要其他理由。之后，就可能是因革命工作的需要而分分合合，分比合要多得多！”

作为我党第一批被派往国外学习的军事人才，1925年2月，王一飞与叶挺、聂荣臻等从苏联著名军事学校伏龙芝军事学院学习回国后，被党中央留在上海筹备中央军委机关，并出任军委秘书长。1926年3月18日，北京发生军阀屠杀爱国学生的血案后，党的负责人李大钊不能再公开露面了，中央便决定派王一飞前往北方工作。刚过新婚蜜月的王一飞将这一消息告诉了妻子，并让其赶紧收拾行李，准备一起前往北京。但转眼王一飞又匆匆赶回来说中央让他马上到武汉。

“那我还去吗？”陆缀雯问。

“你暂时不去，留在上海。”王一飞说。

陆缀雯便赶紧把打包好的行李拆开，拿出自己的一半东西，又将另一半捆扎好后，叫来一辆黄包车，送丈夫到了火车站……

这对革命的新婚夫妇就这样仓促离别。

王一飞乘车到达南京下关码头后，匆忙赶上往长江上游开的那班航船。肩负重任的王一飞一方面火速赶往汉口，与先前到达那里的中央领导们会师，一方面又牵挂着独自留在上海的新婚妻子。他凝视着被远远甩在船后的滔滔江水，思念着新婚妻子，他知道前面的九江码头可以发信，便给妻子写下分别后的第一封“情书”——

缀文我爱：

今天是别妹后的第三天了，消磨这几天的光阴，实在困难！请先让我把几件事说一说，然后告诉你“我的胡思乱想”！

一、重民于我走后，必交一“小书”给亦农，你见亦农时，可告以转交弼时，他自然会替我交代清楚。

二、我从前曾托替华办车照，谁知他拆烂污到今！你可关照他一声，车照不要了，钱还退还！（如果没有，也算了！）至于你个人应做的，在我以为：

①经期间，应十分慎重，切勿随便“服”“食”“行动”！

②仍应按期往妇孺院去看病，多费钱是不要紧的，总以身体为重！

③如果身体好，则每日往石家去一趟，过一二天，往特兄处去一趟；如果身体不好，一切均可托游兄。

④为防思想上寂寞无聊起见，可温习英文，或看abc，或往德芷家去玩（这一条，必身体好，为条件）。

⑤如果你愿回家，趁此时期，便可一行，作为将来说穿此事之预备，亦可！但必：A）把地址留给我，B）27—28必赶回，因为此时我或者已回。

⑥所有新布，均可交裁缝店赶做衣服，可做稍为宽大一点，切勿等时、省钱，把布再藏在箱里！

妹妹，这是我此时所记得的，第一，必定还有许多遗忘的，第二，上面我所说的，也未见得全对；总之，还是要我的爱妹自己决定的！但是我愿爱妹注意自己的身体，这是“千言万语并作一句话”的意思，愿吾爱有所体会我！

至于我这几天的胡思乱想，其中最主要者，即是“骤然离开我爱”，忽忽“如有所失”似的！虽然，此次因校事而自动的自愿的且有理智的别离，但终不能打消我私心的难受，且深觉很不自然似的！我想，多情如妹，此中别离相思，当比我更甚！妹妹，这完全因为我俩平日的生活，已完全打成一片，一日不见也难，何况更久？！但是我们的生活是奋斗的，在动的状态中，如庸夫庸妇之终老牖下，寸步不出雷池者，不可能，亦不愿！如此辗转一想，倒觉得别离是我俩经常的生活，同居却是偶然的幸遇！我以此自慰，并愿以此慰我爱！

我每次回想我妹天真烂漫的态度，爱我的真切，使我感奋百倍，愿振作全副精神为校做事，俾有以副妹之爱！妹妹，枯燥平庸的我，而得妹之爱的培养，促进我的努力自勉者实大！谁谓恋爱不该哉？！我不禁常背人而吻吾妹玉照矣！

妹妹，要说的话还很多，现在不说了，且等到汉后慢慢的告诉你罢！不过有一句话，让我先在这儿提一笔。妹妹，你这是什么？就是18—19两天的赴宴当中，我因病或事务的关系，对妹妹有太重言的地方，虽然这些有的我已认错，有的妹妹已原谅我，但我事后追想，实深自悔！当此别离中回忆，尤令我深自责备，而深觉吾妹爱我之深切！妹妹，愧我粗鲁，以后决不再敢！！！

拉杂乱写，就此告终，请再说我的行踪：

别妹后，即抵车站，买一张三等票上车，离开车时间尚有40—50分钟，然车中已无座位矣！但有的却一人占三四位，铺起被来睡觉，而迟到者却只好鹄立车中，无秩序，无公德心，可见一斑！我幸带有铺盖，就坐在铺盖上，一直等车过镇江，才得座位，至七时二十五分钟到南京。

我即雇黄包车至轮船码头，中途为轮船写票局的招待接去，他为我买了票，送到码头，一直等到十二时（中餐）才有船来（瑞和），而此船又是非常起码的船，坐了官舱，翻反不如他船的房舱！

二十二时船由南京开，至晚上七时到芜湖，二十一日午后二时到安庆，晚上十二时到九江，预计明日（二十二日）晚上十时可到汉口。我想此行如无耽误，大约27—28必可到家矣！

时迟了，船要到埠了，下次再说罢！谨祝妹妹康健，努力！！！

你的“歹”小囡

21/Ⅲ—26

长江船中　第一号信

这是一位革命家写给刚刚离别的新婚妻子的信，原汁原味，所以读来感觉确实“情意绵绵”。里面有许多地下工作的“暗语”，在此不述。

从信中可以看出，王一飞其实是个非常心细的人。在离开上海前，他就安排了军委技术书记奚佐尧（烈士，江苏江阴人，1926年10月26日在上海被敌人杀害，时年29岁）与陆缀雯做假夫妻，租住在南市区租界内的一个弄堂的小房子，这其实也是军委的秘密机关地之一。王一飞走后，奚佐尧便负责南市区的工人武装起义。但才几天，陆缀雯发现奚佐尧突然不见了，于是到处寻找，可又怕暴露了军委秘密机关。正在此时，她看到一张报纸上说又有一批“共党分子”被捕，其中有个眉心上有红痣的人，陆缀雯马上知道他就是奚佐尧。惊心动魄之间，陆缀雯机智地转移了藏于她住处的军事机关留下的枪支，随后迅速消失在茫茫人海之中……几天后，她看到了做自己“丈夫”仅有数日的战友牺牲的消息。那个时候，革命者的生命时刻处在危险之中。

新婚的丈夫王一飞这次到汉口的时间并不长。在完成中央交付的任务后，他因受老战友任弼时之托，乘船到长沙，将任弼时的未婚妻陈琮英带到了上海。任弼时与王一飞是同一批入团，同一批出国，又在同一个学校学习，从苏联回国后又同在团中央担任领导，战友情谊特别深厚。这次受战友之托，一路上，王一飞的关心体贴让陈琮英数十年后仍然感激，她对陆缀雯说：“你们那个一飞啊，可实在老实。他在船上怕别人挤我，要保护我，可他又怕碰着我，就围着我转圈圈……”

结婚不久，王一飞怕妻子寂寞，便搬到了与瞿秋白杨之华夫妇和颜昌颐傅凤君夫妇同一所房子里。（颜昌颐，湖南人，中共早期党员，介绍人是邓中夏。1929年8月24日，他与彭湃、杨殷、邢士贞一起在上海新闻路经远里12号开会时被叛徒出卖被捕，一周后被敌人残酷折磨后枪杀，牺牲时31岁。）这三对中共重要领导人夫妇住在一起，生活上相互照顾，尤其是对女人们来说，能够解决生活上的不少困难。但邓中夏来了之后，立即要求他们“马上分开”，理由是三个中共重要人物住在一起，“太危险”，“不利于保护自己”。

邓中夏的这个建议是对的。三个小家立即做了重新安排。

王一飞后来又受中央指派到武汉组织军委的相关军事工作。再次分别，王一飞依然沉浸在如漆似胶的小夫妻感情之中，几乎每两三天就要给远在上海的妻子写信。这里选上三封，不妨一读（说明：因有的内容较长，略作删减）：

文妹，我的小宝……！

我已于今日午后四时到此地了，现尚未会见经理，大约明后日必可会到，究竟要留多久，只好等一二天再写信给你！

我这次出门，比前几次还要不放心于你，因为你平日太不知自养身体呀！我现在别的话不说，先请你注意这几点：(一）早起早睡约合8—9时,(二）多吃有益身体之食物，宁可多费点钱，买好的东西，切勿买小摊的零碎食物,(三）设法看书报，时间不可过多或过长，尤其禁看“哀情”“失意”等小说，因为无形中要影响你的精神及胎儿的,(四）有时发气时，总宜设法自制，找书报解闷，切勿向同学及母弟发作，总之，切勿忘记“精神畅快，身体强健”的口号，至要至要！

我身体平安，可勿为念，草此，即颂自爱（自爱即所以爱我！)!

母弟均此问候

你的飞　八月十二日

文妹我爱！

昨日午后到此，曾即草上一函，谅不至为洪乔所误罢！

此间近来大水，三四日前，租界街道水深三四尺，用车吸出，汇入江中，才算平静。但我昨上岸后（中国地界），欲至租界雇车，尚遇着数处积水，以至不得不绕一大圈，才至租界（本来近在咫尺），至于热度，比上海较好，但早晚不凉，蚊子臭虫又多，我住的还是上等客栈，但昨夜亦不能成寐！今日午后忽然起狂风，并下大雨，此时还不止，我来此已一昼夜，尚未遇见经理先生，一个人闷坐逆旅，除几份报一部无聊小说，聊供消磨时间外，其他为一般旅客所尽乐的（唱，叫，赌牌，看戏……），怎能值得一顾？！且更增烦耳！故午觉醒来，等人既不来，不如再给妹妹写信……！

前函我已再三申述“精神愉快，身体强健”的口号，愿妹妹于起居饮食中注意，现在我又记起一事，即最后买的西瓜时已秋季，瓜种亦不佳，我劝你不要再吃罢！切勿因惜物之一念而害身！

哎哟，写到这儿，我自己要发笑起来，等你收到这封信，连我动身后的日子一起计算起来，那些西瓜“早已不知去向”了！还要我来说宜吃不宜吃吗？！不过既然写了，妹妹且别笑！注意以后的吃食吧！

……妹妹，我爱你，你是我的第二生命，我希望妹妹进步，比希望自己更切……

写了这许多话，我并无丝毫杂念，千言万语并句说：“我爱我的第二生命，我愿我的第二生命健全（各方面的）……！”

至于我自己呢，自然也须随时努力……！

妹妹，还有一句话，要说一说，你说我“过于爱你，心觉不安！”妹妹，你不要这样想！应当想如何接受我的爱，妹妹果真能如我之希望“精神畅快，身体强健，稍为用功”，那才是接受我的爱，使我心中愉快，亦就是妹妹真爱我！我爱以为如何？！

时间迟了，下次再写罢，并必设法多写信给你！

母弟不另，石、尧均此！

给陆缀雯

（1926年8月19日于武昌）

我的心爱，文妹！

今天已经是十九日了，距你发信日已十天，距我发第一信时已一礼拜，但今天拿信的人回来，又无我的来信！真使我十分难过，十分挂念！！！莫非我的五封信均付洪乔吗？莫非妹妹身体不适吗？或另有我想不到的事吗？不然，何以来了一封信，相隔十日之久，无一字寄我呢？

妹妹，你总知道出门人是天天等爱人的消息，以慰旅中的寂寞的，我爱无论如何，总须给我信，即或有疾病等事，亦须老实告诉我，好妹妹！你何以不来信呵！

今天接昌兄信，云他不能回，专科生亦不能回，并电我前往，我尚未定，请你告诉尧兄，通知文翁为要！并可问万和兄之意！

以后可不来信，防我动身后接不着。我归，必先电知，且坐船直到。祝母弟康健！

你的好哥哥 19/Ⅶ

新婚之后的日子，由于革命工作需要，王一飞真的成了“飞人”，隔三岔五就要离开上海，赴外地执行秘密任务。留在上海的妻子，便成了他除革命工作之外的全部牵挂和思恋之人。

1926年7月，北伐革命军从广州出发，势如破竹。党派王一飞再度赴武汉，筹划策应北伐军的工作。此时留在上海的妻子已经怀孕，临时住在旅馆里的王一飞，白天忙着党务军事，只有在夜晚，才能遥望东方，思念自己的妻子，并写信向妻子袒露心迹。他道：“如果我们的爱情，不能在学问事业上互相勉励上进，总是抱歉的。尤其是男性的我，无予妹妹较好的影响，试问我心安乎？”

8月底，北伐军叶挺的独立团在汀泗桥、贺胜桥连挫强敌，在攻打武汉之时，王一飞越过火线，与老战友叶挺会合，并出任北伐军的苏联军事顾问加仑将军的翻译。这时的蒋介石对王一飞也赞赏有加，并给他送来中将军服，说“我们都是浙江老乡”，意思是想收买他，王一飞则原封不动地把中将军服退回给了“老乡”蒋介石。

他一心跟的是中国共产党。

这当口，上海的革命武装斗争进入了前所未有的新阶段，在周恩来、王一飞的领导下，尤其是由王一飞直接指挥领导的南市区武装起义，进展特别顺利。当他们取得胜利后，又转头攻打大东门的敌淞沪警察厅，迫使大批警察缴械投降。之后又攻打高昌庙兵工厂，再度缴获大量武器弹药。次日凌晨，当听说北站仍在激烈战斗之中，王一飞立即挑选一批年轻力壮、精明能干的人组成机枪队、短枪队和长枪队等五个战斗突击队，准备带领他们向北站全线发起大进攻，这时总指挥周恩来派人打电话来说：“战斗已经结束！”

南市区武装起义的工人纠察队们高喊口号，庆祝上海历史上的第一次工人革命的伟大胜利！

在战友们的欢呼与雀跃之中，王一飞悄悄跑到了福民医院，去探望他刚刚分娩的妻子和才来到这世上的儿子……

出院后的陆缀雯由于身体亏损，缺少奶水，只能去杭州找奶妈。她住在宣中华的家里，因为宣中华的妻子是陆缀雯在苏州中学念书的同学，也正因这层关系，后来宣中华成了她的入党介绍人。那时候，白色恐怖弥漫全国，尤其笼罩在像上海、杭州等革命者活动频繁的地方。有一天宣中华匆忙回家对陆缀雯说：“你马上搬走，这里有危险了！”

陆缀雯顾不得问究竟，立即带着婴儿和奶妈匆匆离开杭州。刚回到上海，王一飞便十分沉痛地告诉她：宣中华化装离开杭州后，在去上海途中，不幸被反动派抓捕，当晚在龙华遭敌人枪杀！

1927年8月7日，中共中央在湖北汉口召开紧急会议。王一飞作为中央军委代表，出席了会议。这就是著名的八七会议。

此次会议一结束，为加强鄂北秋收起义的领导，中央派王一飞前往该地指导。9月上旬，王一飞便到了襄阳、枣阳，当了解到当地农民运动处于低潮时，毅然决定停止在鄂北发动暴动的计划。他的这一决定，却遭到中央个别领导人的指责，对此王一飞不屑申辩。9月下旬，党中央安排王一飞返回汉口，中共中央领导机关陆续迁上海后，决定在武汉设立由罗亦农负责的长江局，王一飞为长江局成员。10月初，党中央致函中共湖南省委，派王一飞、罗亦农为中央特派员赴湖南召开省委紧急会议，改组中共湖南省委，并任命王一飞为新的省委书记。

1927年11月9日至10日，瞿秋白在上海主持召开中共中央临时政治局扩大会议。中共中央致信湖南、湖北省委，要求两省同时发动暴动。12月10日，暴动开始。总指挥王一飞身先士卒，率数十名武装工人进攻敌军卫戍司令部。因寡不敌众，暴动失败了。

就是在这个时候，王一飞给妻子陆缀雯写了一封信，他渴望妻子带着儿子一起到长沙全家团圆。然而，严酷的形势完全超出了王一飞的想象，他的信还在途中，自己却身陷囹圄……无论如何王一飞也不曾想到他让爱妻带着幼儿来长沙的信，竟是他给亲人的最后一封诀别信。

1928年1月，因党内的叛徒告密，中共湖南省委及长沙市委等机关先后被国民党长沙反动当局破坏。一日，王一飞在与中共湖南省委领导开会时被捕。数天后，他和几位革命者英勇就义于长沙教育会坪。

所有这些事，妻子陆缀雯完全不知。但她接到了爱人盼她和幼儿一起到长沙的信：

缀妹：

我仔细想过，你如出来，可以带小孩同来，至于奶妈，……总可有法对付，这是一个办法。但出来须快，迟则年底，甚不便！

或者使小孩断奶，或吃代乳粉，或粉饭等物，至来春二月（阴历）带同小孩出来，因为此间风俗，阴历十二月正月，不便建立公馆，据云不吉利的。这个办法，虽然好一点，简单一点，但须在家再过两月，不知你还能忍受吗？

来时，以少带行李为要，除你和小孩用物外，一概可留在三哥处，不必留在家中。至于盘费，可向大姊或吾兄等设法，当能成行也。现在年底将近，行路甚为不便，你在路中，务须自己小心，总以“沉静”“少与人谈”为要。路中朋友，一概靠不住的。即颂

近安

你的鹏上　十二月廿四晨

这是王一飞在12月24日凌晨写给他妻子的最后一封信。也就是说在这信邮寄途中，王一飞已经被敌人枪杀，而此时他的“缀妹”，正在上海忙着安排幼子的着落——陆缀雯毕竟也是地下党员，她知道此时的长沙并非“安乐窝”，所以将幼子送回了王一飞的老家浙江上虞。安排妥当后，她向组织请示获得批准后，即日出发前往长沙。因为走水路到长沙，先得到武汉，与陆缀雯同行的还有两位赴武汉向中央汇报工作的地下党员，三人一路相互照应。然而到了武汉后，组织上派邓颖超接待陆缀雯，并希望她将王一飞牺牲的事告诉陆缀雯。可邓超颖没有“完成任务”，她见了陆缀雯，实在不忍将噩耗当面说出来……

“一飞他到底怎么啦？你们快告诉我呀！”陆缀雯问中央机关的同志，谁也不正面回复她，而且躲着她。

于是她哭着要到长沙去。大家劝她说现在长沙那边形势紧张，不是去的时候。

“那一飞他在那里不是更危险吗？我，我去了可以帮助他做些事，让他少一份危险呀！”陆缀雯恳求道。

但，就是没有人批准她前往长沙，并且有女同志还找出了一个“理由”：“现在查得紧，你是短头发的，到了长沙也上不了岸。”

“为什么呀？”陆缀雯不明就里问。

“因为我们长沙过去发生过暴动，有女人参加，她们都是剪了短头发的，所以反动派现在一看到剪短发的女人就当作革命者抓！”

陆缀雯将信将疑，无可奈何，只能哭泣。最后，大家还是将她劝回了上海。

回到上海后，陆缀雯先把儿子从上虞接了回来，自己则住到新闸路的罗亦农家，继续盼着爱人王一飞的消息……但党内的同志像提前约定好了一般，谁也不告诉她真实情况。

她忧郁地来到瞿秋白家打听情况。瞿秋白和杨之华热情地接待了她，然而接下来的时间却是相对无言。

“我吹一段箫吧！”瞿秋白打破尴尬的沉默，取下墙上的洞箫吹了起来。那抑扬顿挫的箫声，苍凉悠远，悲切凄婉，陆缀雯知道，那是亲爱的同志们在用另一种方式，一起牵挂她的“飞飞”——王一飞的牺牲是伟大而崇高的，他在被敌人枪杀前，昂首挺胸，对天高亢道：“赤条条来去，原是无产者本色。愿天下受苦人得到解放，我虽死也瞑目了！”

爱人为信仰和主义而死，虽死犹荣、虽死犹生。在之后的漫长岁月里，同为革命者的陆缀雯，珍藏着爱人写给自己的所有“情书”，平静地在上海滩走完了自己的革命一生。她曾如此深情道：“因为心中装满了爱人的爱，所以我不寂寞，相反很充实。”

啊，还有很多，很多……仅解放上海的战役中，为这座英雄的城市牺牲的他的“爱人”和她的“爱人”，就有7613人……

他们牺牲在共和国成立之前的艰苦卓绝的战斗中。

第十章
家书、遗书和最后的呐喊，犹如“永不消逝的电波”，照耀着今天与未来……

这些日子，为了写这部《革命者》，我常常独自穿梭在上海的大街小巷，去走访或拜谒革命者曾经工作和生活的地方，那些地方或是在狭窄的小阁楼上，或是在很少有人注意的弯曲、阴暗的小弄堂内，几乎没有一个独立和像样的房子，即使是当时的“省委书记”“市委书记”甚至“中央领导”等干部，他们居住的地方，无一例外都在最偏僻与不引人注目的角落，较之今天处处摩天大厦、豪华楼宇的现代化上海，我只有感叹——

感叹我们的先辈当年在极端困难的条件下，竟然轰轰烈烈地把革命事业干成功了！

而每每站在纪念馆内、坐在档案室里，凝视和翻阅那些先烈的遗像、遗书以及遗物时，我更加心潮难平、思绪万千，尤其是复读那些滴着泪与血的文字，心头格外沉重，又时时浮想联翩……

那一刻，当我脑海中涌现出上海这座城市的每一条车水马龙的街道与风驰电掣的高速通道，以及滚滚东流的黄浦江和潮起潮落的苏州河时，便会生发出无限感慨：假如没有他们、没有他们昨天的奋斗与牺牲，假如没有他们、没有他们昨天的挣扎与起义，假如没有他们、没有他们昨天的爱与恨，今天的上海、今天的中国会是什么样呢？我们大家又会是什么样呢？

可以肯定的结论是：一定不会有如此美好和繁荣的今天！

是仍在黑暗中探究与摸索？

是仍在悲惨与悲痛中吟叹？

或许比我们想象的还要悲惨与黑暗……然而，有一点似乎许多人仍没明白：幸福是需要个人去奋斗与创造的，而如果不是在一个平等、自由和能够让大多数人当家做主的制度下，即使你再努力和拼命地去奋斗，幸福照样离你很远很远，甚至永不可及。

幸福和美好的生活，首先需要建立一种理想和美好制度，也就是说我们要有一个伟大的国家以及理想的社会制度作这种幸福与美好生活的依托。而中国共产党人为之浴血奋斗的目标，就是建立这样的国家和这样的制度，他们因此毫不动摇，义无反顾，全心全意，视死如归，死而无悔……

是的，这些人，就是我所书写的"革命者"。

革命者之所以伟大，在我看来，就是他们所有的努力、奋斗与牺牲，都是无私的，他们唯有理想和信仰！

往日上海街头的斑斑血痕和南京雨花台前阵阵散不去的罪恶枪声，时常提醒我：真正的革命者，在生命的征程上，活着与死亡之间没有界线，只有一种神圣的"告别"仪式——这种"告别"仪式，或许就是振臂高呼的口号，或许是仰望苍天的目光，或许是直面敌人的愤怒——，或许是子弹射来依然顶天立地、长歌当哭！

革命，革——命，既革一切反动势力和腐朽世界的敌人之命，也是随时准备将自己的命奉献出去的一种信仰者的终极行为。革他人之命，常豪情满怀，扬眉吐气；献自身之命，才是真正的考验。只有那些真正的革命者和共产党人才可能经得住如此彻底的考验，才可能成为肉体被消灭、灵魂和精神却永恒的光荣烈士。

在浩瀚的党史资料和革命史志中，我读到一位幸存者记录下的5位革命烈士被枪杀前后的情景，令我流泪，令我震撼——

……几位行将被敌人枪决的难友们，静静地躺在那里，旁边站着的看守们也哭了，哭了。一切听到这消息的人们都哭了！

这是九月十九日清晨七点半钟。在六点半钟的时候，他们分住在三个监房的五位，刚洗完了脸，还没有来得及开始读他们的早课，忽然那监狱的副典狱长，走到了他们的门边。有人一看见就说：“今天有人要吃馒头了（吃馒头就是处决）。”朱建国坚定地说：“吃馒头我一定有份的。”因为那家伙清晨一进屋子，便象征死亡之神的降临。他打开房门，头一个就点到谢士炎，接着就是朱建国和石淳，三个人一声不响地昂着头走出去。

丁行住在隔壁的屋子，这时点到他了，他随口骂了一声：“他妈的，我的遗嘱还没有写！”赵良璋住在第三个屋子里，他不等喊着他的名字，就把那件穿在身上的皮夹克脱下来，对同屋子的人说：“一定是有我！谁喜欢这皮夹克，拿去当纪念。”他最后也被唤出去了。同屋的难友们，在惊慌失措中，不知道说什么是好。大家都睁着一双失神的眼睛，望着他们刚强伟大的背影，消逝在甬道中。

照例在死刑执行以前，要进行宣判的手续。他们被领到一间办公室里，站成一排。那姓方的军法官宣读了他们的判决书，什么“匪谍”“颠覆政府”“供认不讳”“应执行极刑”。然后问他们有什么话说没有。谢士炎提高了嗓子对他说：“你们今天杀我们，全国的民众会向你们清算的！”接着他们就写遗嘱，有好多人早已把遗嘱写好了，装在裤后的袋子里。另外一张桌子上，放着两盘菜和一壶酒，一个小碟子里盛着一包打开的烟卷。谢士炎和赵良璋各吸了一支烟。他们把遗嘱交付了以后，就被拥到监门外一片菜园地上。一个卫兵排长向他们发口令：“跪下！”赵良璋回头啐了一口："混蛋！"那声音使卫兵排长震颤了一下。"要我们跪下，没有那么一回事！"这时他们就把拳头紧紧地握起，伸向天空。枪声和他们高呼"共产党万岁"的口号声交响在一起。

他们的死，使整个儿监牢震动了，每一颗心都激动了起来。一个从刑场回来的看守兵告诉我："我们真难受，没有办法做什么，只有站在旁边看着，他们死的时候，挺着胸脯子，一点也不害怕，他们喊着口号时，法官的脸都吓白了，连忙摆手放枪，放枪的时候，我们靠着不远，几乎打着我们。我们知道，他们没有犯法，他们都是好人，国家为什么杀他们？我们真不明白！我们看到枪毙人的事太多了，唯有这次使我们太难过了，但也说不出道理来。"说到这里，他低下头去，枪杀，对于他们，那是司空见惯的事。每一个人之所以被激动得这么厉害，都是由于烈士们在苦难中典范的表现。

一个共产党员所以能具有这么崇高的品质，并不是自然的事，他有党的优良传统，有马列主义理论的培养，有组织上的正确领导，加上不断的实际斗争经验。因此，他就能变成革命中一个战斗单位，而整个的党也就成为革命的总动力。

…………

他们在我们前面走着，是我们的先驱，是我们的榜样，是我们该追上的巨人！

他们是黑夜的明灯，天上的星光，将永久地照在人间，照在历史上，照在我们的心上。

他们的精神永远不死，永远地和我们，和我们的后一代，和我们的子子孙孙，永远地、永远地活在一起。

在他们被枪杀的第二天，天空流着一片热浪，我们在屋子里，感到气闷，身上燥得出汗。将到中午的时候，一阵狂风把院子里的天棚席盖，吹得翻过来，覆过去，壁架上的碎纸攻得满屋飞散，天上的黑云愈积愈厚，光线渐渐地昏暗起来，我们知道大雷雨将到了。不一会雷声夹着雨点像千万发炮弹射出来，地面浮起一层水纹，每一滴雨打成一个深窝。轰轰、哗哗一直地响着，这是千万人的怒吼吧！这是千万人的热泪吧！这是革命的巨潮，这是革命的进军！是时候了，天空啊！把你的裂口张得更大一些！豪雨啊！更有力地倾倒下来吧！我们的灵魂已经激恼了，我们的拳头已经握紧了，准备和你交流起来！冲击到人间！

…………

其实我知道，许多写下这些“刑场记录”和“死亡日记”的人，后来也牺牲了，因此，他们想尽办法留下的那些片言只语也就格外珍贵。也有许多革命者在牺牲前，以各种方式留下遗言和家书，或者是豪情冲天的诗篇。所有这些烈士的遗存，虽然如今已经蒙上岁月的尘埃，然而它们依旧像电影《永不消逝的电波》里的主人公李侠发往延安的那一份份情报一般，一直指引着革命队伍里那些有理想、有追求的人的前进步履，也照耀和引领着我们伟大的国家健步地前进在光明的大道上。“李侠”的原型也是位革命烈士，叫李白，他就是上海地下党的一名党员，是参加过秋收起义和两万五千里长征的红军老战士。为了革命，他从延安来到上海，住在贝勒路（现黄陂南路）148号三楼的一间14平米的小阁楼上，开始了白色恐怖下的情报工作。1949年5月7日，他被敌人秘密枪杀，此时距上海解放仅有20天。在李白牺牲前，他的妻子带着4岁儿子曾去监狱探望过，李白乐观地对妻子说：“不要为我难过，为革命工作是我最大的快乐！这是黎明前的黑暗，待革命彻底胜利后，你和孩子以及全国人民都过上幸福、自由的生活，那该有多好啊！”

一个身经百战、带着妻子和幼子的革命者，在一间十几平米的小阁楼上几乎是不分日夜地在孤军作战，而他那宽阔的胸怀里却想着“全国人民”的幸福与自由的生活！你能不为这样崇高的灵魂所折服吗？

在摩天大楼鳞次栉比、高铁四方奔驰、都市生活现代化程度大幅提高的今天，我们是否应该静一静心，侧耳去聆听下当年烈士们留下的那些遗言？是否可以放下手机，腾出哪怕是很少一会儿的时间去读一段那些沾着泪痕与血的遗书？那恐怕是一堂必不可少的人生精神与灵魂的洗礼课程。

那天我外出采访，见一个街口小公园边熙熙攘攘，很是热闹，举目看去，突然发现那小公园里矗立着一尊音乐家冼星海的塑像，于是赶紧让出租车司机停下，我说我要瞻仰一下这位革命音乐家。

在龙华烈士纪念馆的数以千计的革命烈士中，冼星海的身份很特殊，他不是被敌人杀害的，而且也没有死在监狱，他是在赴苏联创作系列交响乐作品时病逝的。将他奉为“革命烈士”，是因为他的特殊贡献和与上海的特殊感情。

这位天才的革命音乐家，具有代表性的作品是抗日题材的，在上海居住的日子里，他内心充满对侵略者的仇恨。另一方面，作为革命音乐家，他的工作和创作也是属于“地下”的。音乐家以其特有的革命方式和牺牲方式成就了自己，成为人民所崇敬的烈士，他生前留给子女的一句话，一直陷在我的脑海之中——

> 在这大时代里，我们要把自己所能的贡献给民族，一切贡献给党，不要时常挂怀着自己的幸福，因为我们的幸福是以解放民族，解放人类为目的。

革命音乐家的遗言，如同他留给我们的那曲《黄河大合唱》一样经典，是可以让我们永远传承下去的醒世之言。

冼星海《黄河大合唱》的合作者“光未然”，真名叫张光年，是中国作家协会的老领导。我亲耳聆听过光年先生讲述他与冼星海合作

《黄河大合唱》的过程。“那时星海从上海到延安不久，我写了一首关于《黄河吟》的长诗，是星海建议我改为《黄河大合唱》。谱曲自然由他亲自来完成。那时延安条件艰苦，可我知道星海是广东番禺人，爱吃甜的，所以我给他弄了两斤白糖，供他创作时吃。后来星海真的一头扎在炕头，一边含几口白糖，一边谱他的曲，整整六天六夜，完成了他的传世之作，这就是后来全国人民常唱的‘风在吼，马在叫，黄河在咆哮’的《黄河大合唱》曲谱。作品第一次在延安表演后，立即轰动全场，连毛泽东同志等都赞赏。那时我们在延安有个说法，说《黄河大合唱》是星海的灵魂与白糖化成的杰作。”

人民音乐家和作家合成的一曲中华民族的伟大战歌，鼓舞和激励着全国人民抗日的勇气，化作了战胜敌人的雷霆之力。人民因此无限热爱冼星海。

从光年先生那里，我还知道了革命音乐家的另一些故事：冼星海出身很苦，其父亲是以捕鱼为生的贫苦百姓，在冼星海还没有出生时，便葬身于大海，所以冼星海其实是个遗腹子。没有文化的母亲在孩子出生后，坐在海边，仰望星空，应景地给儿子起了个富有诗意的名字：星海。

后来母亲带着星海，到南洋打工为生，吃尽天下之苦。但她是个乐观的人，常常哼着小调，唱着民歌，苦中作乐，给儿子带来许多乐趣。冼星海后来一直说他母亲是他的音乐启蒙人。

上学后的冼星海因为喜欢乐器，被老师引上了音乐之路。具有音乐天赋的他，回到祖国后，就读于岭南大学附中，后到北京学音乐。学校停办后，他又考到上海国立音专，从此也开始了他真正意义上的音乐生涯。1929年，怀揣“音乐救国梦”的冼星海，靠着在海轮上做锅炉工赚学费的机会，漂洋过海，赴法国求学。在巴黎，他遇到了同在学音乐的同乡马思聪，并经其介绍，师从著名小提琴家奥别多菲尔。为了学音乐，冼星海拼命学习与工作，每天早上5点起床，晚上12点才能休息。有一次他在饭店端盘子，因为乏力，眼睛一花，连人带盘从楼上滚到楼下，还被老板狠狠地打了一顿。重新找工作也是难事，无数次他成了街头的流浪汉。也因为有流浪汉们的帮忙，他在晕倒后才没被拉尸车拖走……7年的非人生活，冼星海依靠顽强的毅力，一边学习，一边打工，创作了饱含人间沧桑甘苦的《风》，并以此作为参加巴黎音乐学院考试的作品，竟一举成功，还得了个奖。当主考官向他宣布“我们决定给予你荣誉奖，按照学院规定，你可以提出相应的物质要求”时，冼星海颤抖着双唇，只说了两个字：“饭票。”

这就是音乐天才所走过的路。之后，他成为该校的世界级大作曲家保罗·杜卡斯先生的得意门生。

1935年，冼星海回到祖国，再次来到上海，开始了他革命的音乐生涯。当上海滩上有权有势的人劝诱他去写“合胃口”的歌曲而不要去写“那种危险的救亡歌”时，冼星海断然拒绝，说：“我为什么要写抗日救亡歌曲呢？连有些同行都讥讽和轻视我，但我是一个有良心的音乐工作者，我第一要写出祖国的危难，把我的歌曲传给全中国和全人类，提醒他们去反封建、反侵略、反帝国主义，尤其是反日本帝国主义，我相信这不是没有意义的。”之后的近两年时间里，冼星海全身心投入抗日救亡的音乐创作之中，他与田汉、吴永刚、麦新等著名音乐人，合作创作了著名的《救国军歌》《黄河之恋》《热血》《青年进行曲》等200多首作品。

1937年，抗战全面爆发。冼星海参加上海话剧界战时演出二队，到全国抗战前线演出。一路上，被战斗洗礼的冼星海，创作热情异常高涨，一批优秀作品在他笔下诞生，如《保卫卢沟桥》《游击军歌》《在太行山上》《到敌人后方去》等，这些作品后来都成了抗日队伍中的战歌，极大鼓舞和激励了前线将士和广大民众的抗日激情。

在那段艰苦的岁月里，冼星海深情地给母亲写信道：“我不能不忍痛地离开你而站立在民众当中……把最伟大的爱来贡献国家，把最宝贵的时光和精神都要化在民族斗争里！……我们在祖国养育之下正如在母胎哺育恩赐一样，为着要生存，我们就得一齐努力，去保卫那比自己母亲更伟大的祖国！”正是因为革命音乐家的这等胸怀与情操，他才有可能最终创作出不朽的史诗性作品《黄河大合唱》。

“它那伟大的气魄自然而然使人卑吝全消，发出崇高的情感，光是这一点，也就叫你听过一次就像灵魂洗过澡似的。”茅盾如此评价冼星海的伟大作品。

“我深信我的祖国人民的胜利，我相信它的革命力量。我最珍贵的理想就是看到祖国人民的自由与幸福。”这是冼星海去世前留下的遗言。

“他的遗言，像烙印一样铭刻在我的记忆中。”一直陪伴冼星海治病的苏联著名音乐家穆拉杰里这样说。

至此，我们明白了冼星海为什么能够写出让全国人民一唱就心潮澎湃、震撼肺腑的作品，那是因为他心中无时无刻不装着“祖国”和“人民”。如他生前所言，始终要“加倍努力，把自己的心血贡献给伟大的民族”，直至“最后的呼吸为止”。

他做到了。他的作品与他的名字一样不朽。

不朽的人还有很多。革命烈士中的许多人物至今常常被提及。比如韬奋先生，一位在上海战斗了几十年的报人、编辑家、记者，他在临别这个世界时，只给家人留下三个字的遗言：“不要怕。”

“不要怕”，是这位革命者的一生写照，可谓字字千金，金光闪耀。

韬奋先生的一生，正如毛泽东评价的那样：“热爱人民，真诚地为人民服务，鞠躬尽瘁，死而后已，这就是韬奋先生的精神，这就是他之所以感动人的地方。”

一介书生，以笔为枪地与残暴的敌人进行无情的斗争，这种勇气不是所有人都具备的，韬奋就是这样的人。他在抗战时期的上海滩上，以其文弱的身姿，倾力挥笔鞭挞那些投降卖国主义者和可恶的侵略者，其力量胜过很多举枪动刀者十倍，因为他唤起的是民众的觉悟和民族的良知。

“不要怕”，是革命者的性格特征与基本品质，是有理想和信仰者的精神支柱。面对敌人，面对困难，面对黑暗，面对挫折，甚至面对死亡，怕者，就会动摇意志，迷失方向，最终沦为废物或渣滓。韬奋先生的革命筋骨，贵在于此。

“忘了我”，也是三个字，是另一位烈士的遗言，他叫骆何民。这位才活了35岁的革命烈士，有20余年是在上海生活和工作的，他重要的生命轨迹全部是在上海，在上海的革命工作之中。当他的头颅被敌人砍下来之前，他对家人仅说了如此沉重的三个字。

其实，“忘了我”，是烈士对自己亲人的全部赤诚之情，他这样对爱人说：“永别了。望你不要为我悲哀，多回忆我对你不好的地方，忘了我！”然而他没有忘记革命者最终的使命——消灭敌人，推翻反动统治。他知道自己再也无法完成战斗使命，于是他在遗言中让妻子告诉自己那尚未成年的孩子，“叫她不要和我所恨的人妥协”！

这是革命者的最后寄托和全部希望！

“忘了我”，短短的三个字，既饱含了对亲人的眷恋与疼爱，更寄托了他们希望自己的亲人不要因痛苦而丧失了战斗的意志和力量，以及消灭敌人的誓死决心。

“忘了我”，是血在流，是泪在奔，是心在颤，是革命者声嘶力竭的最后呼号……

在龙华和雨花台两个烈士纪念馆内的数以千计的英烈中，有位长相帅气、满脸布满笑容而双手却被捆绑，押向刑场的烈士，他就是王孝和烈士。

这位在新中国成立前一年牺牲在敌人枪口下的烈士，1924年出生在上海虹口，父亲是外轮上的司炉工。好学上进的王孝和在17岁时就加入了中国共产党，作为上海工人的后代，被组织安排到杨树浦电厂工作。解放战争后期，上海成为国民党反动派与中国共产党最后决战的一个重要城市，在中共地下党的领导下，杨树浦电厂工人的罢工运动在上海引人瞩目，曾在1946年1月爆发了持续九天八夜的大罢工，威震上海滩。1948年初，该厂再度爆发反对国民党统治的大罢工，国民党竟悍然把装甲车开进了厂区，企图镇压工人罢工。特务们得知王孝和是该厂的“工人领袖”，跑到他家劝其“自首”。王孝和冷静回应道：“我是上电280名职工选出来的工会常务理事，为职工说话办事是我的职责，没有‘自首’的必要。”

特务一走，家人急得直哭，劝王孝和赶紧到宁波老家躲一躲。王孝和却说：“工人兄弟的命运到了关键时刻，我不能一走了之。”他坚持留在上海，留在厂里。

第二天，王孝和照常骑着自行车上班，行至半途，便被几个早已等候在那里的特务绑架到了一辆黑色警车上。

敌人企图用重刑让王孝和屈服，然而他宁死不屈，皮开肉绽时仍不向对方摆出的“条件”讲和。无奈，特务们为了欺骗工人们，在隔天的上海各报上发布了王孝和的“供词”，甚至编出了他的入党介绍人是“某某某”。结果这样的“报道”一出，反而让工人们和党组织知道了王孝和经受了考验，保护了战友。

王孝和被捕一时成了上海滩的一大新闻，特务们屡次动用刑具，希望撬开王孝和的嘴，结果几个月下来仍无丝毫收获。被惹怒的敌人最后不得不“宣判”王孝和死刑。

原定的枪决日是9月27日，结果消息传出，电厂的工人们纷纷赶到刑场，愤怒的声浪把国民党反动当局吓得赶紧草草改刑期。

王孝和留下珍贵的三封“遗书”。下面是他写给双亲和怀孕的妻子及狱中难友的三封遗书的片段：

父母双亲大人：

好容易养到儿迄今，为了儿见到此社会之不平，总算没有违背做人之目的，今天完成了和的一生！但愿双亲勿为此而悲痛，因儿虽遭奇冤而此还是光荣的，不能与那些汉奸走狗贪污官吏可比！瑛，她太苦了，盼双亲视若自己亲女儿，为她择个好的伴侣，只愿她不忘儿，那儿虽在黄泉路上也决不会忘恩的。琴女及未来的孩子佩民应告诉他们儿是怎样、为什么而与世永别的？！儿之亡，对儿个人虽是件大事，但对此时此地的社会来说，那又有什么呢！千千万万有良心有正义人士，还活在世上，他们会为儿算这笔血债的。双亲啊，保重身体挣（睁）开慧眼等着看吧：这不讲理的政府就要垮台了！到那时冤白得申，千万不要忘那杀人魔王，与他算账。

人亡之后，一切应越简单越好，好在还有两个弟弟，盼他们也拿儿之事，刻在心头，视瑛为自己姐姐，视两个孩子为自己骨肉，好好的教导他们，为儿雪冤，为儿报仇！

你的不孝男　王孝和泣上
民卅七年九月廿七日正午

瑛妻！

我很感激你，很可怜你，你的确为我费尽心血。今天这心血虽不能获得全美，但总算是有收获的，我的冤还未白，而不讲理的特刑庭就决定了我的命运。但愿你勿过悲痛，在这不讲理的世上不是有成千成万的人在为正义而死亡？为正义而子离妻散吗？不要伤心！应好好的保重身体！好好的抚导二个孩子！告诉他们：他们的父亲是被谁所杀害的！嘱他们刻在心头，切不可忘！对我的双亲你得视自己亲父母一般，如有自己看得中的好人，可作为你的伴侣，我决不怪你，而这样我才放心！但愿你分娩顺利！未来的孩子就让他叫佩民！身体切切保重，不久还可为我申冤、报仇！各亲友请代候，并祈多多照应为感。

特刑庭不讲理，乱杀人，秘密开庭，看它横行到几时！！……

你的夫　王孝和血书

卅七.九.廿七.二时

有正义的人士们！祝你们身体康健！为“正义”而继续斗争下去！前途是光明的！那光明正在向大家招手呢！只待大家努力奋斗！

被乱杀前之王孝和血书

这是一个革命者留下的最后遗言，读来令人唏嘘不已！何谓情怀？何谓信仰？何谓忠诚？何谓爱之深、恨之深？烈士的遗书中尽为我们解释和表达！面对敌人屠杀时所表现出的英勇气概和无畏精神，真的感天动地！

宣判他死刑时，敌人企图“压压”共产党人的威风，特意叫来20多名记者“以正视听”。哪知在“庭长”宣读完死刑判决书后，王孝和面不改色、从容自若，当着众记者的面，高声道：“我要向在场记者们讲几句……”这一讲，他把国民党反动派不讲理、滥杀无辜、镇压工人的种种恶行，滔滔不绝地道来，引来新闻界记者们的一片掌声。有位外国记者用英语向王孝和提问，别看王孝和是电厂的工会干部，却曾就读于上海励志英文专科学校，他现场用英语回答了外籍记者数个问题，这让反动法官十分尴尬，慌乱至极，连忙宣布：“不许提问了！犯人立即执行枪决！”

这时，几个反动法警按惯例端上一碗掺着麻醉药的白酒让王孝和喝下。

“我不是胆小鬼，用不着这个！”王孝和愤怒地把酒碗打翻在地。

于是反动法警们又不得不手忙脚乱地拥上去，强行揪着他的双臂，趁势朝刑场押去。

王孝和则一边骂，一边走，面对反动派的丑恶行径，坦然大笑……这些情景，被在场的大公报摄影记者马蔗伯抢拍了下来。如今，我们才有机会看到一位革命者行将就义前的一组异常珍贵的照片。

王孝和面对死亡时的灿烂笑容，让我们永远地记住了他。面对死亡，他之所以坦然而笑，也许正如他向难友们留下的遗言中所说，“那光明正在向大家招手呢”，我们何必悲伤！

这就是革命者的胸襟与情操，令人敬佩、仰慕。

叶天底烈士的名字许多人并不知道，然而当我读完他牺牲前写给哥哥的遗书时，内心有种异常强烈的冲动……

叶天底的遗书中写道：“我决无生路，不死于病，而死于敌人之手。大丈夫生而不力，死又何惜？先烈之血，主义之花……我决不愿跪着生，宁愿立着死！”

这是何等的气概！

叶天底是浙江上虞人，上海的许多革命者的老家在上虞！

叶天底，原名叫叶霖蔚，不仅与上海有缘，而且重要的革命生涯都是在上海度过的。1920年，他经陈望道推荐，到上海的一家印刷厂做《新青年》的文稿校对，这让他有机会很早就结识包括陈望道在内的早期共产党人。一天，浙江老乡陈望道见叶霖蔚收藏的《竹石画》后，在画上题词：“石压笋，笋斜出。搬开大石头，新竹根根笔头直。”叶霖蔚大喜，从此改名为“叶天底”——“做大石头下的新笋一般的人”，他誓言。叶天底将此作为座右铭，一直把画挂在书房墙上。

革命道路就这样越走越宽阔。叶天底也成为中国社会主义青年团（共青团前身）的创始人之一。

1921年春，叶天底被陈独秀派到苏联学习，后因伤寒猝发，未能去成。原上海社会主义青年团书记俞秀松去苏联学习后，在上海的工作实际上便由叶天底负责。由于伤寒未愈，加之工作繁重，原本身体就比较虚弱的叶天底不得不离开上海回老家养病。一心挂念着上海革命工作的叶天底写信给自己的革命战友，说：“堕落便是心死。我身不死，我心决不先死！我仅存着除革命以外没有别的事业可做的一个心……”

养病的日子里，叶天底从没有忘记自己的职责，他借在家乡上虞春晖中学当代课教师的机会，经常抱病到学校宣传马克思主义和革命道理，在那里点燃革命火种。这个学校后来成为当地的一个红色革命基地，从春晖中学走出来很多到上海参加革命的青年。几十年后，在春晖中学的一次校庆上，著名学者胡愈之贺信道：当年“有一位最可敬的英雄的革命青年，曾经艰苦地生活，静默地工作，散播最早的共产主义革命种子，并且为此付出了宝贵生命，这个人就是早期的共产党员叶天底。现在他所散布的种子，早已开了灿烂的花，结了丰硕的果”。

叶天底不仅是位革命火种的传播者，而且在文学方面也非常有造诣，发表过《觉悟》《秋夜》和纪实作品《日本大地震》《黄海之夜》等。1923年他回到上海，在上海东方艺术研究会从事文艺理论研究。其间他也成了革命熔炉——上海大学的旁听生，结识了瞿秋白、罗亦农、恽代英等人，并在他们的介绍下加入了中国共产党。不久，他受组织派遣，以苏州乐益女子中学老师的身份，在侯绍裘领导下，参加党的苏州支部创建工作。

体质原本就弱的叶天底，再次劳累病倒……他不得不又一次离开上海，回老家上虞养病。北伐战争开始，叶天底接受中共上海党组织的命令，在上虞、绍兴等地积极组织革命力量，培育农民武装。在他的不懈努力下，革命武装起义获得成功，一度占领县城。然而就在此时，蒋介石反动集团发动政变，大规模屠杀共产党人。“上海派来的”叶天底遭逮捕，不日被押解到杭州。

“你是上海来的共产党老资格党员，影响很大。上司对你格外器重，你只要在自首书上签个名，即可被释放。”国民党高层里有不少是“浙江老乡”，于是有高官来劝叶天底，而且后面还有话，“只要点个头，到我们这边来，少不了给你个官衔！”

叶天底冷笑道：“签名？你们看错人了！我宁可死，也不会向你们‘点’头的！”

有心计的国民党浙江省党部又抛出长线——让叶天底“监外就医”，同时从上海调来几个“老乡”一起相劝。叶天底依然毫不动摇，并一再表明：“天底加入共产党之初，就始终相信共产主义。如今因病被捕，遗憾自己替党做的事太少了。可既然被抓，就不免一死，我早就准备好了，天为棺材盖，地为棺材底，为共产主义而死是光荣的。我要郑重告诉各位，谁要是在我面前说一声自首，那就是对我的侮辱！”

“老乡”们纷纷叹惋而去。

这是一位貌似弱不禁风，骨头却比钢铁还硬的革命者，面对强大的敌人，他仍以威震山河的气概，向行将毁灭他的那个罪恶世界，宣言道：“我——决不愿跪着生，宁愿立着死！”

绝不愿在反动和黑暗势力面前跪着求生，宁愿为了共产主义信仰和国家、人民的崇高利益而站立着死，这就是我们的无产阶级革命者。

龙华千古仰高风，壮士身亡志未穷。
培外桃花培里红，一般鲜艳一般红。

雨花台边埋断戟，莫愁湖里余微波。
所思美人不可见，归忆江天发浩歌。

上面两首诗，前一首是一位在龙华监狱坐牢的革命志士所写，并被镌刻在牢房的墙上；后一首是鲁迅先生所作。

在上海的龙华和南京的雨花台这两个革命烈士纪念地，有一位女烈士给人留下深刻印象。她叫黄励，牺牲前是中共江苏省委组织部长，1933年4月25日，她在上海西爱咸斯路（现永嘉路）的住处被反动军警和法租界的巡捕逮捕，出卖她的是她的秘书周光亚。当时敌人搜遍了黄励家的所有地方，只搜到一块大洋、六角小洋和手帕一块、钢表一只、眼镜一副。反动军警不敢相信，一位共产党的高级干部，竟然只有这么几样可怜的财物！

黄励被捕后，她的直接领导、中共重要负责人之一的邓中夏无比惋惜道：“她太不应该落到敌人手里。”黄励一直与邓中夏并肩战斗，这位在苏联生活了6年的优秀的女干部刚被调到上海担任中国革命互济会主任兼党团书记没多少时间，就身陷敌人牢笼。黄励是1925年五卅运动中入党的少数女共产党员之一，入党后就被作为骨干派往莫斯科中山大学学习，1926年她与同在那里学习的杨放之恋爱成婚。1928年，黄励随瞿秋白赴柏林参加世界反帝大同盟代表大会。1929年她与丈夫杨放之一起随邓中夏去海参崴参加第二届泛太平洋劳动大会，之后留在那里，从事远东国际工运工作。随着国内革命风云激剧变化，黄励向组织提出回国工作，得到批准后她到了上海。回国后的黄励以其非凡的领导能力，援救了一大批被敌人关押的革命志士，并对牺牲烈士的家属做了大量抚恤工作，所以威望很高。后来因为在上海的中共江苏省委屡遭破坏，中央决定调黄励去任组织部长。当时地下党的工作正时刻处在危急之中，中央对黄励也十分关心，为其安全考虑，已经决定将她调往苏区。哪知就在这当口，她被叛徒出卖，落入敌人手中。

当时的国民党当局对黄励“寄予很高期待”，希望这位重要的女共产党员能够“自首”“投诚”，所以花尽工夫，机关用尽，却未能动摇黄励的革命信仰，无奈之下，将她从上海监狱押解到南京。反动派想不到的是，在南京军事监狱里，黄励以共产党人的品格和个人魅力，策反了一位看守所狱警班长，于是监狱里谁叛变了、敌人下一步将采取何种方法镇压革命者的信息，都悄然被中共地下党掌握，有效地保护了一批革命者。这事后来被敌人发觉后，南京反动当局头目谷正伦勃然大怒，立即批示枪毙“罪魁祸首”黄励和那位狱警班长。

在得知自己快要结束生命时，黄励泰然置之，她对同室的难友们说：“我快要到雨花台了！”随后用手指指后脑勺，双手一摊，又轻轻一笑，意思为革命就要去献出生命了！她又拿起一把小刀，割下一绺黑黑的头发，交给同室的难友钱瑛，说：“头发受之父母。我剪下一绺，请你交给我爱人老杨，他这时也在牢里，受着敌人的折磨，他也在斗争……”这是黄励留给亲人和同志们的最后遗言。

枪决那天，黄励站在囚车上，依然履行一名革命者的最后使命——向押解她的国民党官兵们宣传道：“你们也都是穷苦出身，都有爱国心的。我们为了爱国，为了争取收复东北失地，反对国民党的投降政策。可反动派们要杀我们，然而中国的革命者是杀不完的！一个政府到了靠杀人来维持政权的地步，它还能长久吗？国民党快完蛋了！大家起来斗争吧！中国一定会建成一个没有人压迫人的富强国家……”

“中国共产党万岁！”

“新中国必定会建成——！”

28岁的女共产党人用其生命最后的呐喊声，回击了射向她肉体的罪恶子弹。

她倒下了，但革命者的预言却终于实现了——1949年10月1日，毛泽东在北京天安门城楼庄严地向全世界宣布：

中华人民共和国中央人民政府，今天成立了！

从1921年中国共产党成立至1949年，革命者通过28年的浴血奋斗，实现了中华民族最伟大的壮举。其间，在上海、在南京、在全国各地到底牺牲了多少革命者？他们又都是谁？姓什么？名什么？其实这些人宛如滔滔不息的黄浦江和滚滚东去的长江一样，是我们谁也无法说尽、谁也无法数清的，那些被写入“革命烈士纪念册”的仅仅是一部分，还有许多先烈我们至今仍然不知他们是谁，他们的亲人在哪里……

革命者留下的精神，是一个民族最宝贵的遗产。传承和发扬革命者的精神，其实就是“不忘初心、牢记使命”的实质内容。

让我们永远铭记那些为建立中华人民共和国而战斗和牺牲的革命先烈吧！

《革命者》完成了。然而我的心却无法平静——那份对革命者的深深情感依然激荡……再朗诵一遍1943年牺牲的烈士林基路所写的《囚徒歌》——

我噙泪低吟民族的史册，
一朝朝，一代代，
但见忧国伤时之士，
赍志含愤赴刑场；
血口獠牙的豺狼，
总是跋扈嚣张。
哦！民族，苦难的亲娘，
为你五千年的高龄，已屈死了无数的英烈，
为你亿万年的伟业，还要捐弃多少忠良。
铜墙，困死了报国的壮志，
黑暗，吞噬着有为者的躯体，
镣链，锁折了自由的双翅，
这森严的铁门，囚禁着多少国士。
豆萁相煎，便宜了民族仇敌。

无穷的罪恶，终教种恶果者自食；
难闻的血腥，用噬血者的血去洗。
囚徒，新的囚徒，坚定信念，贞守立场。
砍头枪毙，告老还乡；
严刑拷打，便饭家常。
囚徒，新的囚徒，坚定信念，贞守立场！
掷我们的头颅，奠筑自由的金字塔；
洒我们的鲜血，染成红旗，万载飘扬！

2014年春—2019年夏
于北京、上海、南京……

图书在版编目（CIP）数据

革命者/何建明著.—北京：大有书局，
2022.6
（何建明红色三部曲）
ISBN 978-7-80772-077-5

Ⅰ.①革… Ⅱ.①何… Ⅲ.①报告文学－中国－当代
Ⅳ.①I25

中国版本图书馆CIP数据核字（2022）第056929号

书　　名	革命者 GEMINGZHE
著　　者	何建明
责任编辑	叶敏娟
装帧设计	罗　洪
责任校对	李盛博
责任印制	袁浩宇
出版发行	大有书局 （北京市海淀区长春桥路6号　100089）
综 合 办	（010）68929273
发 行 部	（010）68922366
经　　销	新华书店
印　　刷	中煤（北京）印务有限公司
版　　次	2022年6月北京第1版
印　　次	2022年6月北京第1次印刷
开　　本	170毫米×240毫米　1/16
印　　张	19.25
字　　数	247千字
定　　价	56.00元

本书如有印装问题，可联系调换，联系电话：（010）68928974